L'ESPIONNE

VIRGIL GHEORGHIU

L'ESPIONNE

Roman

PLON

Au Docteur Bernard Sureau

I

LES SERVICES
DE CONTRE-ESPIONNAGE FRANÇAIS
RENDENT VISITE A UN PROFESSEUR DE PARIS

Au moment exact où la pendule anglaise du salon carillonne deux heures de l'après-midi, on sonne à la porte. A la Muette, dans l'élégant petit appartement en bordure du Bois de Boulogne, une seule personne entend ces tintements : le propriétaire, le professeur Max Hublot. C'est un jeune attaché au Centre National de la Recherche Scientifique. Il fait la sieste dans un fauteuil Chippendale, un beau fauteuil en cuir, couleur feuille de tabac, confortable et moelleux comme un sofa de pacha. Le professeur Max Hublot se lève brusquement et se dirige vers la porte. Sa précipitation est en désaccord avec sa petite taille d'homme grassouillet dont l'aspect trahit sa principale caractéristique : la paresse. Il est brun, avec de beaux cheveux noirs. Il n'est pas allé chez le coiffeur depuis longtemps, pour ne pas se déranger ; il est mal rasé, car le matin il laisse le rasoir glisser vite sur sa peau rose. Sans insister. Pour éviter l'effort. Son complet est coupé par un grand tailleur dans le meilleur tissu anglais, mais son pantalon et son veston sont froissés. Ce jeune homme est nonchalant, négligent ; telle est sa nature, il ne fait rien pour y remédier. Il attend d'habitude qu'on sonne deux ou trois fois avant d'aller ouvrir la porte. Pourtant Max Hublot n'a pas encore trente ans. Il est riche, cela se voit. Pour lui la vie est une suite de siestes, de dîners, de soupers, de grasses matinées. Il hait tout mouvement qui déplace les lignes, comme dit le poète. Le mot sport l'a toujours effrayé, comme un mot barbare. Même maintenant, en le voyant se diriger vers la porte avec précipitation, on se rend compte que c'est pour lui un effort de poser un pied devant l'autre pour avancer. Il ouvre le plus vite possible, avec ses mains potelées. Il attend une visite exceptionnelle ; sinon il n'aurait pas dépensé tant d'efforts à l'heure sacrée de la sieste !

— Le professeur Max Hublot ? demande le visiteur.

Il se tient devant la porte, droit, élégant. Il a le chapeau à la main, parapluie et pardessus sur le bras. C'est un gentleman. Un officier supérieur. Un président-directeur général. Peut-être un peu de tout cela. Il prononce ces quelques mots dans une langue française pure, correctement accentuée.

Max Hublot comprend immédiatement qu'il ne s'est pas dérangé pour un vendeur de porte à porte. Son visiteur est un Monsieur. Avec une majuscule. Un véritable Monsieur, comme on n'en trouve plus que dans les romans français d'autrefois, mais jamais dans la vie. Malgré cette constatation qui lui fait plaisir, Max Hublot est déçu par cette visite. Ce n'est pas un Monsieur qu'il attendait. Il a interrompu sa sieste, couru à la porte et ouvert, pensant que c'était un télégraphiste, ou la concierge, ou un garçon de courses. Max Hublot attend une personne dont le métier est d'apporter des nouvelles. Pas un Monsieur. Il s'est dérangé inutilement. Il s'en veut d'avoir agi contrairement à ses habitudes. A deux heures de l'après-midi, pendant la sieste, il ne faut jamais répondre.

— C'est moi-même, répond Max Hublot, mécontent.

Il ajoute, en portant la main droite à sa bouche et en se retenant de bâiller. — A qui ai-je le plaisir ?
— Commandant Dumonde, du S.D.E.C.E.
— Vous êtes officier du service de contre-espionnage ? s'exclame Max Hublot. Entrez, mon Commandant ! Entrez...

Il prend le pardessus et le chapeau du Commandant Dumonde et les range. Puis il s'assied vis-à-vis de l'officier et le regarde.
— Vous êtes marié, Monsieur le Professeur, n'est-ce pas ? interroge le commandant.
— Depuis deux ans, répond le professeur Max Hublot.
— Puis-je savoir comment se nomme votre femme ?
— Monique. Nous sommes un ménage heureux. Ma femme se trouve depuis hier à la clinique d'accouchement. A deux cents mètres d'ici. D'après les médecins, elle doit donner naissance à notre premier enfant d'un instant à l'autre. Quand vous avez sonné, je suis accouru pour ouvrir, car je pensais qu'on venait m'annoncer que j'étais père.
— Madame Monique Hublot est née en Roumanie, n'est-ce pas ?
— C'est exact.
— Pouvez-vous me dire le nom et le prénom de jeune fille de votre femme ?
— Monique Martin, répond le professeur. Il ajoute : Pensez-vous qu'il existe sur la terre des hommes qui ne connaissent pas le nom de la jeune fille qu'ils épousent ?
— Possédez-vous quelques pièces d'identité de l'époque où Madame Hublot n'était pas encore mariée et s'appelait Monique Martin ?
— Certainement. Je pense qu'on ne peut pas se marier, devenir citoyenne française, recevoir un passe-

port sans fournir de pièces d'identité, n'est-ce pas ? Même pour entrer en France, ma femme devait posséder un passeport. Avec un visa du consul de France à Bucarest. Elle devait avoir le passeport avec visa et une carte de séjour en France pour s'inscrire à l'Université. Elle est venue à Paris avec une bourse, accordée — dans le cadre des échanges culturels — par l'Etat Français.

Max Hublot devient nerveux. Lui demander s'il connaît le nom de sa femme et si sa femme a des pièces d'identité est aussi bête et stupide que de lui demander si sa maison possède un plafond, des murs et des portes... Il y a des choses qui font partie d'un tout.

— J'ai mal posé la question. Je vous fais mes excuses, dit le Commandant Dumonde. En fait, Madame Hublot possède toutes les pièces d'identité nécessaires. Je les ai étudiées moi-même. A la loupe. Ce sont des pièces d'identité authentiques et régulières. Elles ont été vérifiées par la Préfecture de Police, par le Ministère des Affaires Etrangères, par le Ministère de l'Intérieur, et elles ont été reconnues comme authentiques, même par l'ambassade de Roumanie à Paris... Je voulais vous demander autre chose...

— Demandez, mon Commandant. Demandez. Mais ne posez plus de questions surréalistes. Vous n'êtes certes pas venu chez moi pour me demander comment s'appelle ma femme ? Quel est l'objet réel de votre visite ?

— C'est justement celui que vous venez de mentionner, Monsieur le Professeur. Je suis chez vous pour vous demander si vous êtes sûr du nom et du prénom de votre épouse...

— C'est tout ?

— Rien de plus, dit le Commandant Dumonde.

12

— C'est une blague, n'est-ce pas ? Ou vous n'êtes pas officier des services de contre-espionnage !

Le Commandant Dumonde montre sa carte. Max Hublot l'examine attentivement.

— Elle est authentique. Mais ce pourrait aussi bien être une fausse carte d'identité. Je ne suis pas capable d'en décider.

— Merci, Monsieur le Professeur, dit l'officier.

— De quoi me remerciez-vous ?

— Vous avez dit exactement ce que je voulais vous dire : une carte d'identité peut être aussi bien authentique que fausse. Après une année de recherches — déclenchées par d'innombrables lettres de dénonciation — nos services ont abouti à la conclusion que les pièces d'identité de Madame Max Hublot, votre épouse, sont fausses. Toutes.

— Vous allez un peu trop loin, mon Commandant. Je pense qu'il serait préférable d'avertir le commissariat de police pour vérifier l'authenticité de votre propre pièce d'identité, avant que vous ne vous occupiez de celles de ma femme.

Max Hublot est rouge de colère. Le Commandant Dumonde se lève.

— Je suis navré d'accomplir une mission pénible. Mais je vous répète : toutes les pièces d'identité de votre femme sont fausses. Il n'y a aucun doute là-dessus. Ni son nom, ni son prénom ne sont véritables. Tout est faux dans ses papiers.

— Impossible, dit Max Hublot.

Le professeur est debout. Il est tout petit. Plus petit que d'habitude. La colère rétrécit les corps. Elle ternit l'homme, en lui rendant la peau, le visage et les lèvres grises. La colère rend l'œil brillant. Mais l'œil en colère brille comme les couteaux de cuisine. C'est un brillant cru, mesquin, sauvage. C'est le contraire d'un œil qui brille de joie. La colère, la haine, la soif de vengeance sont des passions qui n'appartiennent pas en propre à la nature humaine. Ce sont des passions morbides dont l'homme fut contaminé après sa chute du Paradis. Ce sont des maladies contractées par l'homme sur la terre, en exil.

— Il est impossible, Monsieur le Professeur, de ne pas connaître le nom et le prénom de sa femme, après deux ans de mariage... Malheureusement, c'est la vérité... Je suis navré de vous dire cela. Croyez-moi.

— Je ne crois pas un mot de vos affirmations, dit Max Hublot, furieux.

— Que vous le croyiez ou non ne change rien. La vérité est comme elle est. Même si vous la refusez. Elle est grave. Car si une femme ment à son mari, en lui cachant son passé, c'est une affaire privée. Cela ne regarde pas la police. Mais si une femme ment à l'Etat, c'est sérieux. Les lois ne se laissent pas berner comme certains maris. Fausse identité, usage de faux dans les actes publics et autres, l'affaire ne peut pas se solder par une expulsion pure et simple du territoire français. Les crimes et les délits qui y ont été commis devront être jugés et punis. L'expulsion suivra... La loi est dure. Je vous prie de bien vouloir passer demain à neuf heures à nos bureaux, pour signer une déclaration écrite.

Le Commandant Dumonde détache de son carnet une convocation et la dépose sur le beau guéridon anglais, à côté de la boîte à cigarettes. Ensuite il prend son pardessus, son parapluie, son chapeau, et se retire en saluant.

Max Hublot reste seul. Au milieu du salon. Comme un arbre foudroyé.

II

LE MYSTERE SE CACHE
DERRIERE LE RIDEAU DE SOMMEIL

— Je désire parler d'urgence à ma femme, dit le professeur Max Hublot. Il est à la clinique d'accouchement. Il y est accouru immédiatement après le départ du Commandant Dumonde. L'unique personne qui puisse l'éclairer, c'est Monique. Uniquement elle.

— Impossible de parler à votre femme, lui répond la réceptionniste. Depuis une heure, elle est en sommeil artificiel. Elle souffrait trop. On a été obligé de recourir à ce procédé qu'on évite d'habitude.

— Il faut la réveiller. Pour une minute ou deux. Pas plus. Ensuite, vous pourrez la rendormir...

— Cela me semble impossible, dit la réceptionniste.

— C'est pour une question tout à fait exceptionnelle. et d'extrême urgence...

— Tout ce que je peux faire, c'est avertir notre médecin-chef de votre requête.

— Je vous en supplie, faites vite !

— Je vais tâcher de le toucher, par téléphone, le plus rapidement possible. Mais cela nécessite un bon quart d'heure. Au moins. Il a plusieurs hôpitaux, vous le savez. Ce soir, il fait une conférence à la radio. Il a ensuite l'allocution de clôture du Congrès internatio-

15

nal des médecins. J'appelle son cabinet de consultations privé... Voulez-vous attendre dans le hall ?

— Je reste ici. Cherchez, s'il vous plaît, d'abord le médecin-chef...

C'est une clinique d'accouchement de luxe. Exactement comme les halls des palaces internationaux. Avec une musique douce, diffusée en sourdine. Des fauteuils immenses et confortables. Des lumières discrètes. Des fleurs partout. Les infirmières et les hôtesses passent comme des tulipes blanches, et comme les ballerines sur une scène. La moquette, de couleurs reposantes, est moelleuse. La semelle s'y enfonce comme dans la neige. Partout de belles silhouettes, des couleurs tendres, des sourires. Ici, c'est en permanence fête. A chaque heure du jour et de la nuit, à peine une fête terminée, une autre commence. Avec une nouvelle naissance. Avec de nouveaux invités. Des nouvelles corbeilles de fleurs, des cadeaux, des félicitations, des embrassades. Chaque jour c'est dimanche et un anniversaire.

— Notre médecin-chef vient juste de quitter son cabinet de consultations. Je vais essayer l'hôpital... dit la réceptionniste. Sa voix arrive aux oreilles de Max Hublot comme si elle parlait des nuages. Dans ce palace d'accouchement pour milliardaires, les infirmières parlent avec une voix irisée, basse et commercialement douce. Leurs paroles sont comme les fleurs artificielles et comme le papier d'emballage artistique dans les confiseries. Les sourires et les paroles font le même office que le rouge à lèvres et le maquillage. Les mots sont tamisés, filtrés par des tampons embaumés. C'est le même langage que celui des hôtesses de l'air dans les salles d'attente des aéroports. Ce n'est pas le langage parlé. Ce sont des roucoulements, des chuchotements lascifs d'alcôve, des déclarations

d'amoureuses, sur l'oreiller, avant le lever du jour...
C'est le langage des colombes. Des invitations murmu-
rées à l'oreille.

— Pas de chance, Monsieur le Professeur, dit la réceptionniste. Notre médecin-chef n'est pas encore
arrivé à l'hôpital. Montez voir votre femme. Je vous
donnerai la communication dès que je l'aurai.

Max Hublot suit une infirmière. Elle marche devant
lui. Comme sur un plateau de cinéma. Ses petits sou-
liers blancs semblent calligraphier en marchant. Les
couloirs sont pareils à ceux des trains de luxe. A
chaque étage, la moquette change de nuance, les portes
sont capitonnées, les vitres isolantes. L'air exhale un
parfum discret.

L'infirmière ouvre la porte blanche de la chambre de
Madame Hublot. Elle se retire. Avec le sourire. Sans
dire un mot. Max reste seul au milieu de la pièce. Sa
femme est couchée sur le dos. Elle dort, en souriant.
Elle est dans son beau déshabillé blanc, avec des dentelles. Les longs cheveux noirs de Monique sont répandus sur les coussins blancs.

« Que tu es belle, mon amie, que tu es belle.
Tes cheveux comme un troupeau de chèvres.
Suspendues au flanc de la montagne... »
(Cantique des Cantiques 4,1).

La lèvre de Monique est gonflée. Comme un fruit
mûr. Ses joues aussi sont des fruits mûris au soleil.
C'est une très belle femme. Voluptueuse. « Ta joue est
comme une moitié de grenade » (Cantique des Cantiques). Monique est d'une beauté légèrement exotique.
On voit dans son visage — comme on peut discerner
dans un cocktail — les gouttes des mélanges qui la
composent : un peu de sang d'Orient, un peu de sang
d'Occident, quelques gouttes de sang latin et méditer-
ranéen, un peu de sang slave, quelques gouttes de sang

17

gitan, un peu de sang mongol, dans les pommettes obliques et les yeux en amande... Monique réunit en elle toutes les races. Elle est toutes les femmes en une seule. Elle est comme son peuple roumain.

Max hésite à s'approcher d'elle. Il se sent incapable de l'embrasser. Il faut qu'il sache d'abord qui elle est réellement. Si elle est Monique. Comme elle le lui a affirmé. Ou si elle est une autre. Comme l'a affirmé la police.

Monique continue à sourire dans son sommeil. On voit ses dents du bonheur. Ses belles dents. Elle ne peut pas répondre. Elle est réfugiée derrière le rideau de sommeil. Avec tout son mystère. Et avec son secret.

Max Hublot s'approche et caresse lentement les cheveux noirs de sa femme : Quel mystère caches-tu ? S'agit-il d'un crime ? D'une affaire tellement grave que tu es obligée de vivre avec un faux nom et de faux papiers d'identité, comme les évadés du bagne et comme les grands criminels internationaux ? Est-il si terrible le mystère que tu caches ? Car autrement tu n'aurais pas menti à ton mari et au père de ton enfant ? Max Hublot est prêt à fondre en larmes. Mais le visage de sa femme reste impassible. Son sourire est le même. Elle ignore totalement le cyclone qui tourmente son mari, et qui va ravager leurs vies et la vie de leur enfant. De celui qui n'est pas encore né.

Il y a d'innombrables rideaux dans le monde. Il y a le Rideau de Fer, qui sépare l'Europe en deux, il y a des rideaux invisibles, qui séparent les races, les classes et les hommes les uns des autres. Mais aucun rideau n'est plus impénétrable pour Max Hublot que le rideau de sommeil qui le sépare en ce moment de sa femme. Monique est ici, physiquement et elle est si éloignée de lui qu'aucune de ses paroles ne peut lui parvenir. Elle est présente et en même temps absente. Il peut la toucher et lui caresser les cheveux, mais elle ne peut pas entendre sa voix... Aucune parole, aucun signe ne peut passer à travers le rideau de sommeil...

Max Hublot repart. La réceptionniste lui dit :

— Vous ne pouvez pas parler à votre femme, Monsieur le Professeur. Notre médecin-chef vous invite à attendre jusqu'à demain midi... On ne peut, sous aucun prétexte, réveiller la patiente.

— C'est une affaire très urgente, dit Max Hublot. Une affaire de vie et de mort, pour moi, pour ma femme et pour l'enfant. Ça ne peut pas attendre...

— Si c'est si grave que ça, il faut vous adresser personnellement au médecin-chef. Pas à votre femme.

— Il ne s'agit pas d'une affaire médicale. Ni d'accouchement. Le docteur ne peut pas me répondre. Seule ma femme peut le faire...

— Ce n'est pas une urgence médicale ? dit la réceptionniste.

— Bien sûr que non !

— Dans ce cas, je vous conseille de ne pas insister. Nos patientes, dès l'instant où elles entrent chez nous ont le cordon ombilical coupé du reste du monde. La seule chose qui nous intéresse ici, c'est la santé de la mère et de son enfant. Toutes les autres préoccupations sont bannies.

Le professeur Max Hublot quitte la clinique. Après s'être cogné au mur de sommeil, il vient de se heurter au mur de la dialectique professionnelle des accoucheurs... Il essaie de se donner du courage, en se disant que le mensonge qui dure depuis trois ans — si mensonge il y a —, depuis le jour où il a rencontré Monique à la bibliothèque de la Sorbonne, peut durer encore dix ou douze heures. Il se demande ce que Monique pourra lui révéler. En tout cas la police est convaincue de sa culpabilité. Elle veut l'expulser de France. On expulsera aussi son enfant. Car on ne peut pas séparer une mère de son bébé. L'enfant de Max Hublot sera donc, dès sa naissance, un expulsé. Un interdit de séjour en France. Cette République, que le père de Max Hublot divinisa comme une idole, interdira au petit Hublot qui va naître de séjourner sur son territoire.

Max Hublot est dans la rue. Les élèves des luxueux pensionnats du quartier sortent de leurs écoles. Les fillettes achètent des glaces au coin des rues. Exactement comme le faisait Max Hublot autrefois. C'est dans ce quartier de luxe qu'il a fait ses études. Il a toujours connu une vie douillette, à l'abri de tout bouleversement. Il a vécu sans grandes vertus et sans grands péchés. Et le voilà tout d'un coup mêlé à une histoire incroyable. Une histoire que même des auteurs de romans policiers n'oseraient raconter. Et ce malheur invraisemblable s'abat justement sur Max Hublot, lui dont la devise est de vivre caché pour vivre heureux !

III

UNE FLEUR D'AUVERGNE

Pendant les tremblements de terre, quand les incendies éclatent et quand les ouragans menacent de tout détruire, l'homme se jette à terre. Il y cherche refuge, en s'y collant comme les enfants effrayés se serrent contre la poitrine de leur mère. Le danger oblige l'homme à chercher la sagesse et les gestes initiaux. Max Hublot procède de la même manière. Il ne va pas consulter un avocat. Sans raisonner, guidé uniquement par l'instinct, il prend un taxi et se dirige vers le quartier Montparnasse. Il s'arrête devant la maison où habite France Normand. C'est son premier amour. La femme est comme la terre. Auprès d'elle, tout homme blessé cherche refuge. Le sort des hommes a toujours été entre les mains des femmes. C'est à cause d'Eve que les hommes ont perdu le Paradis. C'est par une femme, par la Vierge Marie, que les hommes ont reçu le ciel. La femme est comme l'atmosphère : elle peut être toxique ou vivifiante.

France Normand est une amie d'enfance, née en Auvergne, comme lui. Le père de France Normand était aussi pharmacien. Max et France Normand ont passé toute leur jeunesse ensemble. Leurs parents se voyaient chaque jour, surtout pendant l'été. Max et France ont vu ensemble, pour la première fois, la mer.

Ils ont escaladé ensemble les montagnes. France Normand est une partie de l'Auvergne et une partie de la vie de Max. C'est vers elle qu'il se dirige à cette heure bouleversante. Sa présence lui est plus précieuse que les conseils d'un avocat. Max Hublot et France Normand ont passé leur baccalauréat la même année ; ils sont allés à l'université en même temps, à Paris. France, fille unique, s'est inscrite à la faculté de pharmacie ; elle pourra ainsi hériter de la pharmacie auvergnate de son père, sa dot. Max, dont le père était riche, s'est inscrit à la faculté des lettres. Dès leur première année de faculté, Max et France se sont rendu compte qu'ils s'aimaient. Et ils se sont fiancés ; ils ont vécu ensemble, attendant d'avoir fini leurs études pour se marier.

Pour aller chez France Normand, Max s'invente un alibi : une amie de France est mariée à un commissaire de police. Il dira que ce commissaire peut lui apprendre quelque chose sur le mystère de sa femme. Mais c'est un prétexte. Il veut être à côté de France. Pour être protégé. Encouragé. Consolé. Il n'a pas le droit d'aller la voir : il l'a abandonnée il y a deux ans, pour épouser une étrangère, en cachette. Un jour, France le rencontra par hasard dans la rue.

— Tu portes une alliance maintenant ?

Il rougit.

— Qu'est-ce qui te prend de porter une alliance ? Tu l'as trouvée dans la rue ? D'où sors-tu ce truc-là ?

— Je me suis marié, répondit-il.

— Marié ? Comment cela ? Sans rien me dire ?

— Je ne l'ai dit à personne...

— Mais moi, je ne suis pas personne. On est fiancés tous deux, si je ne me trompe pas...

Elle reprit son équilibre et lui demanda :

— Et avec qui t'es-tu marié ?

— Avec une étrangère. Une fille de l'Est. Une Roumaine.

— Eh bien, sois heureux dans ton mariage, dit France.

Elle lui tourna le dos et partit. Depuis ils ne se sont plus revus.

En descendant du taxi devant la maison où habite France, Max Hublot se rend compte que cette visite sera difficile. Mais c'est trop tard. Certes France a supporté l'abandon avec résignation. Sans mot dire. Mais Max est loin de s'imaginer le désespoir qu'il a causé. Ni combien de fois, combien de nuits, elle a pleuré, toute seule. Max Hublot n'a jamais connu la douleur authentique. Un être humain qui n'a pas éprouvé la souffrance n'est pas un homme complet. Il est même dangereux. Comme une bête méchante. La différence entre un homme et une bête, c'est que l'homme, quand il fait le mal, le sait. Mais la bête fait le mal sans savoir. Max Hublot provoqua une souffrance atroce à France Normand. Mais cela, il l'ignorait. Comme les bêtes.

Max sonne à la porte. France Normand ouvre sans le laisser attendre. Elle est en robe de chambre bleue. Elle vient à peine de rentrer de son travail. Car en attendant son mariage avec Max, elle avait loué sa pharmacie d'Auvergne et travaillait à Paris. Dans un an, la gérance de sa pharmacie touchera à son terme. Elle ne sait pas encore si elle retournera là-bas ou si elle continuera à travailler à Paris.

— C'est toi, Max ! s'exclame France Normand.

Elle enlève son petit tablier. Elle préparait son frugal repas du soir. Son repas de femme seule. En pénétrant dans le studio, Max voit, par la porte ouverte, la salade verte qu'elle était en train de se préparer. Il sent l'odeur de la soupe et voit sur la table un yogourt et une demi-baguette. C'est le repas de chaque soir de France. Dans la maison, rien n'est changé. Tout est en ordre. Propre. France est coiffée, habillée comme si elle attendait quelqu'un. Elle est comme sur une scène. Même quand elle parle, on a l'impression que ses phrases sont préparées d'avance. Qu'elle ne fait que réciter. Comme les acteurs récitent des textes. France est parfaite, toujours égale à elle-même. Max Hublot a l'impression qu'elle l'attendait. Et il a en partie raison. France l'a toujours attendu. Depuis deux ans. Malgré la logique. Mais une femme est un être qui attend, aime et espère, toujours, contre toute évidence et contre toute logique.

— J'avais le pressentiment que tu viendrais ce soir, dit France. Tu vas partager mon dîner. Ta femme est à la clinique d'accouchement, n'est-ce pas ? Va te laver les mains. Entre-temps, je mets ton couvert. Ensuite, j'écouterai avec des larmes aux yeux tes paroles. On m'a dit que tu as pris un congé de maladie au C.N.R.S., à cause des douleurs que tu ressens pendant que ta femme accouche ! Il semble que tes douleurs sont si grandes que tu ne peux plus ni travailler, ni manger, ni dormir ! C'est vrai, ce qu'on raconte ?

— Ne te moque pas de moi, Francy, je t'en supplie.

— Promis, dit-elle. Je ne me moquerai plus de toi.

— Je suis venu chez toi pour une chose très grave, France... Je demande ton aide.

— Bien sûr, mon chéri. Veux-tu que j'aille à la clinique aider ta femme à accoucher ?

— Pas de cruauté, Francy.

— Prends un verre de Martini et attends-moi. Je vais chercher ton couvert. Ensuite, je serai tout oreilles. Tu me raconteras tout. Et je combattrai à côté de toi, comme Jeanne d'Arc a combattu pour le Roi de France... Pour le moment, prends place. Voilà ton fauteuil. Car, bien que tu m'aies abandonnée, ton fauteuil est resté fidèle, à sa place. Ici. Chez moi. Comme moi. Il est toujours « ton fauteuil », le fauteuil de Max... Il est toujours vide, mais il est là... Chaque fois que je fais le ménage, je le caresse. Quand je mange, je le regarde. Quand j'entre dans la maison, le soir, je jette d'abord un coup d'œil à ton fauteuil. Comme je le faisais autrefois. Tu étais là, toujours avant moi. Ici. Chez nous. Et tu m'attendais, dans ton fauteuil. Cela s'est passé durant des années. De belles années. Et tout d'un coup, ton fauteuil est resté vide. Sans explication aucune...

France apporte le couvert. Elle dispose les assiettes, les fourchettes avec une exactitude de laboratoire. En suivant un rite ancestral. Mettre le couvert, c'est un acte de femme. La femme est elle-même, tout entière, dans ces gestes. Pour tous les gens de la maison, une femme qui met le couvert est pareille à la terre qui fait pousser les fleurs, les plantes. On est toujours trop occupé pour remarquer avec quel génie artistique le printemps, l'été et l'automne préparent les fruits, les légumes, les céréales, les fleurs, les arbres, les champs et la vigne. C'est avec le même génie créateur des saisons que France Normand, et toutes les femmes de la terre préparent la table, pour elle et pour l'homme. Ces gestes sont automatiques. Car ils viennent du tréfonds de la nature féminine. Ce sont des gestes discrets mais exacts comme une opération d'arithmétique. France, comme les acteurs de génie, connaît chaque geste et chaque mouvement et les accomplit sans y penser. Tout naturellement. Comme l'eau d'une rivière coule, sans jamais songer qu'elle coule, ni pourquoi elle coule... La femme est pareille...

— Excuse-moi, France. Je ne mange pas. Je te tiendrai simplement compagnie.

— Pourquoi ne veux-tu pas manger ?

Un homme qui refuse la nourriture offerte par une femme commet un geste brutal. Cruel. Ce n'est pas un simple plat de nourriture qu'il refuse, mais la femme tout entière.

— Je suis trop désespéré pour manger, dit Max.

Elle entend ces paroles. Mais elle pense à la nourriture. A son refus de manger le plat préparé par elle et mis dans son assiette par elle. C'est un refus plus offensant que celui de la serrer dans ses bras. Pour une femme, donner à manger à l'homme, c'est aussi important que de s'offrir à lui, avec son corps.

— Tu es si désespéré que ça ? demande-t-elle.

— Je le suis, Francy...

— Je me rends parfaitement compte de ce que tu ressens en ce moment. Tu dis que tu es plus malheureux que si tu étais sur le point de mourir. C'est bien ça ? C'est exactement ce que j'ai ressenti quand tu m'as abandonnée sans mot dire. Après un amour qui avait commencé avec notre enfance. Car on s'aime depuis notre enfance, n'est-ce pas ? Eh bien, ton abandon m'a blessée, non seulement dans mon âme, dans mon cœur, mais dans ma chair, dans mes os, jusqu'à la moelle... Si tu m'avais abandonnée en me reprochant quelque chose, si tu m'avais battue, offensée, je l'aurais supporté. J'aurais été une femme que tu avais frappée, humiliée, offensée. Mais tu ne m'as pas considérée comme un être vivant. Avant de l'abandonner, on donne une caresse à son cheval, à son chat, à son chien... Je n'ai même pas eu droit à cela de ta part. Tu es parti sans me regarder. Comme si j'avais été une chose inanimée, une porte, un mur, une pierre. Comme si je n'avais pas d'existence. Mais, Max, même les choses, on les regarde, en les abandonnant. On jette un coup d'œil d'adieu avant de partir, aux murs, aux meubles, aux paysages... Tu n'as même pas fait cela. Non. Et alors, je suis tombée du plus haut de l'existence, dans le néant. Car la femme vit sur le piédestal où l'homme la place. Une femme aimée est le nombril de la terre, le centre de l'univers. Et une femme abandonnée est réduite, au moment même de l'abandon, à la non-existence. Au néant. Une femme amoureuse vit seulement l'existence que l'homme lui offre, avec son amour. Et on lui retire l'existence pure et simple en lui retirant l'amour.

— Je te supplie de me pardonner. Au moins pour ce soir. Reproche-moi tout ce que tu veux, sans cesse, jusqu'à la fin de mes jours... Mais ce soir, aie pitié de moi. Uniquement ce soir... C'est pour cela que je suis venu chez toi.

France Normand se ressaisit. Brusquement.

— Mais tu es réellement malheureux, mon pauvre Max. J'ignorais que tu sois capable de souffrir.

France Normand devient protectrice. Consolatrice. Subitement. Car une femme peut changer plus vite que le vent, plus vite que les nuages et la mer : il suffit d'un regard, d'un mot, d'un simple geste, pour qu'une femme change et rie au lieu de pleurer.

— Pardonne-moi de ne pas t'avoir pris au sérieux quand tu m'as dit que tu souffrais, pardonne-moi. De quoi s'agit-il ? Dis-le moi. Et je t'aiderai. Tu sais que je suis capable de donner ma vie pour toi. Raconte-moi ton malheur, afin que je puisse t'aider...

En parlant, France débarrasse la table. Elle n'a rien mangé non plus. Si l'homme ne mange pas, la femme ne peut pas non plus toucher à la nourriture.

— Cela a très mal tourné, dit Max. Cet après-midi, j'ai reçu la visite d'un agent du S.D.E.C.E. Il s'appelle le Commandant Dumonde. Il m'a dit, sans détours : Monsieur Hublot, votre femme ne s'appelle ni Monique, ni Martin, comme il est écrit sur son passeport. Tous ses papiers d'identité sont faux. C'est une très mauvaise affaire. Car il faut un motif extrêmement grave pour qu'une femme pénètre en France sous une fausse identité, et se marie à un Français en lui cachant son véritable nom... Seuls les bagnards, les criminels et les espions osent procéder ainsi... Max fond en larmes. Il ajoute :

— L'officier du contre-espionnage m'a dit que le gouvernement, la justice et la police ne peuvent plus rien. Ils ont les preuves irréfutables que ma femme est entrée en France et vit sous une fausse identité. On ne peut que laisser les événements suivre leur cours ; cela veut dire : arrestation, procès, condamnation et ensuite expulsion du territoire français, avec défense d'y jamais rentrer... C'est tout.

— Du moment que ni la police, ni la justice, ni le gouvernement ne peuvent rien, pourquoi demandes-tu mon aide ?

— Tu es plus forte, France... Une femme qui aime est plus forte que tous les pouvoirs de la terre. Si tu as encore un sentiment pour moi, même si je ne le mérite pas, j'implore ton secours !

— Je suis flattée de ce que tu viens de me dire. Je suis contente que tu t'adresses à moi. Rares sont les femmes qui ont écouté de pareils compliments ! Tu m'as dit : « tu es plus forte que la République, la police, la justice et tous les pouvoirs de la terre ». Je t'aiderai. Mais cela ne changera rien entre nous. Chacun reste où il est. Car tu arrives trop tard. Tu arrives comme un voyageur avec sa valise, dans la gare, après le départ du train. Aucun train ne rebrousse chemin, pour recueillir les passagers retardataires. Tant pis pour eux. Mais je t'assure de mon aide. Je t'aiderai avec tout mon cœur, avec ma volonté. Je combattrai pour toi. J'ai pitié de toi. Tu es sorti une seule fois, sans moi, dans la vie. Exactement comme le Petit Chaperon Rouge est allé dans la forêt, tout seul. Et le pauvre Chaperon Rouge est tombé dans la gueule du loup. Toi, tu es tombé dans les filets d'une espionne bolchevique. Tu lui as donné ton nom. Tu l'as couchée dans ton lit. Et aujourd'hui te voilà complice d'espions, convoqué aux Services Secrets, interrogé... Tu seras accusé de complicité... Pauvre Max, pauvre Chaperon Rouge égaré dans la forêt, sans défense, à la merci des loups et des espionnes venues de l'Est...

En parlant, France Normand s'habille pour sortir. Elle ajoute :

— Il est excusable de coucher avec n'importe qui, mais il est impardonnable de se réveiller avec n'importe qui... Tu t'es réveillé chaque matin, depuis deux ans, à côté d'une inconnue. Sans savoir qui elle est, elle, la mère de ton enfant...

— Où va-t-on ?

— On va chercher, frapper, prier. Avec confiance. Celui qui cherche trouve. A celui qui frappe, on ouvre. Celui qui prie reçoit ce qu'il demande... Tu es en voiture ? Non ? Eh bien on prendra ma Topolino. Il y a deux ans que tu n'es monté dedans. Te souviens-tu, quand on sortait chaque soir, avec ma petite voiture ? Dans ce temps-là, tu m'appelais « ma petite fleur d'Auvergne ». Ce soir la voiture sera contente de nous conduire à nouveau ensemble dans la ville. Mais on n'ira plus s'amuser. Ce soir, on cherchera à savoir qui est ta femme. Uniquement cela. Tu dois pouvoir dire aux policiers du contre-espionnage, qui t'interrogeront demain, au moins le nom de ta femme... Il faut que tu répondes au moins à cette question. Le reste...

IV

LES OISEAUX DE CHINE

— Tu sais que le mari de Jacqueline est commissaire de police, n'est-ce pas ? Il me semble que tu l'as connu ? Non ? On ira le voir. Il travaille justement à la brigade des Oiseaux de Chine. Il doit connaître beaucoup de choses sur ta femme. Il connaît tous les étrangers de Paris...

France Normand descend le boulevard Saint-Michel, au quartier Latin. C'est ici, près de la Seine, qu'habite Jacqueline et son mari.

De même qu'il n'y a pas de roses sans épines, de même il n'y a pas de femme sans méchanceté envers une autre femme. Certes, France a des raisons spéciales d'en vouloir à la femme de Max. Mais elle éprouve un plaisir immense à la traiter d'oiseau.

— Pourquoi dis-tu que ma femme est un oiseau de Chine ? demande Max.

— Parce qu'elle est un oiseau de Chine. Certainement un faux, mais elle est toujours sur la liste des oiseaux de Chine de Paris... Tu ne le savais pas ?

— Non, répond Max Hublot. Je pense que tu te moques de moi.

— Pardonne-moi. J'ai oublié que tu ne sais rien sur la femme que tu as épousée... Pas même son nom. Il est normal que tu ne saches pas non plus qu'elle est un oiseau de Chine.

L'ESPIONNE

— Pourquoi l'appelles-tu Oiseau de Chine ?

— Je t'ai déjà répondu : parce qu'elle en est un. Un point c'est tout. Pardonne-moi d'être dure avec toi. J'en souffre. Afin que tu me pardonnes, je vais te raconter l'histoire des Oiseaux de Chine. La voilà : quand Mao Tsé-toung a conquis la Chine, il y a instauré le régime bolchevique avec l'aide des commissaires politiques russes. Etre communiste signifie copier le régime russe. Si on ne fait pas toutes choses exactement comme les Russes, on est déclaré hérétique et occupé immédiatement par l'Armée Rouge et les blindés soviétiques. Comme cela s'est passé récemment en Tchécoslovaquie, en Pologne, en Hongrie et dans d'autres pays. Pour ne pas tomber dans l'hérésie qui consisterait à faire quelque chose à la Chinoise et non pas à la Russe, les Bolcheviques de Mao Tsé-toung ont reçu une brigade de policiers russes pour les surveiller. La première chose que les Chinois devaient faire, c'était d'établir des plans quinquennaux. A la Russe. Les techniciens russes ont constaté que la Chine souffrait de la famine. Le milliard de Chinois qui existe n'a pas assez de nourriture. Pour éliminer la famine dans la Chine bolchevique, on a inscrit dans le premier plan quinquennal l'extermination de toutes les bouches inutiles : furent considérés « bouches inutiles » tous ceux qui ne travaillaient pas à l'usine. On massacra donc des millions de Chinois. Exactement comme on l'a fait en Russie en 1917. Mais malgré les massacres, la Chine continua à souffrir de la famine. Les savants russes ont expliqué aux Chinois qu'il fallait exterminer, non seulement les « bouches inutiles », mais aussi les « becs inutiles ». Les statisticiens rouges et jaunes ont contaté qu'en Chine, il y a des millions d'oiseaux qui mangent les grains de riz, de maïs, d'orge, d'avoine de seigle, de blé, de même que les fruits, les cerises, les fraises, les mûres, et aussi les légumes comme les lentilles, les haricots... Les oiseaux de Chine sont complètement oisifs et ne font qu'étaler leurs belles plumes multicolores, exactement comme la classe parasite des hommes. Environ trente pour cent des récoltes de la terre chinoise sont dévorés par ces becs inutiles. On a donc inscrit dans le plan l'extermination radicale des oiseaux : chaque soir, chaque Chinois était obligé de porter au siège du parti communiste local au moins un oiseau tué. Manquer de tuer un moineau ou une hirondelle pendant vingt-quatre heures rendait tout Chinois suspect de complicité avec les becs inutiles et avec les beaux oiseaux multicolores de la Chine. C'était en même temps un acte de sabotage économique. D'innombrables Chinois ont perdu la vie pour avoir manqué de tuer au moins une chauve-souris ou un colibri par jour, conformément au plan et à la doctrine marxisto-léniniste de Mao Tsé-toung.

Les oiseaux tués servaient en même temps de nourriture aux Chinois, comme les corps des individus non prolétaires massacrés dans le cadre du premier plan servaient d'engrais pour l'agriculture. Avant l'échéance du plan quinquennal, tous les oiseaux de Chine furent exterminés. Il n'y avait plus de becs inutiles. Le ciel de Chine était nettoyé des beaux oiseaux.

Après l'extermination des classes parasites et des oiseaux, la famine augmenta. Les récoltes étaient dévorées cette fois-ci, non par les bouches inutiles des mandarins, des bourgeois et autres réactionnaires, ni par les becs inutiles des oiseaux qui mangent sans travailler, mais par une infinité de petites bêtes, d'insectes, de parasites, une vermine minuscule, presque microscopique. Ces petites bêtes étaient auparavant mangées par les oiseaux. Et maintenant, il n'y avait plus d'oiseaux. Ces bêtes microscopiques augmentaient en nombre et dévoraient tout ; la famine prenait les proportions d'un fléau. Il y avait plusieurs solutions pour y remédier : d'abord ressusciter les oiseaux. Cette solution fut refusée à l'unanimité. C'était une solution de facilité. Il y avait une deuxième solution : obliger les Chinois à accomplir le travail exécuté auparavant par les oiseaux. Un homme, surtout s'il est encadré par les responsables du Parti Communiste, peut accomplir mille fois mieux le travail des oiseaux qui n'ont lu ni Karl Marx, ni Lénine, ni le Livre Rouge de Mao. On sait d'autre part que les Chinois sont un peuple d'une patience sans bornes, très minutieux et très bons travailleurs. On sait aussi que leurs yeux sont spécialement doués pour voir l'infiniment petit. Ce sont de véritables lentilles, des verres grossissants ; après un entraînement conforme à la pensée de Mao Tsé-toung, les yeux des Chinois peuvent remplacer les microscopes les plus perfectionnés... En dehors des yeux, ils possèdent aussi des doigts très fins. Ils sont en mesure de voir les bêtes minuscules, les parasites et les insectes qui dévorent les récoltes et de les cueillir avec leurs doigts comme avec des pincettes. Cette solution ne fut pas retenue par la direction du Parti, car les Chinois étaient déjà mobilisés pour d'autres tâches. On adopta la solution suivante : les diplomates chinois à l'étranger et tout le personnel consulaire reçurent la mission de faire une propagande intense pour décider les oiseaux réfugiés de Chine à rentrer dans la Patrie. On invita aussi à venir les oiseaux d'origine non chinoise, par exemple des Français, des Anglais ou des Américains qui, on le sait, rêvent jour et nuit au paradis chinois. On comptait revoir, dans un court laps de temps, le ciel de Chine rempli d'oiseaux. Grâce à la propagande marxiste, tout est possible, surtout l'impossible. On décréta donc une amnistie générale

pour tous les oiseaux chinois réfugiés à l'étranger, à
condition qu'ils rentrent dans la République paradisiaque de la Chine bolchevique. Les oiseaux possèdent
une tête avec une toute petite cervelle. Une cervelle
minuscule. Malgré leurs minuscules cervelles, les
superbes et paresseux oiseaux multicolores qui avaient
échappé aux massacres et vivaient dans les cieux capitalistes et réactionnaires, refusèrent de rentrer dans le
Paradis bolchevique. Les oiseaux n'ont pas d'opinion
politique. C'est un fait certain. Il est absurde de croire
qu'ils préfèrent le régime capitaliste au régime bolchevique. Mais du ciel où ils volent, ils voient la réalité
exacte sur la terre. Les oiseaux ont constaté que la
Chine et les autres républiques communistes sont de
véritables cages. Les républiques marxistes sont entourées de murs, de barbelés, de fils de fer électrifiés, de
miradors, de champs de mines, de chicanes et de barricades... Vivre dans de tels pays, c'est vivre en cage...
Malgré leur cervelle minuscule, on n'a jamais vu
d'oiseaux entrer de leur propre volonté dans une
cage !

L'appel au retour lancé par Mao Tsé-toung aux
oiseaux réfugiés à l'étranger était valable aussi pour
les Chinois exilés. On assista alors à un phénomène
incroyables : les hommes procédèrent plus sottement
que les oiseaux. Des milliers et des milliers de Chinois
échappés aux massacres, et qui vivaient en Amérique,
en Europe, en Australie, abandonnèrent leur liberté
pour rentrer en masse dans la république-cage, dans la
république pénitenciaire, derrière les grilles, les barreaux, les barbelés, les clôtures électrifiées. Les
hommes rentrèrent de leur propre gré en captivité. La
démonstration était faite que les hommes sont incomparablement plus bêtes que les oiseaux.

En voyant le succès chinois, les autres républiques

pénitenciaires lancèrent elles aussi des appels aux réfugiés pour qu'ils rentrent dans leurs patries cages. On a vu des dizaines de milliers de Roumains, de Hongrois, de Bulgares, de Baltes, de Polonais, quittant leur liberté et entrant de leur propre gré dans les républiques cages, derrière les barreaux et les barbelés. Les biologistes furent stupéfaits : les hommes ont un cerveau plus petit que la minuscule cervelle des oiseaux... C'est cela l'histoire des Oiseaux de Chine.

— Mais pourquoi affirmes-tu que ma femme est un oiseau de Chine ? demande Max Hublot.

— Tout exilé qui a fui sa patrie pénitenciaire pour échapper aux massacres est appelé « Oiseau de Chine ». C'est un sobriquet. Condamnés à l'extermination chez eux, ils se sont enfuis à l'étranger.

— Ma femme n'est pas une réfugiée, dit Max. Elle n'a pas fui la République Roumaine. Elle est arrivée à Paris avec une bourse. Si elle y est restée, c'était pour devenir ma femme...

— Pour devenir ta femme, ou pour d'autres raisons, dit France. Par exemple pour faire de l'espionnage. Ce n'est pas moi qui le pense, mais la police... Dans ce cas, ta femme est un faux oiseau de Chine... Mais toujours un oiseau... Seulement d'un autre genre...

France Normand arrête la voiture. Ils sont dans une petite ruelle. Devant une vieille maison.

— C'est ici qu'habite Jacqueline, avec son mari commissaire. Reste ici et attends-moi. Ils ont un tout petit appartement. Il est préférable que j'y aille seule. Que dirais-tu de les inviter tous les deux à dîner avec nous au restaurant ? Cela leur fera plaisir.

— Invites-les si tu veux, dit Max Hublot.

— On ira dîner tous les quatre dans un restaurant chinois. Il y en a d'excellents. Pour être dans l'ambiance... Tu as toujours aimé la cuisine chinoise, n'est-ce pas ? Surtout les queues de langoustine en beignets... On parlera de ta femme avec le commissaire de la brigade des Oiseaux de Chine. Il nous dira des choses intéressantes. Cela te va ?

— D'accord. Merci, France...

France descend. Max reste seul dans la voiture. Mais pas pour longtemps ; France revient en courant.

— Pas de chance ! Le mari de Jacqueline est parti en province. Mais ne t'inquiète pas. Nous trouverons d'autres sources pour éclaircir ce mystère... Demain à neuf heures, tu seras en mesure de répondre honorablement à l'interrogatoire. Je t'aiderai à sortir de cette situation ridicule, Max. Bien que tu m'aies abandonnée, je continue à t'aimer. L'amour et la foi sont plus forts que la logique. Ce n'est pas avec la logique qu'on déplace les montagnes. Mais avec l'amour. Toute femme le sait. A cause de cela les femmes se moquent éperdument de la logique...

V

LA POULE D'OR S'EST ENVOLEE

France Normand, cette « petite fleur d'Auvergne », comme l'appelait autrefois Max Hublot, cette petite pharmacienne de Montparnasse, conduit avec dextérité sa Topolino blanche dans Paris embouteillé... Elle se faufile, comme un petit lapin blanc, parmi les grosses voitures et les camions. France Normand se tait. Elle s'efforce de cacher son angoisse. Elle est inquiète pour Max : la situation est réellement grave. Elle lui a menti en disant que le mari de Jacqueline est en province. Il était chez lui en réalité et il regardait la télévision en compagnie de sa femme. Le commissaire travaille à la brigade des Oiseaux de Chine. C'est un des responsables des services des étrangers à la préfecture de police de Paris. C'est lui qui leur donne l'autorisation de séjour en France, qui vérifie leurs pièces d'identité, leurs moyens d'existence et qui tient à jour leurs adresses et leurs faits et gestes. Il connaît parfaitement le cas de Madame Max Hublot. Il a dit à France ce que tout le monde savait :

— La femme du professeur Max Hublot est une Roumaine, arrivée à Paris avec une bourse accordée dans le cadre des échanges culturels entre la Roumanie et la France. Elle a refusé de rentrer dans son pays, pour se marier. Elle a opté pour la nationalité de son mari. Rien de politique dans son refus de retourner chez elle.

Quand France Normand a proposé au commissaire et à sa femme de venir dîner au restaurant, il a refusé catégoriquement :

— Je ne tiens pas à être vu en compagnie de Max Hublot actuellement. Tu comprends ? Il est dans de mauvais draps... L'histoire de sa femme est une très sale affaire.

— Penses-tu qu'elle soit réellement une espionne bolchevique ?

— Je n'en sais rien, dit le commissaire. Ce qui est certain, c'est qu'elle vit chez nous sous un faux nom. Son dossier ne se trouve plus à la Préfecture de Police. C'est la D.S.T. et le S.D.E.C.E. qui s'en occupent. Dès que la Sécurité du Territoire prend le dossier d'un étranger, c'est une affaire grave. Dans ce cas, il est toujours préférable de ne pas s'en mêler. La D.S.T. et le S.D.E.C.E. ne nous déchargent pas des dossiers des individus accusés de vols, de délits communs ou de petits larcins. Quand ils s'en chargent, c'est toujours de l'espionnage, des crimes de guerre, des meurtres hors frontières... De grosses affaires.

Le mari de Jacqueline a l'aspect d'un clerc de notaire. Il ne fait pas du tout policier. C'est un homme pondéré et réaliste. S'il refuse de se rendre au restaurant en compagnie de Max, cela signifie que l'affaire est plus que sérieuse.

France Normand descend seule et annonce à Max que le commissaire est absent. Pour ne pas l'effrayer. Elle prend la rue Royale, la rue Saint Honoré et retourne ensuite vers la Place de la Concorde par la rue de Rivoli. A quelques centaines de mètres de la place, France s'arrête brusquement. Elle trouve une place libre et fait une marche arrière pour l'occuper.

— Descends et viens avec moi, dit France Normand. On va rendre visite à une grande dame. C'est une personne qui sait plus de choses que tous les services de renseignements réunis. Maintenant, il te faut du courage, Max. Tu vas apprendre des choses qui vont te mettre hors de toi. Garde ton sang-froid... Tout le monde est au courant que ta femme est une espionne soviétique...

— Ma femme n'est pas Soviétique, elle est Roumaine !

— Je sais, Max. Mais depuis le 23 août 1944 — le jour de l'occupation — la Roumanie est une colonie soviétique. Comme la Pologne, la Hongrie, la Tchécoslovaquie, la moitié de l'Allemagne... Certes, à l'O.N.U. dans les journaux et dans les conférences internationales, on affirme que ce sont des Républiques Populaires libres et indépendantes... On est allé si loin dans l'imposture qu'on accepte à l'O.N.U. même la Mongolie comme République libre et indépendante, au même titre que la France, l'Italie et l'Angleterre. En réalité, ces pays sont des colonies russes. Et si les Roumains, les Hongrois, les Ukrainiens, font de l'espionnage en Amérique ou en France, ils le font pour le compte des Russes. Pas pour eux ; car ils n'existent pas comme Etats. Tu dois t'habituer à l'idée que ta femme est une espionne soviétique. C'est dur pour toi mais la réalité est ce qu'elle est. Tu es son mari. Tu partages automatiquement les conséquences de cette situation.

— Je n'y suis pour rien, dit Max.

— Tu l'as épousée et tu lui sers de couverture. Tu es vedette de cette affaire au même titre qu'elle. Même si tu ignores les activités de ta femme. Ta Mata-Hari t'a épousé exclusivement pour devenir citoyenne française. J'aurais préféré ne rien te dire. Mais la dame que nous verrons tout à l'heure et les policiers qui t'interrogeront demain te diront la vérité sans ménagements... Il est préférable, donc, que tu sois prévenu. Maintenant arrange ta cravate et suis-moi.

France traverse la rue de Rivoli. Elle pénètre sous les arcades. Max la suit.

— La dame à laquelle nous allons rendre visite est connue sous le sobriquet de « La Poule d'Or » ; elle habite au cinquième étage. Un très bel appartement. Avec vue sur les jardins des Tuileries. Meubles de style, tapis d'Orient, tableaux de Maîtres. Son appartement est un chef-d'œuvre de goût et de raffinement. Cette femme connaît chaque Roumain à Paris. C'est un fichier ambulant.

— Est-elle Roumaine ?

— Française, répond France. Une pure Parisienne. C'est une dame âgée. Mais quand on la voit de dos, dans la rue, on la prend pour une adolescente. Toujours extrêmement élégante. Son mari s'appelait Aristide Paximade. C'était un milliardaire roumain. Il l'a rencontrée à Paris, dans une boîte de nuit célèbre, il y a cinquante ans. On y trouvait des rois d'Arabie, d'Orient, des Balkans, et des magnats de l'industrie et des finances internationales. Aujourd'hui, il n'y a plus de boîtes pareilles. Le clou de ce cabaret des milliardaires et des rois, c'était La Poule d'Or. A minuit exactement, les maîtres d'hôtel apportaient sur leurs épaules un immense plateau d'or, sur lequel se trouvait, blottie, une petite femme nue. Une adolescente. Les maîtres d'hôtel, suivis par les garçons, en procession, déposaient le plateau sur la table, au milieu du cabaret. Il régnait pendant cette entrée un silence religieux. A la lumière discrète des bougies, on voyait le corps menu de la femme sur l'immense plateau. Après quelques minutes, lentement, la femme se levait. Et au fur et à mesure qu'elle se dressait, les lumières s'allumaient. Et au moment où la femme nue, La Poule d'Or, était debout, verticale, sur le plateau en or, on allumait les projecteurs. Sous les lumières aveuglantes braquées sur son corps, elle restait immobile. Comme une statue d'or. Les yeux grands ouverts. Chaque muscle de son corps était immobile. Les cils, les sourcils, les narines, les lèvres, tout semblait coulé en or. On aurait dit que son cœur s'était arrêté. Elle était inondée par la lumière des projecteurs, on ne percevait aucune respiration : La Poule d'Or, avec le regard perdu vers l'infini, se laissait contempler. Comme la statue en or d'une divinité. Les femmes les plus exigeantes ne pouvaient lui trouver le moindre défaut. Son corps nu était la perfection. L'harmonie. On regardait son corps nu dans les moindres détails, et on ne baissait pas les yeux. Il n'y avait rien, absolument rien, qui puisse être indécent, rien qui aurait dû être caché. Car tout, dans son corps, était beauté pure, harmonie, perfection. Ce n'était pas uniquement une statue d'or visible dans un cabaret, mais on aurait pu amener même des enfants pour la regarder. Comme on les conduit dans les musées pour y voir les déesses nues de l'Antiquité.

Le corps nu de La Poule d'Or n'était pas uniquement d'une beauté plastique : il dégageait aussi une musique, profonde, solennelle, liturgique même. Pendant que La Poule d'Or était debout, verticale et immobile sur son plateau d'or, personne ne bougeait. On la regardait avec les yeux, mais on l'écoutait même avec les oreilles, comme on écoute une musique dans une salle de concert. La peau de La Poule d'Or était couleur d'olive et d'or. En la regardant, on comprenait parfaitement pourquoi Eve se promenait toute nue dans le Paradis, sans honte devant Dieu qui la regardait passer, ni devant les anges, ni devant les

43

archanges, ni devant Adam, ni devant aucune créature. La beauté d'Eve était parfaite. La femme commença à avoir honte de sa nudité après sa chute du Paradis, quand sa beauté cessa d'être parfaite. C'est sur la terre qu'elle fut contaminée par les atroces maladies que sont la laideur, les rides, la grossesse, la vieillesse. Ces maladies appartiennent au règne animal et l'homme et la femme en furent atteints après leur chute sur la terre. La Poule d'Or était d'une beauté paradisiaque, elle possédait la beauté initiale de la femme. On pouvait donc regarder sa nudité sans honte, sans baisser le regard. Les vêtements, qui couvrent la nudité, ont été créés après la chute du Paradis. Pour cacher les infirmités, la laideur. A l'origine, l'être humain était beau et c'était sa propre beauté qui lui servait de vêtements. On n'avait pas d'imperfections à cacher, pas besoin de se couvrir. Les vêtements sont une conséquence de la chute du Paradis. Quelquefois, ils essaient de remplacer la beauté initiale par des parures multicolores, des bijoux, des diadèmes... Dans cette boîte de nuit parisienne, grâce à La Poule d'Or, les milliardaires et les rois pouvaient contempler un échantillon de la beauté féminine originelle, paradisiaque. Après une dizaine de minutes, les projecteurs s'éteignaient. Les maîtres d'hôtel élevaient le plateau d'or sur leurs épaules, comme un socle sur lequel s'érigeait la statue de la femme nue.

On n'applaudissait jamais à son passage. C'était trop solennel. Comme on n'applaudit jamais à l'église. C'était uniquement après que La Poule d'Or fût sortie que les applaudissements se déclenchaient. Avec des cris. Des ovations.

Tout le monde parlait de La Poule d'Or. Une légende l'entourait. Personne ne savait rien sur elle. Sa beauté était un spectacle complet.

Après un an d'apparitions au cabaret, La Poule d'Or disparut. Exactement comme elle était apparue. Sans que le public sache d'où elle venait ni où elle était partie. Un quart de siècle après la disparition de La Poule d'Or, on apprit par ouï-dire qu'elle était mariée à Bucarest, avec un milliardaire appelé Aristide Paximade. C'était un jeune homme d'un mètre quatre-vingts, beau, élégant, sportif. A Bucarest, personne n'essaya jamais d'apprendre quoi que ce soit sur le passé de Madame Paximade. Etre *une Française*, c'était autrefois, en Roumanie, une carte de visite complète. Française était synonyme de « belle femme », de « femme élégante », de femme pleine de savoir-vivre et d'intelligence. Madame Paximade était tout cela. Elle collaborait étroitement avec son mari à la rédaction de la chaîne de journaux et magazines qu'il possédait, à la direction de ses banques, de ses divers domaines et de ses immenses exploitations pétrolières. Quelques années plus tard, Aristide Paximade entra dans la vie politique. Il fut ambassadeur de Roumanie à Buenos-Aires, à Tokyo, à Berlin et à Moscou. Puis il devint Ministre des Affaires Etrangères. Madame Aristide Paximade était toujours aux côtés de son mari. Elle participait à toutes ses activités. On disait qu'Aristide Paximade était aussi beau et rusé que sot. Les articles qu'il signait chaque semaine et que toutes les agences de presse étrangères reproduisaient intégralement étaient en fait écrits par l'ancienne Poule d'Or, son épouse. Dans les réceptions, les mots d'esprit d'Aristide Paximade lui étaient soufflés à l'oreille par sa femme, qui était toujours à côté de lui. Avec le temps, on s'est habitué à ne voir qu'une seule personne dans Lolou et Aristide Paximade. Cela dura environ trente ans. Quand Paris fut occupé, en 1940, Madame Aristide Paximade envoya, chaque mois, durant quatre ans, des wagons de médicaments, de lait, de chocolat, et surtout de l'eau de cologne, des bas de soie, du rouge à lèvres et du savon : car si elle pouvait imaginer que les Parisiennes souffrent du froid et de la faim, elle ne pouvait concevoir les femmes de Paris sans savon, sans eau de toilette et sans rouge à lèvres... Quand la Roumanie fut occupée par l'Armée Rouge, le 23 août 1944, Aristide Paximade et sa femme se trouvaient à Paris. Ils y restèrent, comme exilés. Les Bolcheviques leur ont confisqué tous les biens qu'ils possédaient en Roumanie. C'est-à-dire une bonne partie de la Roumanie, qui appartenait aux Paximade en toute propriété.

Quelques années plus tard, Aristide Paximade est mort, ici, dans sa demeure parisienne, rue de Rivoli. Madame Paximade allait chaque dimanche à l'église roumaine et priait pour son mari, et pour la Roumanie.

Elle connaissait tous les exilés. Elle aidait tout le monde. Et elle pouvait aider plus que personne car elle avait accès partout, à Paris. Son mari fut membre correspondant de plusieurs sociétés savantes, de l'Institut et de l'Académie. On dit que le quai d'Orsay ne prenait jamais une décision concernant les Roumains sans consulter au préalable Madame Aristide Paximade. Elle était un trésor de renseignements et rien ne lui échappait.

La Poule d'Or nous dira, sans aucun effort de mémoire, toute la biographie de ta femme, pourquoi elle est venue à Paris et pourquoi elle a utilisé de faux papiers d'identité...

L'ascenseur est en panne. France Normand monte l'escalier de marbre dans l'immeuble de la rue de Rivoli. Max Hublot la suit.

— D'où connais-tu Madame Paximade ? demande Max.

— C'est grâce à toi que je l'ai connue.

— Je n'ai jamais entendu parler de cette dame. Ce n'est pas moi qui pouvais te la faire connaître !

— C'est tout de même grâce à toi que je l'ai connue. Je t'ai dit qu'elle est la protectrice des Roumains exilés. Tous les réfugiés sont ses enfants ou ses frères. Elle les connaît tous. Elle s'occupe de tous leurs problèmes, petits et grands. Rien ne lui échappe de ce qui se passe dans les milieux des réfugiés roumains de Paris. Si l'un d'eux se dispute avec sa femme le soir, le lendemain matin La Poule d'Or est au courant.

— Et c'est grâce à moi que tu l'as connue ?

— Exactement. Quelques semaines après que tu m'aies abandonnée, une vieille dame en manteau de vison, le regard franc, entra dans la pharmacie. Elle acheta un antinévralgique. Puis elle me demanda :
« C'est vous, Mademoiselle France Normand, n'est-ce pas ?

« C'est moi, mais d'où connaissez-vous mon nom ?

« Je connais bien votre nom. Et je vous demande pardon à la place de Max Hublot. Je suis persuadé qu'il n'y a pas pensé.

« Vous connaissez Max ? ai-je demandé.

« Personnellement non. Mais je sais la bêtise qu'il a commise en se séparant de vous. Et la douleur qu'il vous a causée. J'ai essayé, indirectement, de l'empêcher de faire la colossale bêtise d'épouser cette aventurière. Je n'y ai pas réussi. Et je me sens coupable d'avoir échoué. Car elle brise ainsi la vie d'un jeune et brave Français... Pour ne pas parler du tort qu'il vous a infligé, à vous...

Au début, j'ai eu l'impression que cette dame était un peu folle. Elle se mêlait de choses qui ne la regardaient pas. Mais je me trompais. Madame Paximade est revenue dans la pharmacie, elle m'a invitée chez elle, ici rue de Rivoli. Elle était tout ce qu'il y a de plus lucide et sensé. On n'a jamais plus parlé de toi et de ta femme. Le mal était consommé. Mais elle a dû souffrir. Car elle savait, avec certitude, qui est ta femme. Elle savait que tu aurais de graves ennuis, à cause d'elle. Madame Paximade voulait que tous les Français et toutes les Françaises qui épousent des Roumains ou des Roumaines, soient heureux comme elle-même l'a été. Elle adore la Roumanie, sa patrie d'adoption, qu'elle appelle « la sœur cadette de la France ». Elle nous renseignera bientôt sur ta femme et nous saurons à quoi nous en tenir.

France monte la première. Max la suit. Le code du savoir-vivre comporte une dérogation au sujet de la priorité des femmes : quand on grimpe un escalier, c'est l'homme qui passe le premier. En montant vers l'appartement de Madame Paximade, Max Hublot comprend pourquoi le code des bonnes manières réclame que la femme monte derrière l'homme. C'est que, nulle part ailleurs, on ne voit mieux les jambes d'une femme que lorsqu'elle monte un escalier. Pas même sur la plage. Ni dans la plus stricte intimité. Et même les nudistes, qui restent nus toute la journée, ne peuvent voir les jambes d'une femme aussi bien, aussi intégralement, que lorsqu'elle monte un escalier devant vous. Max connaît France Normand depuis son enfance. Ils ont vécu ensemble ; ils se sont baignés ensemble. Et c'est seulement maintenant qu'il voit ses jambes. Des jambes longues, moulées par un grand artiste. Avec des muscles souples. Muscles d'acier. Comme l'acier des sabres. Les jambes de France sont pareilles à celles des chevaux de course. Les chevaux de pure race ont aussi des muscles d'acier, qui ne se voient pas. La beauté d'un cheval de course et d'une jambe de femme sont ces muscles en acier, élastiques, infatigables mais invisibles. Chez les danseuses et chez les chevaux de pur-sang, on ne voit jamais les muscles des jambes, mais seulement leurs mouvements. Les muscles des danseuses sont plus forts que ceux des coureurs à pied : leur beauté consiste à être invisibles.

En regardant les jambes de France, Max Hublot oublie la raison pour laquelle il monte l'escalier. France, en montant devant lui, devient de plus en plus rouge. Non pas à cause de la fatigue, mais par honte. Elle n'a jamais eu honte devant Max comme à ce moment. Car, en montant, elle sent les regards de l'homme qui se promènent, comme des escargots, humides et collants, tout au long de ses jambes. Elle ne peut plus supporter ce regard sur sa peau. Aucune femme ne peut le supporter. Elle s'arrête et se retourne. Ses joues sont rouges. Du pourpre. Les cheveux lui tombent sur les épaules, comme une crinière. Elle s'est arrêtée trois marches plus haut que Max, comme une statue sur son socle.

Max Hublot se rend compte que France Normand est incomparablement plus belle que la femme qu'il a épousée. Il ne comprend pas pourquoi il l'a abandonnée. France devine que Max la regrette. Elle est contente. Elle a remporté sa victoire de femme. Elle sait que dorénavant, Max Hublot ne pourra plus jamais approcher une autre femme sans penser à elle. Et cela grâce à cette panne d'ascenseur...

On arrive devant la porte blanche de l'appartement où habite Madame Aristide Paximade, La Poule d'Or. Il n'y a pas de carte de visite sur la porte. C'est une des caractéristiques des Français de ne jamais écrire leur nom sur leurs portes. Les Américains, les Allemands, les Suédois, les Japonais, l'écrivent, non seulement sur les portes de leurs maisons, mais même sur des étiquettes qu'ils accrochent sur leur poitrine. Dans tous les congrès internationaux, on les voit avec l'étiquette épinglée sur le veston. Même dans les grandes réceptions, on rencontre des êtres humains, hommes et femmes, portant des étiquettes, comme des valises. C'est le règne de l'homme-masse. Il n'y a plus des personnes, mais des unités humaines. C'est une caractéristique de la société technique, où on ne fabrique pas seulement les voitures, les appareils de radio et les machines à laver en série, mais où les êtres humains sont aussi fabriqués en série. Et si on n'épingle pas une étiquette au cou ou sur la poitrine d'un individu, on risque de le confondre avec un autre, tout à fait pareil à lui, comme une voiture de série est pareille à une autre voiture de la même marque. Heureusement les Français ne sont pas encore fabriqués en série ; ils n'ont pas besoin de porter leur nom accroché au cou, ni d'étiquettes collées sur les robes du soir.

France Normand appuie, de son doigt ganté, sur la sonnette de cuivre. Quelques instants après, la porte s'ouvre. C'est un homme, en bras de chemise, avec la tête ronde comme un ballon de football qui ouvre. C'est un Américain, un homme de série. Il est sans chaussures, en chaussettes. Sa chemise est déboutonnée et on voit sa poitrine aux poils roux.

— Nous cherchons Madame Aristide Paximade, dit France.

— Vous cherchez Madame, comment dites-vous ? Il n'y a aucune dame ici. Je suis célibataire. Je suis américain...

— Nous sommes au cinquième étage, ici, n'est-ce pas ?

— C'est exact, dit l'Américain. Mais j'habite seul.

— C'est l'appartement de Madame Aristide Paximade que vous habitez, n'est-ce pas ?

L'ESPIONNE

— J'ai emménagé il y a cinq mois. Je n'ai jamais entendu le nom de cette dame. J'ai loué l'appartement par une agence, Real-Estate. Une agence américaine. Peut-être que le propriétaire de l'appartement s'appelle comme vous l'avez dit... Mais voulez-vous l'adresse de l'agence immobilière ? Là-bas, on pourra vous renseigner... voulez-vous entrer prendre un verre ?

— Non, merci, dit France. Elle prend congé et descend. Max la suit. Elle se tourne vers lui :

— C'est extrêmement suspect...

— Qu'est-ce qui est suspect ?

— Le fait que Madame Paximade ait disparu.

— Mais d'où sors-tu qu'elle ait disparu ? Elle a loué tout simplement son appartement. Elle a sans doute pris un logement plus petit. Ou peut-être qu'elle l'a vendu...

— Non. Je ne pense pas, dit France. Elle est préoccupée. Madame Paximade est française. Parisienne. Mais elle vivait comme les boyards de Roumanie. Avec la mentalité d'une boyarde. Or, un boyard roumain ne loue jamais son appartement. Il préfère l'offrir, gracieusement. Mais jamais il ne le donnera en location. Depuis trente ans qu'ils possèdent cet appartement, les Paximade l'ont habité très peu de temps. Pendant leurs escales à Paris. Mais ils ne l'ont jamais loué. Quelquefois, l'appartement restait fermé deux ou trois ans d'affilée. Tous les boyards roumains avaient des appartements à Paris. Ici, sur le jardin des Tuileries, dans l'Ile Saint-Louis, à la Muette. Ils les habitaient rarement avant l'occupation de la Roumanie. Mais ils ne les louaient jamais. Pas même à leurs meilleurs amis, ni à leurs parents. Pour un boyard roumain, une maison est une chose personnelle, au même titre que leur chemise ou un sous-vêtement. Ce sont des choses qui ne se prêtent pas.

— Alors elle l'a vendu, dit Max.

— Madame Paximade n'avait aucune raison de vendre son appartement... Madame Aristide Paximade est morte, dit France. Si elle n'est pas morte, elle a dû être kidnappée par les Bolcheviques.

— C'est du délire, France... On n'a jamais entendu parler de vieilles dames kidnappées au centre de Paris, de nos jours ! Elle avait tout simplement besoin d'argent et elle a vendu à un Américain son bel appartement.

— Madame Paximade n'avait pas besoin d'argent... Elle a mené toute sa vie une existence de milliardaire. Depuis l'occupation de la Roumanie par l'Armée Rouge, elle vivait à Paris, en exilée, une existence modeste. Mais elle ne pouvait pas manquer d'argent. Elle avait plus que le nécessaire : elle donnait même aux autres. Son mari fut une personnalité internationale. Les Paximade ont combattu, tous les deux, pendant quatre ans, pour la libération de la France. Ils étaient tous les deux décorés, de toutes les décorations, et de toutes les médailles qui vous dispensent de payer le chemin de fer, les impôts, et qui vous assurent une pension honorable... Quand Aristide Paximade s'est établi à Paris, comme exilé, le gouvernement lui a proposé une voiture officielle. Il a refusé. Mais il pouvait demander n'importe quoi n'importe quand.

— Peut-être Madame Paximade a-t-elle vendu son appartement pour s'établir sur la Côte d'Azur... Les vieilles dames aiment vivre au soleil, dit Max.

— Madame Paximade était trop parisienne pour quitter Paris. Elle n'était pas anglaise, pour s'établir sur la Côte d'Azur ! Pour une Parisienne, la Côte d'Azur est un endroit où on peut passer trois semaines de vacances, pas y vivre. Pour une Parisienne, l'unique ville dans laquelle on peut vivre, c'est Paris. Les autres endroits de la terre sont des places à voir, à visiter, à regarder pendant de petits séjours... Madame Aristide Paximade n'est pas allée vivre ailleurs. Elle est morte, ou kidnappée... Ce qui est embêtant pour toi, Max, c'est qu'avec la disparition de Madame Paximade s'évanouit la dernière source de renseignements valables sur ta femme. En dehors d'elle, je ne vois pas qui pourra nous éclairer. Et il n'est pas exclu qu'on ait fait disparaître Madame Aristide Paximade, spécialement pour cacher la vérité sur ta femme. Ceux qui l'ont envoyée à Paris tiennent absolument à garder le secret.

— Pourquoi veux-tu établir, à tout prix, un rapport entre le cas de ma femme et cette dame ? dit Max Hublot agacé.

— Depuis que je fréquente les Oiseaux de Chine à Paris, je me suis rendu compte que les méthodes des Bolcheviques dépassent toute fiction et toute réalité. C'est pourquoi je suis effrayée pour le sort de la pauvre Madame Paximade... J'ai peur pour elle... Elle savait trop de choses sur tout...

Max Hublot et France Normand montent à nouveau dans la petite voiture blanche.

— A quelle heure es-tu convoqué au S.D.E.C.E. ?

— A neuf heures !

La jambe droite de France appuie nerveusement sur l'accélérateur. La circulation s'est ralentie, on avance plus vite.

— Où va-t-on maintenant ? demande Max.

— On va épuiser toutes les possibilités de renseignement sur l'identité de ta femme et sur la disparition de Madame Aristide Paximade. Car, — même si tu te moques de moi — je sais que les deux affaires sont liées.

VI

LES OISEAUX CHERCHENT TOUJOURS
LES CLOCHERS

Le professeur Max Hublot ne comprend pas comment France Normand, femme lucide et réaliste, est capable d'inventer un roman sensationnel sur le déménagement de la vieille Madame Paximade.

— Si nous apprenons pourquoi La Poule d'Or s'est envolée, nous avancerons d'un grand pas... dit France.

Le professeur Hublot, habitué à un raisonnement cartésien, refuse cette logique. Il demande :

— Où allons-nous maintenant ?

— A l'église roumaine de Paris, répond France.

— Tu perds ton temps, déclare Max Hublot. Monique est une athée militante. Elle n'a jamais mis les pieds à l'église. Elle refuse même de prononcer les mots de religion et de foi. Elle les appelle des « superstitions médiévales ». Tu ne trouveras pas trace de ma femme là-bas, je te préviens.

— Laisse-moi faire, dit France Normand. Depuis ton mariage, j'ai changé. La douleur est comme un chaudron bouillant de teinturier : l'homme qui y est tombé n'a plus la même couleur en sortant. Dans ma douleur, j'ai voulu voir de près la femme pour laquelle tu m'as abandonnée. J'ai voulu l'analyser, la radiographier et apprendre ce qu'elle a de plus que moi. Et pourquoi tu l'as choisie à ma place. J'ai essayé de tout apprendre, non seulement sur elle, mais sur son peuple, sur son pays. Les vaincus veulent toujours connaître le secret des vainqueurs. Voilà pourquoi j'étais heureuse de faire la connaissance de Madame Aristide Paximade. Elle savait tout sur les Roumains, sur leur histoire, leur caractère, leur manière de vivre.

Malgré mes efforts, c'est seulement ce soir que j'ai compris pourquoi ta femme m'a évincée. Et je suis contente, Max. Car ce n'est pas avec des armes de femme, en tant que femme, que cette Roumaine m'a volé mon fiancé, mais en tant qu'espionne. Avec des armes d'espionne. Cela me redonne confiance en moi-même. Ma vie est réparée. Descends et viens avec moi.

La voiture s'arrête dans une impasse près de la place Maubert.

— C'est ici, au numéro 9 bis de la rue Jean Beauvais, que se trouve l'église roumaine. On va aller voir le prêtre... viens.

— Ma femme est inconnue à l'église, dit Max Hublot. Vas-y toute seule, si tu y tiens. Je suis catholique, tu le sais. Mais ma foi n'est pas si forte que je puisse croire dans le secours des anges et dans l'omniscience des prêtre...

— Tant pis pour toi ! dit France. Moi, je ne suis pas évêque hollandais, pour ne pas croire aux anges. Je sais, au contraire, que les anges ne sont pas comme les hirondelles, qui nous abandonnent à la mauvaise saison... Les anges sont toujours à côté de nous... En ce qui concerne les prêtres, je pense que tu as tort : ils en savent plus que les autres hommes. « Car ceux qui cherchent Dieu comprennent tout » (Proverbes, 28, 5). Les hommes qui cherchent Dieu ne sont pas empêchés de voir la réalité par la magnificence des choses visibles. Regarder uniquement le visible, c'est exactement comme si on se contentait d'étudier l'emballage, en ignorant ce qui est dedans et ne se voit pas.

— Vas-y seule, dit Max...

— As-tu remarqué à Venise, à Rome, à Paris, et dans toutes les villes du monde, que les oiseaux cherchent toujours le toit des églises et les clochers pour s'abriter et faire leur nid ?

— C'est normal, dit Max. Les clochers sont plus hauts que les autres toits... L'explication n'a aucun sens mystique ou symbolique...

— Tu te trompes, Max. De nos jours, il y a autour des églises des bâtiments plus élevés. Et malgré leur hauteur, les oiseaux les évitent. Ils affectionnent les clochers... Toujours. Comme autrefois. Dans les clochers, les oiseaux sont sous le toit de Dieu...

Les Oiseaux de Chine, les réfugiés, dès qu'ils arrivent dans une ville étrangère, se dirigent tous vers leurs églises nationales... Tous les apatrides, tous les oiseaux. Même s'ils ne croient pas en Dieu. Les Espagnols des brigades communistes, qui ont brûlé les églises, violé les religieuses, pendu les moines, empalé les prêtres pendant la guerre civile d'Espagne, quand ils ont perdu la guerre et se sont réfugiés en France, où se sont-ils rassemblés, ces combattants contre Dieu ? C'est à l'église espagnole de Paris, rue de la Pompe, qu'ils se réunissent chaque soir. Tous les athées et tous les communistes espagnols... Instinctivement. Comme les oiseaux. L'Eglise est la patrie de tous ceux qui sont sans patrie, de ceux qui souffrent, des persécutés, des humiliés et des vaincus.

Max Hublot descend de voiture. Pour faire plaisir à France. Sans être convaincu. Il regarde l'église roumaine. Elle est en pierre grise, noirâtre. Un bâtiment gothique.

— C'est une église construite au XIIIe siècle, explique
France Normand. Elle a été bâtie par le cardinal
Jean de Beauvais. A l'origine, elle faisait partie de la
Sorbonne. C'était une Contubernia, une sorte de foyer,
de faculté, de séminaire et de couvent. C'est ici qu'ont
étudié, vécu et prié saint Ignace de Loyola, saint Fran-
çois Xavier, et les autres fondateurs de la Compagnie
de Jésus. Pendant plus de deux siècles, cette église fut
un couvent dominicain. Pendant la Révolution française, elle fut confisquée par la République et vendue à
un marchand de vin qui la transforma en dépôt de
marchandises. C'est à ce marchand qu'elle fut achetée
par les exilés roumains de Paris. Ces exilés étaient des
combattants pour la liberté. Leur chef était un moine,
le saint archimandrite Josaphat Snagoveanu. Il avait
fui la Roumanie parce qu'il dirigeait la lutte pour
l'abolition de l'esclavage et du servage. La plupart des
serfs de Roumanie étaient des tziganes. Le moine Snagoveanu apprit la langue des tziganes et combattit
jusqu'à sa mort pour leur libération. La loi pour l'abolition de l'esclavage en Roumanie fut rédigée, ici, à
l'église roumaine de Paris, par son supérieur, le moine
Snagoveanu. Depuis, l'Eglise roumaine de Paris n'a pas
cessé d'être la Sainte Eglise de la Liberté. Car c'est par
la Liberté que les hommes sont semblables aux anges,
et Fils de Dieu. Etre chrétien signifie avant tout être
libre. Comme Dieu et les anges. Saint Paul le dit clairement : « C'est pour que nous restions libres que le
Christ nous a libérés » (saint Paul, Gal. V, 1). L'Evangile est un livre d'invitation. Dieu n'ordonne jamais
aux hommes. Il les invite à faire une chose ou à ne pas
la faire. Chacun agit selon son libre arbitre. Personne,
plus que Dieu, ne respecte la liberté de l'homme. Le
Christ n'a jamais donné d'ordres aux humains. Car on
n'ordonne pas aux créatures libres et souveraines.

C'est pour cela qu'on est chrétien, par amour de la liberté et de la dignité. Personne ne place la dignité humaine sur un piédestal plus élevé que l'Eglise. Dieu respecte tant notre liberté qu'il n'entre lui-même chez nous que si on lui laisse la porte ouverte. Quel roi, quel président de la République, quel chef d'Etat ou de parti autorise des sujets à lui fermer leur porte et à ne pas le recevoir ? Lui seul donne à l'homme la liberté de lui interdire son seuil.

— D'où sais-tu toutes ces choses ?

— C'est ici, à la Sainte Eglise de la Liberté, à l'église roumaine que je les ai apprises. Et c'est ici que j'ai appris que les apatrides, les réfugiés, les victimes, les rescapés des massacres se rassemblent autour des clochers. Car seul Dieu respecte la liberté et la dignité humaines.

France Normand appuie à fond sur la sonnette rouillée. Elle retentit. Mais personne ne répond.

— Il n'y a personne, France. Ce n'est pas la peine d'insister.

— Au contraire. Il y a des dizaines de personnes dedans. Je le sais.

— Pourquoi ne répondent-ils pas, alors ?

— Ils nous surveillent, dit France. Ils veulent voir qui nous sommes et pourquoi nous venons à l'église. Derrière chaque fenêtre il y a des yeux qui nous guettent. Qui nous épient. Ceux qui habitent l'église, qu'ils soient laïques ou prêtres, vivent comme dans une forteresse assiégée. Ils se méfient de toute personne qui frappe à la porte. Eux-mêmes ont pris possession de l'église *manu militari*. Par violence. Ils y sont entrés armés. Ils ont battu et chassé les occupants. Et ils s'y sont installés.

— L'église ne leur appartient pas ?

— Non. L'église appartient à la République bolche-

vique de Roumanie ; mais, le 23 août 1944, le gouvernement bolchevique mis en place par l'occupant, n'a pas
eu le courage de réclamer à la France la restitution de
l'église roumaine de Paris. La requête aurait été risible.
Quel usage pouvaient faire d'une église des bolcheviques, des hommes qui ne croient pas en Dieu ?
L'église resta donc en possession des exilés. Parce
qu'elle n'était pas réclamée par les propriétaires. Entre-
temps, l'appareil du parti bolchevique russe, qui avait
massacré les évêques, les prêtres et les fidèles, en détrui-
sant les églises en Russie, se rendit compte que l'Eglise
ne peut pas être tuée. Ils décidèrent donc de changer de
tactique. Ils recrutèrent, dans les cadres de la police
secrète, des hommes de confiance. Ils les firent sacrer
évêques, métropolites et prêtres. Ils réparèrent les églises et les rendirent au culte, les transformant en offi-
cines de propagande. A chaque messe, on diffuse les
slogans du parti communiste, et la propagande bolchevique pénètre ainsi dans des masses qui lui échappaient
auparavant. Toute église est devenue, dans l'Empire
bolchevique, un instrument du parti. Avec ce changement, on essaya de récupérer aussi les églises qui se
trouvent à l'étranger, parmi lesquelles l'Eglise de la
Liberté de Paris. Les exilés s'y sont barricadés. Pratiquement ils peuvent être expulsés de l'église à n'importe
quel moment, par un simple car de police, avec une
dizaine d'agents de paix. Juridiquement, ce bâtiment ne
leur appartient pas. Mais les communistes s'abstien-
nent, pour le moment, de réclamer l'église par la voie
juridique. Ils savent que s'ils la prennent par la force,
ou en demandant l'évacuation par la voie de la justice
française, aucun exilé n'entrera plus dans l'église. Car
l'église roumaine de la Liberté de Paris deviendra une
officine de propagande marxisto-léniniste, comme le
sont devenues celles occupées par les communistes.

L'ESPIONNE

Les églises récupérées par le parti, en Allemagne, en Angleterre, aux Etats-Unis et ailleurs, sont en réalité des bureaux de propagande, où on promet aux fidèles, non pas le Paradis d'en haut, mais le Paradis qui se trouve à l'Est, derrière les barbelés. Les communistes essaient maintenant d'introduire dans l'église roumaine de Paris des commissaires politiques déguisés en prêtres et venus de l'Est. C'est la tactique du Cheval de Troie.

Pour résister à ces manœuvres, les exilés qui habitent à l'église sont en permanence en état d'alerte. Cela ne change rien. Pratiquement, les exilés peuvent être expulsés n'importe quand. Dans un quart d'heure. Malgré cela ils montent la garde. Jour et nuit. Dans l'église et autour de l'église. Ils sont les soldats du Christ. Des soldats pour la défense de la liberté et de la dignité de l'homme. Et la liberté, on la perd si on ne la défend sans arrêt, jour et nuit. Si on s'endort, même une minute, la liberté est perdue. A cause de cela, à l'église roumaine, on veille sans arrêt. Jour et nuit. Pendant les offices. Et en dehors des heures d'offices.

France Normand, cette « Fleur d'Auvergne » comprend l'acte gratuit des gardiens de l'église roumaine de Paris. Elle les admire. Leur vigie est une sorte de prière continue. Tout le monde sait qu'un jour ou l'autre l'église roumaine de Paris sera prise par les Bolcheviques. Elle sera prise du dedans. Un des gardiens, un prêtre, succombera à la tentation de l'argent. Comme Judas. Il vendra l'église. Exactement comme Judas a vendu le Christ. Cela arrivera inévitablement. Mais, en attendant que leur église soit vendue aux Bolcheviques, par un des leurs, les exilés montent la garde. Ils veillent.

— Personne ne nous répondra, dit Max. Allons-nous-en !

Ils sont depuis cinq minutes devant la porte. Ils sonnent presque sans arrêt. Et dedans personne ne bouge.

— C'est ici notre dernière chance d'avoir un renseignement sur ta femme et sur la disparition de madame Paximade, dit France. Mais si tu ne veux plus attendre, partons.

Avant de monter en voiture, France regarde la mosaïque qui représente les Archanges Michel et Gabriel, avec leurs sabres de feu. Ce sont les patrons de l'église roumaine. Elle fait le signe de la croix.

— Tu t'es signée ! demande Max.

— Oui, je me suis signée, Max. J'ai appris à le faire en fréquentant les exilés roumains. Ils se signent toujours, quand ils passent devant l'église.

— C'est drôle de te voir faire le signe de la croix, comme ça, au milieu de la rue... répète Max.

— « Je me sers de mes yeux pour m'acheminer vers les réalités que l'œil n'atteint pas, et je prends soin que la « magnificence des choses visibles ne m'empêche pas de voir l'essentiel » dit France. (Saint Grégoire de Naziance Disc. II, PG XXXVI, col 25-27, Chapitre 13.) C'est une phrase que j'ai apprise par cœur ici dans cette église.

La petite prière de France Normand porte ses fruits. Au moment où ils montent dans la voiture, trois hommes sortent de l'église, par une porte dérobée. L'un d'eux s'approche de la petite voiture de France et regarde la plaque minéralogique.

— Vous cherchez quelqu'un ?

Il parle avec un accent. Comme Elvire Popesco. Mais il s'exprime assez bien en français. C'est un tout jeune homme. Il est très brun, moustachu. Très modestement habillé. C'est un des exilés qui habitent l'église.

— Nous désirons nous entretenir avec le père supérieur, répond France.

— Etes-vous Française ? demande le jeune homme.

— Oui, je le suis.

— Vous n'êtes pas orthodoxe, dit le jeune homme. Que désirez-vous dire au père supérieur ? Car si vous n'êtes pas orthodoxe, vous ne venez pas pour un sacrement !

— Ce n'est pas pour un sacrement, répond France.

Le jeune homme est prêt à se retirer. Il ajoute :

— Pourquoi voulez-vous voir le prêtre ?

France Normand sait que, dans l'église orthodoxe, le prêtre est essentiellement le dispensateur des saints sacrements. L'église et la paroisse sont administrées par des laïcs. Le prêtre idéal est celui qui ne se mêle pas du tout des affaires terrestres. Il est l'ambassadeur du Christ sur la terre. Sa mission est de rendre les hommes citoyens du Ciel par le baptême, et ensuite de les garder dignes de leur citoyenneté céleste, grâce aux autres sacrements. Un prêtre est semblable à un consul en territoire étranger ; il doit grouper les citoyens et les ramener sains et saufs dans leur véritable patrie qui est le Ciel. Les activités sociales du prêtre sont à supporter comme des infirmités qui découlent de sa condition humaine. Pour un prêtre, qui est le consul terrestre du Roi des Cieux, tout engagement dans l'histoire, au service des princes de la terre, ou des combats temporels est une déchéance. Tomber de l'éternel dans l'éphémère de l'histoire et du social, est une chute pareille à celle d'Adam et Eve. Pire encore.

— Nous voulons demander au père supérieur un renseignement, dit France.

Le mot « renseignement » prononcé par France Normand fait sur les trois jeunes gens l'effet d'un coup de revolver. Ils sont tous, subitement, sur la défensive.

Prêts à se sauver. Le mot « renseignement » pour un exilé, a une odeur de police, d'interrogatoire, de milice, de prison, d'occupation et de tout le cortège des malheurs. Il suffit de prononcer le mot « renseignement » pour que les pauvres Oiseaux de Chine se dispersent comme les pigeons au choc d'une détonation. Le mot « renseignement » est synonyme de danger. Synonyme d'emprisonnement. Chaque fois que la police pénètre dans les maisons, elle dit que c'est pour un « renseignement ». Et chaque fois, la police sort, en emmenant le père, la mère ou les enfants, menottes aux mains. Et cela commence toujours avec le mot « renseignement ».

— Pourquoi ne vous adressez-vous pas à un prêtre français, si vous êtes Française ?

— Il s'agit d'un renseignement concernant une Roumaine, explique France ? C'est une affaire extrêmement urgente.

— Quel renseignement désirez-vous ? Peut-être sommes-nous en mesure de vous le fournir.

Les trois jeunes gens examinent attentivement les visages de Max Hublot et de France Normand. Ils se consultent, en roumain, entre eux.

— Nous sommes à votre disposition, dit le moustachu. Venez au café du coin. Ici il fait trop noir. Quand on parle, il vaut mieux pouvoir se regarder dans les yeux. Là-bas c'est un coin éclairé.

Le café est à une dizaine de mètres. Max Hublot, France Normand et les trois jeunes gens s'assoient à une table. Près de la porte. Un des Roumains commande une bière. Les autres, rien. Ils attendent tous les trois, tendus, les questions.

On voit qu'ils sont sur leurs gardes. Et c'est normal. Car malgré leur jeune âge, tous ont passé clandestinement des frontières entourées de barbelés, de clôtures électriques, de champs de mines, des zones gardées par des miliciens et des chiens ; ils ont tous essuyé des coups de feu et abandonné des camarades morts en route. Tous les réfugiés — si jeunes soient-ils — ont leur père, leur mère, un frère, ou un proche parent, tué par la police, emprisonné ou déporté. Dans leur village, dans les Républiques Pénitenciaires de l'Est, il n'y a pas une seule maison où il n'y ait un membre de la famille arrêté, déporté ou assassiné. Tous les habitants, hommes ou femmes, ont fait des séjours plus ou moins longs en prison ou dans les camps. Tous ont subi et subissent des interrogatoires qui durent des journées et des nuits entières. Ceux qui sont trop jeunes savent qu'ils feront tous, sans aucune exception, de la prison et qu'ils seront interrogés d'innombrables fois, qu'ils seront battus et foulés aux pieds par la milice du parti communiste. Cela fait partie intégrante de la vie de tout homme et de toute femme qui a le malheur de vivre dans une République Pénitenciaire, qu'elle soit Roumaine, Polonaise, Tchécoslovaque, Hongroise, Bulgare ou autre.

— On n'a pas beaucoup de temps à perdre, dit un des trois jeunes gens. Demandez votre « renseignement ». Nous devons partir. Le matin nous nous levons à quatre heures. On travaille à l'usine. A Poissy...

Les trois jeunes gens sont assis sur des moitiés de chaise. Prêts à s'enfuir. La peur chez les exilés est endémique. Chez tous les exilés. Ils ne pourront plus jamais se guérir de la peur. Car la peur est entrée dans leur chair. Dans leurs os. Jusqu'à la moelle...

VII

ON ACHETE DES CADAVRES POUR LE PRESTIGE.

— Nous cherchons l'adresse de Madame Aristide Paximade, dit France. Vous la connaissez ? Elle vient régulièrement à l'église.

Les trois jeunes gens examinent les Français avec méfiance. Avec crainte. Ils étudient leurs mains, leurs vêtements, leurs façons de se tenir à table. Ils observent leurs regards, exactement comme s'ils essayaient de voir à travers les vitres de leurs yeux, ce qui est dedans, dans leurs âmes, dans leurs pensées et dans leurs châteaux intérieurs.

— Vous connaissez bien Madame Paximade ? demande un des trois hommes. Madame Paximade est-elle une de vos amies ?

— Oui, répond France. Je ne l'ai pas trouvée chez elle, rue de Rivoli. Elle n'y habite plus.

— Si vous êtes une amie de Madame Paximade, vous savez mieux que nous où elle est.

— Je l'ai perdue de vue il y a quelques mois. Mais ce soir j'ai absolument besoin de la rencontrer. C'est pour une affaire extrêmement urgente. Il y avait quelqu'un d'autre dans son appartement. Je suis venue à l'église chercher sa nouvelle adresse.

— Madame Paximade a quitté la France. Elle habite maintenant Bucarest.

L'ESPIONNE

— C'est impossible ! dit France Normand. Je connais bien Madame Paximade. Elle ne pouvait pas rentrer à Bucarest. Les Bolcheviques lui ont confisqué toutes ses terres, ses maisons, ses journaux, ses imprimeries, ses mines, ses forêts, ses domaines, ses terrains pétrolifères... Tout. C'est elle qui me l'a dit. Elle possédait une fortune colossale, n'est-ce pas. Elle était ce qu'on appelle la capitaliste par excellence. Elle appartenait à la classe parasite, la classe exterminable ! Les trois jeunes gens sourient. Avec dédain.

— Pourquoi riez-vous ? demande France.

— Vous, les très intelligents peuples de France et d'Occident, vous êtes allés dans la lune, vous avez construit les plus grandes merveilles techniques du monde, mais cependant vous êtes incapables de comprendre comment un et un font deux quand il s'agit d'une affaire de kremlinologie... Vous avez déchiffré les hiéroglyphes. Mais vous êtes incapables de lire l'alphabet russe. Il est inutile d'essayer de faire comprendre à un Occidental les choses qui se passent au-delà du Rideau de Fer.

— Vous êtes sérieux quand vous affirmez que Madame Paximade est rentrée en Roumanie ? demande France.

— Madame Paximade, votre amie, habite Bucarest depuis quatre mois déjà... Elle est rentrée avec une voiture de l'ambassade. Une voiture avec C.D. Elle a vendu tout ce qu'elle possédait à Paris. Elle est encagée. Peut-on dire en français *encagé*, pour quelqu'un qui est entré de sa propre volonté dans une cage ?

— C'est impossible ! s'exclame France Normand. Elle était la plus antibolchevique de tous les exilés. Vous, les autres réfugiés vous avez été dépouillés de tout ce que vous possédiez. Vous avez échappé aux massacres en sauvant uniquement vos vies. Madame

Paximade a perdu plus que vous tous réunis. Et elle possédait une bonne partie des richesses de la Roumanie. Elle ne pouvait pas invoquer la nostalgie de la patrie natale, comme ceux d'entre vous qui y rentrent. Car elle est parisienne.

— Vous parlez très bien, Mademoiselle, dit le jeune moustachu, ironiquement. — Aucun Français ne peut imaginer que d'autres peuples peuvent être occupés, par d'autres conquérants que les Allemands. Vous comprenez cela et c'est énorme.

En ce qui concerne Madame Paximade, elle est rentrée derrière les barreaux et les barbelés de la République Pénitenciaire de Roumanie. Elle est encagée. Il est incroyable qu'une femme de son intelligence, et avec son expérience ait pu faire cela. Mais elle l'a fait. Les Bolcheviques ont même publié sa photo devant son palais de Bucarest.

— Madame Paximade n'a pu rentrer parce qu'on lui restituait son palais de Bucarest ! Non ! Elle n'était pas femme à se laisser séduire ni à commettre une telle bêtise ! Les femmes françaises ne se laissent jamais séduire, mais ce sont elles toujours qui séduisent...

— Une femme française ne peut jamais être séduite par les hommes dit le moustachu. Madame Paximade fut séduite par le diable, et le diable est plus fort que les Françaises, en séduction.

— Pourquoi les Bolcheviques ont-ils voulu rapatrier Madame Paximade ? C'était une vieille dame. Que veulent-ils faire d'elle là-bas ?

— Les Bolcheviques exécutent en ce moment — comme les Chinois — le plan quinquennal de récupération des exilés. Depuis le 23 août 1944 — jour de l'occupation — la Roumanie n'a produit aucun homme de génie, aucun écrivain de talent, aucun sculpteur, aucun compositeur, aucun inventeur, aucun artiste, aucun mathématicien... Pas un seul créateur. Les animaux ne se reproduisent jamais en captivité. De même le talent et le génie ne peuvent pas créer en cage, en Républiques Pénitenciaires et en prison. Les Bolcheviques ont décidé de récupérer les génies et les célébrités exilés. Le premier visé fut le compositeur Georges Enesco. Il refusa de rentrer dans la cage et de vivre en captivité sous l'occupation étrangère. Georges Enesco mourut pauvre en exil à Paris. Après sa mort, les Bolcheviques l'ont déclaré compositeur soviétique. On essaya de rapatrier le grand sculpteur Brancusi, un des créateurs de la sculpture moderne. Brancusi refusa aussi de rentrer dans la République Pénitenciaire. Il mourut à Paris, en distribuant toutes ses œuvres, afin qu'elles ne tombent pas entre les mains des occupants. Les Bolcheviques l'ont annexé, post mortem, en le déclarant sculpteur marxiste-léniniste. On essaya de rapatrier aussi Eugène Ionesco, Jean Yonnel, Elvire Popesco, Virgil Gheorghiu, Marie Ventura, etc. Comme les vivants refusent de rentrer dans les républiques cages, les Bolcheviques achètent les cadavres des célébrités défuntes et les envoient en Roumanie. On essaya ainsi de rapatrier les cadavres d'Hélène Vacaresco, de la comtesse de Noailles, de Nicolas Titulesco, d'Aristide Paximade... Les Bolcheviques offrent des prix très élevés aux héritiers pour qu'ils leur cèdent les cadavres... Il y a un vrai trafic de corps. On les achète à Paris. On les transporte à Bucarest. Pour le prestige du régime bolchevique. Ce sont des cadavres d'ornementation, des cadavres pour la propagande marxiste-léniniste. C'est dans ce programme d'achat des corps des hommes célèbres que Madame Paximade est rentrée à Bucarest...

— Mais elle était en vie ! dit France.

— On a acheté la dépouille d'Aristide Paximade, son

mari. On lui a construit un mausolée au centre de Bucarest... Un tombeau monumental. Et comme Madame Paximade ne pouvait vivre loin du tombeau de son mari, elle est rentrée avec le cadavre. C'est tout le mystère de son rapatriement. Maintenant, vous avez le renseignement désiré... Nous devons partir.

— Restez encore un instant, je vous en prie, dit France. Savez-vous pourquoi nous cherchons Madame Paximade avec tant d'insistance ?

— Parce qu'elle est votre amie.

— Accepteriez-vous de donner un renseignement à sa place ?

— Nous sommes à votre disposition.

— Avez-vous connu une jeune femme roumaine appelée Monique Martin ?

— Non, répond le moustachu.

Il se tourne vers ses camarades.

Ils ne connaissent pas non plus Monique Martin.

— Cette femme est-elle une réfugiée ? demande le moustachu.

— Non, dit France. Elle est arrivée en France avec une bourse.

Les trois jeunes gens se lèvent. Ils s'inclinent, prêts à partir.

— Dans ce cas, c'est à l'Ambassade que vous devez demander le renseignement... Toute personne qui part à l'étranger avec une bourse est obligée d'effectuer, avant de quitter le pays une école d'espionnage. Ces gens ne se trouvent pas parmi nous. Nous ne pouvons pas vous renseigner sur eux.

— Restez encore un instant, supplie France. Je vous demande ce que vous pensez d'une personne qui arrive à Paris, non seulement avec une bourse, mais munie d'un passeport avec un faux nom ?

Les trois jeunes gens éclatent de rire.

— Pourquoi riez-vous ?

— Parce que vous vous moquez de nous. Nous vous avons dit que lorsque un jeune homme ou une jeune femme sort de Roumanie avec une bourse, c'est automatiquement un diplômé des écoles d'espionnage. Sans ce diplôme, il ne peut pas quitter le pays. S'il est muni en plus d'un passeport avec un faux nom, alors ce n'est pas seulement un espion, mais un maître d'espions... Un personnage de première classe. Qui change de nom pour chaque pays où il est envoyé avec « bourse d'études » dans le cadre des « échanges culturels » comme vous appelez maintenant l'espionnage...

— La personne en question est une femme. Elle a refusé de rentrer car elle a épousé un Français...

— Nous adressons sans le connaître nos sincères condoléances au pauvre Français, dit le moustachu. Nous pensions que de nos jours il n'y avait plus de Français qui se fassent berner par des Mata-Hari, comme autrefois, avec des trucs faciles d'amour... On pensait que le coup de Mata-Hari était dévalué. Mais si vous dites que cela arrive encore de nos jours, nous vous croyons... Nos condoléances pour le mari... pour la France !

— Il y a des communistes français qui ont épousé des espionnes venues de l'Est. Ils se sont mariés, mais ce sont des cas spéciaux. Ces gens exécutent des ordres du parti, dit le second jeune homme.

— Le Français en question n'est pas communiste, proteste Max Hublot.

— S'il n'est pas communiste, c'est une poire, comme on dit en France, c'est un mari de paille. Et là-dessus, nous vous demandons la permission de nous retirer...

— Etes-vous sûr, Monsieur, qu'une personne qui

arrive en France avec un faux nom est une espionne et non pas une victime du régime ?

— Une victime du régime policier n'est jamais arrivée en France avec de fausses pièces d'identité. Jamais. On invente, depuis un quart de siècle, les plus ingénieux moyens d'évasion des républiques cages de l'Est. Mais jamais un réfugié n'est arrivé avec une fausse identité.

— On ne peut jamais être sûr de rien, Monsieur ! dit France Normand. La femme en question est une de vos compatriotes. Elle est en train de donner naissance à un enfant. Vos affirmations peuvent briser la vie d'une famille : la vie du mari, de la femme et de l'enfant...

— Si une femme arrive à Paris avec une bourse et munie d'un passeport sous un faux nom, et, qu'elle épouse, en plus, un Français, elle est une espionne. C'est catégorique. Il n'y a pas d'exceptions. La règle est si précise qu'elle n'a pas besoin d'être confirmée par des exceptions, comme les autres règles. Nous accueillons chaque jour des réfugiés, ici, à l'église. Tous les réfugiés, en débarquant à Paris, cherchent d'abord l'église, comme les oiseaux cherchent abri et protection sous les clochers.

Dans de nombreux cas, les réfugiés arrivent sans aucune pièce d'identité. L'Etat Français les a toujours tous recueillis. On leur a délivré des cartes de séjour sur parole. Et sur le témoignage de leurs compatriotes. Du moment que la France nous accorde la carte de séjour, sur parole, avec le nom et le prénom que nous indiquons être le nôtre, pourquoi faudrait-il entrer en France sous un faux nom ? Seuls les maîtres espions utilisent de fausses identités. L'église est comme l'arche de Noé. Elle reçoit toutes les espèces de gens. Même des espions envoyés par les Bolcheviques arrivent chez nous sous le déguisement de réfugiés. Nous les accueillons. Comme de véritables réfugiés. Mais nous savons, dès que nous les regardons dans les yeux, qu'ils sont envoyés par la police de notre pays...

— Comment pouvez-vous savoir avec certitude qu'un réfugié est en fait un espion ?

— Mademoiselle, seul le semblable connaît le semblable. Et plus on devient semblable, plus on est apte à connaître. Nous sommes des exilés. Des évadés des Républiques Cages, des Républiques Pénitencaires, des colonies soviétiques de l'Europe Orientale. Nous sommes tous sans patrie, sans droit de cité. Nulle part. Il est donc normal que nous connaissions bien, sans nous tromper jamais, ceux qui sont semblables à nous. Seul un émigré peut reconnaître avec exactitude, un autre émigré. Un malade de la typhoïde connaît mieux que les plus grands médecins, les douleurs exactes d'un autre malade de la typhoïde. Il faut subir la même douleur que son semblable pour connaître sa souffrance. Il faut être unijambiste, pour savoir les frustrations d'un autre unijambiste. Nous, les exilés, nous sommes tous amputés de cette partie qui est le prolongement de notre propre corps, et qui s'appelle la Patrie. Nous sommes les seuls à connaître exactement les douleurs et les frustrations de ceux qui sont amputés comme nous de leur patrie, et qui errent sur toute la surface de la planète, en exil, sans terre, sans famille, sans abri, sans aucun droit civil, pourchassés et humiliés partout. Le nombre des réfugiés dans le monde a parfois dépassé deux cents millions. Il arrive que nous soyons plus nombreux que la population des Etats-Unis d'Amérique, plus nombreux que la population de la Russie et de ses colonies. Car notre nombre varie en fonction des événements.

— Vous parlez très bien, dit France Normand. Vous avez fait des études ?

— Notre culture et notre savoir sont *Oikogeneis*, « nés à la maison ». Aucun de nous ne possède une culture *argyronetoi*, « achetée à prix d'argent, dans des écoles ou dans des livres », c'est la même chose pour notre foi. Nous l'avons reçue de nos mères en tétant. Et, Dieu daigne de temps en temps nous accorder son enseignement d'en haut. Nous sommes des *Théodidactes*, Dieu nous parle par la bouche de nos prêtres et de nos évêques. Nous n'avons pas d'autres maîtres. Ni d'autres guides. Notre patrie terrestre, et notre maître c'est l'église. Maintenant, au revoir ! Et méfiez-vous de cette femme qui est entrée en France avec un passeport en règle, une bourse et un faux nom, pour se marier ensuite à un Français... C'est une espionne de l'occupant. Et les espions apportent avec eux le malheur. Comme Judas ils sont prêts à vendre, pour de l'argent, non seulement leurs frères, leurs parents, leur patrie, mais sont disposés à vendre même leur Créateur, notre Père qui est au ciel.

Les trois hommes paient la bière, et les cafés, de Max et de France. Ils insistent pour le faire :

— C'est à nous de payer, car c'est nous qui vous avions invités au café... C'était pour parler à la lumière. Dans une place bien éclairée. Maintenant au revoir et bonne chance !...

Les trois jeunes gens disparaissent, engloutis par la nuit. Ils sont allés veiller sur l'église ; ou plutôt veiller sur le Christ qui agonise en Roumanie, avec tout le peuple roumain, enfermé derrière les barbelés de la République Pénitenciaire...

Max Hublot et France Normand restent dans le café.

— Tu pleures Max ? demande France.

L'ESPIONNE

Les yeux du professeur sont remplis de larmes.
— Je suis un idiot, un mari de paille !
— Tu n'es pas un idiot, Max. Tu es simplement un homme trompé par une femme. C'est la destinée de tout homme. Depuis la création. Ni toi, ni Adam, vous n'êtes des idiots, mais tout simplement des hommes. Tu as mangé la pomme que ta femme t'a offerte... C'est la vieille histoire, voilà tout. Allons-nous-en. Car il est tard...

VIII

CONNAISSEZ-VOUS LE NOM DE VOTRE EPOUSE, MONSIEUR LE PROFESSEUR ?

France Normand reconduit le professeur chez lui. Elle lui offre une forte dose de somnifère. Elle lui souhaite une bonne nuit et s'en va. Max Hublot s'endort. Terrassé. A neuf heures, il est devant la porte des Services de contre-espionnage. Il attend devant le bâtiment de la police secrète. Il est passé souvent par cette rue où toutes les maisons ont un aspect ordinaire de demeures bourgeoises. Il n'avait jamais soupçonné qu'elles abritaient en réalité le siège de ces services. Toute la rue et les ruelles voisines appartiennent aux services secrets. Tout un quartier. Il n'y a pas de sentinelles, ni de policiers en uniforme. Seuls de rares passants qui sont en réalité des agents et qui font leur ronde en se promenant comme des petits bourgeois. Max Hublot regarde l'adresse sur sa feuille de convocation. La rue et le numéro coïncident. Il ne s'est pas trompé. Mais toutes les portes sont fermées. A neuf heures juste, elles s'ouvrent. Au même moment des employés apparaissent de toutes parts. Personne n'a le droit d'entrer avant ou après neuf heures. Tout le monde arrive en même temps. Max Hublot se mêle aux gens qui entrent. Dans la cour, il passe entre deux haies de policiers en civil. Il n'est pas fouillé. Mais les policiers le photographient, le radiographient, le pèsent, le mesurent, et lui fouillent les poches, de leurs yeux, à distance. Ils enregistrent même ses pensées et ses sentiments.

Max Hublot dépose chez le portier comme tout le monde, le contenu de ses poches : ses pièces d'identité, son porte-documents. En échange, il reçoit un numéro. Il n'y a pas d'escalier, il est muré ; on est obligé de prendre l'ascenseur. Le liftier enregistre des yeux la photo de chaque visage. Au troisième étage, on invite Max Hublot à sortir.

De chaque côté de la porte de l'ascenseur se tiennent deux gardes, casque métallique sur la tête, grenade à la ceinture. Max n'a pas besoin de montrer son numéro. Ni de dire un seul mot. Tout le monde est prévenu de son arrivée. On sait qui il est et qui il va voir. On l'introduit dans un bureau. C'est une ancienne chambre ou une salle de séjour de petite famille bourgeoise. Au fond de la pièce, il y a une table. Derrière, un civil, assis sur une chaise. Une sentinelle entre avec Max et reste derrière lui, appuyé sur la porte à l'intérieur. Une deuxième chaise devant le bureau. A gauche, auprès d'une porte qui a dû être celle d'une salle de bains, se trouve une petite table, une machine à écrire et un soldat dactylo.

— Prenez place, Monsieur le Professeur, dit l'homme en civil.

Sur la table de bois blanc il y a un seul dossier. Celui de Max Hublot.

— Vous savez pour quelle raison nous vous avons convoqué ? Le commandant Dumonde vous a prévenu, je pense. Vous avez eu toute la nuit pour réfléchir, n'est-ce pas ? Vous êtes un intellectuel. Vous avez l'habitude de couper les cheveux en quatre et d'examiner une affaire sous toutes ses faces. Cela nous aidera à avancer vite. Je vous avertis que l'interrogatoire sera enregistré. Vous le lirez à la fin, et vous apposerez votre signature. Nous pouvons donc commencer. Voici la première question :

— Monsieur le Professeur Max Hublot, connaissez-vous le véritable nom de votre épouse ? Répondez, s'il vous plaît.

Max Hublot rougit. Il s'attendait, certes, à cette question. Mais il ne soupçonnait pas à quel point elle était humiliante. Demander à un homme, officiellement, s'il connaît le nom de son épouse, c'est aussi offensant qu'une paire de gifles. Cette question annule un homme. Elle le foule aux pieds.

— J'ai peut-être mal posé la question, dit le policier. C'est cela qui vous gêne. Vous êtes professeur. Pour vous, le style, la forme, ont une très grande importance. Je vous répète la question, avec d'autres mots : Monsieur le Professeur Max Hublot, êtes-vous sûr de connaître le véritable nom de Madame votre épouse ? Répondez.

— Je suis convaincu que le nom de ma femme est celui qui est inscrit sur ses pièces d'identité, répond Max Hublot.

— Votre réponse n'est pas complète. Je vous répète là question : Etes-vous absolument sûr que le nom et le prénom qui figurent sur le passeport et sur les autres pièces d'identité de Madame votre épouse, sont ses véritables nom et prénom ?

Max Hublot se sent agressé. Et il répond agressivement : l'agressivité attire l'agressivité.

— Comment me permettrais-je, moi, de mettre en doute le nom et le prénom de ma femme, du moment qu'ils sont considérés comme authentiques par les autorités légales de mon pays ? Le consulat de France à Bucarest qui a accordé le visa d'entrée en France à ma femme, n'a pas douté de l'authenticité de son nom.

Ni le Ministère des Affaires Etrangères en France. Ni le Ministère des Affaires Culturelles, qui lui a accordé nominalement une bourse. Ni le Ministère de l'Intérieur, qui lui a accordé l'autorisation de séjour en France. Ni la Préfecture de Police, ni les autorités policières de la frontière, ni l'officier d'état civil qui nous a mariés... Aucune de ces autorités, dont la seule activité est de vérifier les identités, n'a douté du nom et du prénom de ma femme... Il serait complètement absurde, ahurissant même, que moi, un simple particulier, j'en doute.

— Votre réponse est logique. Du moment que les autorités légales n'ont pas mis en doute l'authenticité du nom et du prénom de votre femme, ce n'était pas à vous de le faire. Ni de votre compétence. Maintenant, on va procéder, si vous le voulez bien, à votre interrogatoire d'identité. Question : Votre nom, nom du père, nom de la mère, vos lieu et date de naissance...

Pour Max Hublot ces questions sont pareilles à des gifles. Il les supporte. On ne peut pas s'esquiver. Mais sa tête penche. Humilié. Son épine dorsale devient molle. Il est brisé.

— Quel est votre métier ?

— Question superflue, répond Max Hublot. Dès que je suis entré, vous m'avez appelé Monsieur le Professeur. Et maintenant, vous me demandez quel est mon métier ?

— Ne prenons pas les choses au tragique. Bien sûr, je sais que vous êtes professeur. Et je vous ai appelé moi-même « Monsieur le Professeur ». Mais les formulaires d'interrogatoire sont imprimés. Il faut remplir chaque rubrique.

— Je suis professeur, répond Max Hublot.

— Quelle matière enseignez-vous, Monsieur le Professeur ?

— Je n'enseigne pas, répond Max Hublot. Je suis attaché au Centre National de Recherche Scientifique.

— Quelle branche ?

— Les langues orientales.

— Les langues orientales ? s'exclame le policier.

Son visage s'illumine. Comme s'il avait trouvé un objet qu'il cherchait depuis longtemps. Il dévisage Max Hublot, comme s'il venait d'avouer qu'il avait cambriolé une maison, ou qu'il avait commis un meurtre.

— Vous êtes professeur de langues orientales ? C'est extrêmement intéressant. Cela peut éclaircir beaucoup de choses. Je pose donc la question suivante : « Depuis quand vous intéressez-vous aux langues orientales, Monsieur le Professeur ? » La seconde question est : « Pour quelle raison spéciale vous intéressez-vous aux langues orientales ? »

— Je m'y intéresse depuis que je suis inscrit à la faculté. A la seconde question je vous réponds : Je m'intéresse aux langues orientales parce que c'est mon métier. Pour les mêmes raisons que vous vous intéressez à la police. Ma réponse vous satisfait-elle ?

— Non, Monsieur le Professeur. Je m'en excuse. J'ai à nouveau mal posé la question. Je la répète donc, avec d'autres mots : Pour quelle raison spéciale vous êtes-vous inscrit à la faculté des langues orientales, et pas dans une autre faculté, par exemple les langues classiques ou les langues vivantes internationales comme l'anglais ou l'espagnol ?

— J'avais une raison spéciale et très sérieuse d'étudier les langues orientales.

— Pouvez-vous nous dire la raison qui vous attira vers l'étude de ces langues au point que vous en ayez fait votre profession ? Avez-vous une vocation spéciale pour cette matière ?

— Au contraire. Je n'ai aucune vocation et aucun attrait pour les langues orientales.

— Pourquoi les avez-vous donc choisies ?

— Parce que de tous les diplômes, le plus facile à décrocher est celui des langues orientales.

— Expliquez-vous plus amplement s'il vous plaît ?

— Il n'y a aucune explication supplémentaire à donner. Mon père tenait absolument à ce que je sois diplômé et licencié en quelque chose. En n'importe quoi. Il voulait avoir un fils universitaire. J'ai fait plaisir à mon père, mais j'ai choisi la faculté qui, à cette époque, avait le moins d'heures de cours par semaine. La durée des cours était plus courte et les examens plus faciles que dans les autres facultés. C'est la raison de mon choix.

— Autre question : Comment êtes-vous entré au Centre National de Recherche Scientifique ?

— Par protection. Mon père avait énormément de relations.

— Pour quelle raison avez-vous préféré entrer au Centre National de Recherche Scientifique plutôt que d'entrer dans l'enseignement ?

— Par paresse... Comme professeur, on est astreint à respecter un programme rigide. Avec un horaire inflexible. Au Centre National de Recherche Scientifique, la présence est facultative. Si on n'a pas d'ambition — ce qui est mon cas — on peut faire chaque jour la grasse matinée. Personne ne me demande aucun effort, et je ne demande aucune sorte d'avancement... Mon salaire est inférieur à celui du portier. Et je suis content. Etes-vous satisfait de mes réponses ? Ou voulez-vous me faire déclarer que j'ai étudié les langues orientales avec l'intention de devenir un espion bolchevique ? Comme un docteur épouse une docteresse, un fermier une fermière, moi, espion spécialiste en langues orientales, j'ai épousé une espionne qui me fut envoyée par Moscou... C'est cela que vous voulez me faire avouer ?

— Nous vous avons demandé uniquement ce qui est enregistré dans le procès-verbal d'un interrogatoire. Rien de plus. Vos réponses sont satisfaisantes. Mais, parce que vous avez vous-même abordé le sujet de votre épouse et associé son nom à celui d'espionne, voulez-vous nous fournir quelques éclaircissements sur Madame Hublot ?

— Votre façon de me dire, à chaque phrase « si vous voulez » ou « si vous acceptez » est superflue et irritante. Vous savez bien que si je me trouve ici, ce n'est pas par ma volonté, mais par la vôtre. Vous êtes policier. Et la loi vous a octroyé le droit de convoquer tout citoyen et de le garder tant qu'il vous plaira, comme les princes le faisaient autrefois avec leurs serfs, n'importe comment, n'importe quand, et pour n'importe quelle raison... Voulez-vous me poser des questions sur ma femme ? La loi vous autorise à tout demander sur elle. Plus que les gynécologues. Voulez-vous savoir sur quel côté elle dort, comment elle est constituée anatomiquement, comment elle s'y prend en amour... Ne vous gênez pas. La loi ne vous fixe aucune limite, pas même les questions obscènes. Tout vous est permis. Nous sommes dans un régime démocratique. On a aboli les privilèges des marquis, des comtes, des rois, mais on a augmenté les droits des policiers, sans leur fixer de limite aucune... Agissez conformément à la loi...

Le policier attend que Max Hublot termine sa tirade. Avec calme. Puis il demande :

— Votre femme est née en Roumanie ?

— Vous avez pu le constater sur ses papiers.

— C'est uniquement sur ses papiers que vous vous appuyez pour affirmer qu'elle est née en Roumanie, ou vous avez d'autres éléments pour connaître son lieu de naissance ?

— Je sais que depuis que je la connais qu'elle est roumaine. Il suffit de l'entendre parler pour deviner tout de suite. Ensuite elle possède un passeport roumain. Elle est arrivée en France avec une bourse, comme étudiante roumaine. Ai-je besoin d'autres arguments, pour savoir que ma femme est roumaine ? Trouvez-vous que ce n'est pas suffisant ?

— Ce n'est pas suffisant, dit le policier.

— D'après vous, ma femme n'est pas roumaine ? C'est le comble !

— Il est possible qu'elle soit vraiment une Roumaine, mais il est aussi possible qu'elle ne le soit pas.

— Il faut l'entendre parler, dit Max Hublot. Ce n'est pas du français qu'elle parle, c'est le jargon d'Elvire Popesco... Il suffit qu'elle ouvre la bouche pour qu'on sache qu'elle est roumaine. Depuis que nous sommes mariés, elle ne lit que des livres et des journaux roumains. Arrivés de Roumanie. Et la première chose qu'elle m'a demandé ce fut de lui acheter un appareil de radio assez puissant pour écouter Bucarest... Et elle n'en finit plus d'écouter Radio Bucarest... Ce ne sont pas des preuves qu'elle est roumaine ?

— Pour vous, peut-être. Mais pas pour nous.

— Qu'est-ce qui vous rend si sceptique sur des choses qui sautent aux yeux ? Ma femme ne connaît, pratiquement, aucune autre langue que le roumain. Ce n'est pas non plus une preuve ?

— Non dit le policier. On peut ne parler que le roumain sans l'être. Il y a par exemple en U.R.S.S. une

L'ESPIONNE

République Moldave. Où tout le monde parle roumain. Il y a des journaux roumains, une radio qui émet en langue roumaine, des écoles roumaines, des théâtres roumains, des salles de cinéma roumaines, et, une population qui pour la plupart, ignore la langue russe et ne parle que le roumain... Et ils sont tout de même citoyens russes. Je tiens, tout de suite à vous dire que nous n'avons aucun doute sur le fait que votre femme est roumaine et qu'elle est née en Roumanie. Nous en savons davantage : non seulement votre femme est une roumaine authentique, mais elle est la fille de l'ancien Premier Ministre de Roumanie... C'est un fait indiscutable. Et jamais personne n'a nié que le père et la mère de votre épouse étaient des Roumains.

— C'est faux, dit Max Hublot. Il se lève. Rouge de colère. Il ajoute : — Si ma femme avait été la fille d'un Premier Ministre, ç'aurait été la première chose qu'elle m'aurait dite... Elle me l'aurait répété à me casser les oreilles. C'est dans la nature féminine. Elle m'aurait crié : mon père à moi était Premier Ministre et le tien était pharmacien !... Tout chauffeur de taxi russe à Paris, vous dit, dès que vous montez dans sa voiture, qu'il est comte et qu'il faisait partie de la Garde du Tsar... Tout réfugié roumain, vous parle des domaines imaginaires, des maisons à dix ou vingt chambres que les Bolcheviques lui ont confisqués. Pourquoi ma femme aurait-elle fait exception, en prétendant être la fille d'un professeur de collège alors qu'elle était la fille d'un Premier Ministre de son pays ?

— Nous reviendrons sur cette question, dit le policier. Je tiens à vous dire que le père de votre épouse est mort quelques semaines après le départ de sa fille pour l'étranger. Cela, elle vous l'a dit ? Et c'est exact. La mère était professeur de mathématiques. Elle est morte quand votre femme avait trois ans environ.

C'est exact aussi. Son père fut professeur de philosophie au lycée militaire de Kichinev, c'est exact également. Dans toutes ces choses vraies, que vous connaissez, et probablement que votre femme vous a racontées, il y a une omission : son père fut aussi Premier Ministre du gouvernement mis en place par l'Armée Rouge, quand elle occupa la Roumanie. Le père de Madame votre femme, s'appelait Léopold Skripka. Il fut Premier Ministre du 23 août 1944, jour de l'occupation jusqu'à sa mort. Madame Hublot, votre épouse est née Héléna Skripka. Le nom de Monique Martin, qui est inscrit sur son passeport, est un faux nom...

— Je proteste ! s'exclame Max Hublot.

— Regardez cette photo, Monsieur le Professeur.

Le policier tend un magazine américain. Sur une page entière s'étale une photo en couleurs de Madame Hublot avec un vieux monsieur très élégant et très distingué. Au bas de la page, la légende : Le maître de la République Communiste de Roumanie, Léopold Skripka, avec sa fille Héléna dans le parc de leur château de Bucarest...

Max Hublot est tout pâle. La revue tremble dans ses mains. Il reconnaît Monique. Elle tient le vieux monsieur par le bras. Elle rit avec la bouche, avec les yeux, avec tout son visage. Monique rit avec son buste, avec tout son corps. Max Hublot n'a jamais vu sa femme riant ainsi. Elle est presque toujours triste. Sur la photo, elle est heureuse. Ses dents de bonheur et ses yeux en amande sont brillants. Derrière Monique et le vieux monsieur, que le policier prétend être son père, il y a aussi un beau château. Avec un escalier de marbre. Le parc a des allées bordées de roses et entourées de gazon.

— Reconnaissez-vous votre épouse, Monsieur le Professeur ?

— C'est certes ma femme. Mais la photo est fausse. C'est une photo montage. Comme les journalistes américains ont l'habitude d'en faire.

— Elle vous a parlé de son château ?

— Jamais.

— C'est le palais d'Aristide Paximade. Il fut d'abord réquisitionné. Puis acheté par Léopold Skripka. C'est dans ce château, qui se trouve à proximité du Palais Royal de Bucarest que votre femme a passé toute sa vie à partir de l'âge de cinq ans, et jusqu'à son arrivée en France...

— C'est impossible, proteste Max Hublot. Quand j'ai rencontré ma femme au quartier Latin, elle n'avait même pas assez d'argent pour se payer un café crème ou un sandwich. Sa fortune se composait de deux robes, une jupe, deux pull-overs et deux paires de chaussures... Tout cela ne remplissait pas une valise. Elle dormait dans le foyer des étudiantes étrangères dans la même chambre que trois autres jeunes filles. Je pense que ce n'est pas la vie que mènent à Paris les filles dont les pères sont Premiers Ministres et qui ont grandi dans des châteaux... Vos affirmations ne tiennent pas debout. Si ma femme avait été la fille du Premier Ministre, l'ambassade aurait pris soin d'elle. Elle aurait vécu comme les autres filles de ministres...

— Votre femme vous a-t-elle montré une photo de ses parents ?

— Jamais, dit le professeur. Monique est une réaliste. Elle n'a jamais joué à la poupée, elle n'a pas d'album de photos, elle ne tient pas de journal intime... C'est une femme de notre temps. Le contraire d'une fille romantique, et si vous voulez une preuve qu'elle n'est pas une fille de Premier Ministre, je vous dirais quelque chose de dur à raconter. C'est le contraire d'une fille qui a vécu dans un château : elle sait à peine se tenir convenablement à table. Je suis un goujat, en vous disant cela, mais c'est pour que vous voyez clair. Ma femme ignore les règles élémentaires du savoir-vivre. J'ai même honte, parfois, de sortir avec elle : au restaurant elle s'essuie le nez avec les serviettes de table. Bref, des manières qui ne sont pas celles d'une châtelaine.

— Ce n'est pas convaincant, dit le policier. J'ai fait des enquêtes sur d'innombrables citoyens des républiques populaires. Chez eux on a fait la chasse aux bourgeois, aux classes parasites, comme ils les appellent, aux nobles. Des milliers de personnes ont perdu leur liberté et sont morts en déportation pour un simple mot de politesse. Si on dit « merci » au contrôleur de tramway, si on dit « pardon » ou « excusez-moi », on est pris à partie par la foule. On est suspecté d'être un aristocrate, un noble, un bourgeois. Tout le monde, depuis l'occupation, s'efforce d'être le plus vulgaire possible pour montrer qu'il appartient aux gens sans éducation et pour sauver sa vie et sa liberté on utilise un langage grossier. Pour ne pas être suspect. Ceci est valable pour tous. Se moucher dans sa serviette au restaurant, prouve qu'on est un communiste véritable. C'est par instinct de conservation qu'on crache sur les tapis, qu'on emploie des gros mots, qu'on bouscule sans dire pardon et qu'on ne dit ni bonjour ni au revoir...

La fille du Premier Ministre, comme les ministres eux-mêmes, se comportent comme des débardeurs et parlent comme des forts des halles pour montrer que ce sont de bons communistes qui sont au pouvoir. Le manque de manières de votre épouse est un argument de plus pour prouver qu'elle est la fille du Premier Ministre. Vous avez vu à la télévision, le chef suprême de toutes les Russies, Nikita Khrouchtchev se déchausser en pleine séance solennelle des Nations Unies, et frapper le pupitre avec ses chaussures, en criant comme aux halles ! Les mauvaises manières, sont de rigueur. De même que les fautes d'orthographe.

Maintenant, passons à une autre question : Vous étiez fiancé à Mademoiselle France Normand. Vous deviez vous marier incessamment, vous l'avez quittée brusquement, et vous vous êtes marié avec une étrangère, qui est — pardonnez le mot — une rencontre de hasard. Pourquoi avez-vous soudainement rompu avec France Normand et épousé cette fille que vous connaissiez à peine ? C'était un coup de foudre ?

— Non.

— Quel est le motif de votre mariage précipité ? Elle attendait un enfant de vous ?

— Non.

— Alors pourquoi l'avez-vous épousée, disons presque sans réfléchir, alors qu'il ne s'agissait ni d'un coup de foudre, ni d'un mariage d'affaires, ni d'un enfant qui vous y obligeait ?

— Je ne puis vous répondre que par une question. Etes-vous marié ?

Le policier serre les lèvres. Mais il ne trouve aucune raison de tenir secret son état civil.

— Je le suis, Monsieur le Professeur.

— Savez-vous avec certitude, pourquoi vous avez épousé votre femme et pas une autre ? Je ne veux pas que vous me répondiez. Je veux uniquement vous faire remarquer qu'aucun homme, ne sait avec certitude pourquoi il a épousé une femme, et pas une autre. On se trouve marié. C'est tout. Sauf, bien entendu les exceptions que sont les coups de foudre, les mariages d'affaires, et les mariages forcés... Eh bien, je suis comme tous les hommes mariés de la terre : je me suis trouvé marié sans être capable, logiquement de vous en fournir des arguments logiques. Ceux qui s'entêtent meurent sans trouver la réponse. Je pense que tous les hommes mariés sont dans ma situation. Vous de même...

— Passons à une autre question : vous avez un standing de vie très élevé. Vous avez vous-même affirmé que votre rémunération d'attaché au Centre National de Recherche Scientifique est inférieure à celle d'un portier... D'où provient cet argent ?

— C'est mon père qui me l'a laissé. J'ai de quoi vivre toute ma vie sans rien faire.

— C'est exact. Nous avons vérifié cela. Maintenant une autre question : vous prenez trois ou quatre mois de vacances par an. Vous avez visité Venise, Capri, les Baléares, le Tyrol, Saint-Moritz, l'Estoril... Pourquoi n'êtes-vous jamais allé en Roumanie ? Votre femme n'a-t-elle pas la nostalgie de son pays natal ? Vous-même, n'êtes-vous pas curieux de connaître le pays où elle est née.

— Je suis un véritable Français. Je n'aime pas l'aventure. Je ne suis pas un explorateur. Je préfère passer mes vacances dans les stations classiques. Descendre dans les hôtels recommandés par les guides officiels. Aller au-delà du « rideau de fer », c'est une aventure. Je préfère les Canaries, le Tyrol et l'Italie.

— Vous aimez votre femme, Monsieur le Professeur.

— Certainement.

— Votre amour pour votre épouse ne vous a-t-il pas incité à aller au moins pour une dizaine de jours dans son pays, au bord de la Mer Noire et dans les Carpathes ?

— Certes, j'en ai eu envie plusieurs fois. On voit des réclames sur tous les murs : « Visitez la Roumanie »,

L'ESPIONNE

« Passez vos vacances en Mer Noire », « Chassez et faites du ski dans les Carpathes ». J'ai dit à ma femme : « Nous irons pour quelques semaines en Roumanie. »

— Qu'a-t-elle répondu ?

— Quelque chose de raisonnable, à mon avis : elle m'a dit qu'elle désirait d'abord visiter les endroits célèbres qu'elle ne connaissait pas. Et qu'ensuite nous irions aussi en Roumanie.

— Et vous-même ?

— Moi, j'ai consulté les agences de voyage et les personnes qui sont allées en Roumanie. Après m'être renseigné, je me suis juré de ne jamais y mettre les pieds. C'est que la Roumanie, comme toutes les Républiques Pénitenciaires de l'Empire bolchevique, propose aux touristes une vie de caserne. Une vie de soldat de la Légion étrangère. On est logé dans des casernes. On doit manger quand sonne le clairon. Il faut se contenter de ce que de vieilles serveuses moroses jettent dans votre assiette. Personne ne peut jamais refuser ou changer un plat. On ne peut réclamer aucun supplément, sans une demande écrite à la direction, même pas un yogourt ou un croissant. On ne doit pas s'éloigner de l'enceinte fixée aux touristes. On est enfermé comme des animaux dans un enclos. Si on franchit la barrière, on est arrêté et conduit au poste de police. Tout déplacement se fait en équipe, comme à la caserne, sous la surveillance d'un policier avec une casquette de guide. Il n'est permis d'aller que sur les itinéraires touristiques, sous peine d'être accusé d'espionnage.

Il est interdit d'échanger une parole avec la population. Passer ses vacances en Roumanie ou dans une autre République Pénitenciaire c'est exactement comme aller les passer à la prison de la Santé, à

Fresne, dans une caserne de la Légion étrangère, ou dans un camp de concentration. Je n'ai jamais vu personne aller passer ses vacances dans une caserne... C'est pourquoi je ne suis jamais allé en Roumanie.

— Revenons au sujet principal : nous avons les preuves irréfutables, photos, témoignages, documents, que votre femme s'appelle en réalité Héléna Skripka. Elle est entrée en France sous un faux nom. Nous avons vérifié ce fait. Nous n'avons plus aucun doute.

— Pourquoi vous entêtez-vous à affirmer qu'elle est entrée en France avec un faux nom, du moment que son père était le maître du pays ? Quelle raison avait-elle de procéder comme les bagnards évadés, comme les assassins traqués ?

— C'est justement ce que nous essayons de comprendre, Monsieur le Professeur. Je vous l'avoue, nous ne nous expliquons pas pourquoi la fille d'un Premier Ministre a dû se cacher sous un faux nom pour vivre en France...

— Parce que vous n'avez pas trouvé d'explication à votre hypothèse — qui peut être vraie ou fausse —, vous avez conclu que ma femme est entrée en France pour faire du sabotage et de l'espionnage contre l'Etat, n'est-ce pas ? Conformément à votre logique, moi, professeur de langues orientales, je suis devenu son mari et son complice, étant tout à fait qualifié pour aider une espionne étrangère à perpétrer ses crimes, à Paris. N'est-ce pas ?

— Ce n'est pas tout à fait exact, Monsieur le Professeur. Un fait précis est que tout jeune homme et toute jeune femme qui part d'un pays de l'Est pour l'étranger, avec une bourse, est obligé de fréquenter avant une école d'espionnage. Et de faire de l'espionnage dans le pays où il va. C'est la même chose avec les enfants. Tous les gosses, chez eux, doivent dire chaque matin au maître d'école tout ce dont ses parents ont discuté, ce qu'ils ont fait et quelle opinion ils ont sur le régime.

C'est le même système pour les étudiants envoyés à l'étranger. Ils doivent espionner et communiquer tout ce qu'ils voient et ce qu'ils entendent.

— Dans ce cas, c'est à vous, au Service du Contre-Espionnage de leur interdire l'accès en France, du moment que vous savez que tous sont des espions...

— Oui et non, dit le policier. Les garçons et les filles des Grands Camarades, des Ministres et des Hauts Policiers partent à l'étranger sans être obligés au préalable de faire une école d'espionnage... Tous les membres de l'Appareil communiste ont leurs enfants à Paris, à Londres, à Rome, aux Etats-Unis. Ils vivent, comme tous les fils de rois et de milliardaires. Comment expliquez-vous que votre femme soit arrivée avec de faux papiers et démunie de protection et d'argent ?

— Elle s'est peut-être enfuie. Si elle est réellement la fille du Premier Ministre. Son père était peut-être en disgrâce. Sur le point d'être liquidé. En se cachant. Pour sauver sa vie...

— Impossible, dit le policier. Nous avons analysé cette hypothèse. Le père de votre femme n'a jamais été en disgrâce. Après sa mort, sa gloire a augmenté. Il n'y a pas de ville qui n'ait une place au nom de Léopold Skripka. On a dénombré une dizaine de bourgades et de villages baptisés de son nom. Son père a déjà des milliers de statues partout. Sur tout le territoire de la République. Sa fille, la fille de l'homme qui possède des milliers de statues géantes ne peut pas être en disgrâce. Ni en fuite. Ni victime du régime. Tous les ministres actuels sont les amis et les collaborateurs de son père. Elle devrait normalement vivre comme une princesse à Paris. Comme tous les enfants de leurs Altesses, les camarades arrivés des Républiques de l'Est... Pouvez-vous nous aider à comprendre ce mystère ?

Max Hublot se tait.

— Nous avons pensé, au début, qu'elle usait d'un faux nom pour ne pas être repérée par les victimes de son père... et mettre sa vie en danger. Car tous les réfugiés du monde occidental ont eu des parents tués par son père. Cette hypothèse ne tient pas. Même Svetlana, la fille de Staline, circule en Occident sous son propre nom, sans courir aucun danger. Les Camarades sont si sûrs d'eux qu'ils se croient invulnérables. A Paris, le fils du chef de la police roumaine et la fille du Ministre de l'Intérieur circulent partout sans crainte et fréquentent toutes les boîtes de nuit, sans garde du corps. Pourquoi votre femme a-t-elle une fausse identité ?

— Ma femme s'appelle Monique Martin. C'est son nom ; et elle ne l'a pas changé. Elle n'a rien à voir avec le personnage avec lequel vous voulez absolument l'assimiler. Vous n'avez aucune preuve. Rien. Pourquoi ne faites-vous pas rassembler des réfugiés pour l'identifier ?

— Les filles et les fils des grands Camarades qui dirigent les Républiques de l'Est sont inconnus de leurs victimes. Personne ne les voit jamais. Ils ont leurs plages privées entourées de murs. Leurs villages à la montagne sont clos de barbelés. Ils ont leurs magasins spéciaux interdits au public. Ils circulent en limousine à rideaux. Il est impossible de voir le visage de l'épouse et des enfants d'un grand Camarade. Donc les réfugiés ne pourront pas la reconnaître. Mais nous avons d'autres preuves. En dehors de la photo. Voilà par exemple le rapport de notre ambassadeur à Buca-

rest : il est daté de peu de temps avant l'arrivée de
votre femme en France sous le nom de Monique Martin : « Le Premier Ministre Léopold Skripka, que j'ai
rencontré lors de la fête nationale de la République
Bulgare, m'a donné un passeport et m'a prié d'accorder
un visa d'une année de séjour en France pour sa
propre fille Héléna, sous le nom de Monique Martin.
C'est le secrétaire particulier de Léopold Skripka qui
est venu le lendemain chercher le passeport, en me
priant de garder le secret absolu. Le fait que le Premier Ministre envoie sa fille à l'étranger sous une
fausse identité signifie que très bientôt il sera liquidé.
Il met sa fille à l'abri. Mais en matière de Kremlinologie, il est plus difficile de savoir la vérité qu'en astrolo-
gie. »

— Pourquoi avez-vous permis à Héléna Skripka,
alias Monique Martin, d'entrer en France si vous savez
que son passeport était accordé sous un faux nom ?
Pourquoi ne l'avez-vous pas surveillée ou arrêtée à la
frontière ?

— Le rapport de notre ambassadeur à Bucarest ne
fut lu qu'un an après, comme tous les rapports de
diplomates. Surtout dans ses passages secondaires.
Dès qu'il a été lu, nous avons été avertis et nous avons
commencé les investigations. Les faits rapportés
étaient exacts. Nous avons retrouvé la fille ; la seule
inexactitude est que Léopold Skripka n'a pas été
liquidé. On lui a même érigé des statues. Son équipe est
toujours au pouvoir. Mais pourquoi envoya-t-il sa fille
à Paris clandestinement, c'est toute la question. Nous
devons fermer le dossier ; il est complet. Toutes les
preuves y sont. Votre femme sera arrêtée, jugée, punie
et expulsée. Aidez-nous à connaître la vérité. Pour éviter cela. Interrogez-la. Conjurez-la de vous dire la vérité. On évitera peut-être le jugement, le procès, l'expul-

sion et l'écrasement d'une famille... C'est tout ce que
j'ai à vous dire. Je compte sur vous. Car si vous refusez de nous aider, le malheur est inévitable. Pour vous.
Pour votre femme. Pour votre enfant.
Le policier ne dit pas son nom à Max Hublot. Ici, les
policiers gardent leur nom secret. Max Hublot signe la
déclaration. En sortant, il est convaincu que la situation est grave. Tragique. Mais au fur et à mesure qu'il
prend conscience de la tragédie, sa tête se vide. Il ne
fait plus aucune hypothèse. Il n'a plus aucune idée. Il
ne fait pas de suppositions. Dans sa tête, dans son cœur
s'installe le vide. Vide complet. Néant. Il lui est complètement indifférent que sa femme s'appelle Monique
Martin ou Héléna Skripka. Les deux sont possibles.
Tout est possible. Et quand tout est possible, le néant
et le vide s'installent. La seule chose que le professeur
sache avec certitude, c'est qu'il souffre. Sa souffrance
n'est pas localisée. Il est plongé dedans comme on
plonge dans l'eau. En dehors de cette vérité il ne sait
plus rien. Et il ne veut rien savoir. Ni rien faire pour
en sortir. Le malheur s'est abattu sur lui. Sur sa maison. Sur son épouse. Sur son enfant. On sait que la
lumière vient de l'Est. Pour Max Hublot, c'est le malheur qui est venu de l'Est. Comme Tamerlan. Comme
Attila. Comme Gengis Khan. Comme tous les fléaux.
Le malheur venu de l'Est l'a frappé en plein Paris,
justement lui, qui ne s'est jamais préoccupé de politique. Il a quitté France Normand, cette fleur
d'Auvergne, pour épouser une femme de l'Est. Maintenant ce Français bien tranquille, qui ignore la souffrance, sait que le malheur vient de l'Est. Comme le lui
disait hier au café le jeune Roumain de l'Eglise.

IX

LE MAL AMERICAIN

Au moment même où le professeur Max Hublot sort dans la rue et quittant les locaux des services de Contre-Espionnage, à quelques centaines de mètres de son domicile, rue de Siam — une dame monte l'escalier d'une vieille maison. Elle s'arrête au troisième étage. Elle est essoufflée. Car il n'y a pas d'ascenseur. Dans l'appartement, on entend une machine à écrire.

Sans ôter ses gants, la dame appuie sur la sonnette. A l'intérieur la machine à écrire s'arrête et on ouvre.

— Bonjour Père Virgil, dit la dame. Je ne vous dérange pas trop tôt ?

— Je suis levé depuis longtemps déjà. Donnez-vous la peine d'entrer, Madame...

Le prêtre est habillé d'une soutane très longue avec de larges manches. Une soutane grecque. C'est un cadeau qu'il a reçu du traducteur de ses livres en grec, l'Evêque Eftimios Stylios le bras droit du Métropolite Primate d'Athènes. L'émotion de la dame s'est accentuée.

— C'est ma soutane qui vous effraie ? demande le prêtre. Il est vrai qu'aujourd'hui on ne voit plus de soutanes. Les prêtres s'habillent en civil. Moi-même, je sors faire mes courses en clergyman. Mais à l'église, à la maison, quand je prie et quand je travaille, je suis toujours habillé en soutane. C'est l'uniforme du prêtre.

L'ESPIONNE

Bien qu'étant abolie, il est écrit dans l'Apocalypse que notre grand évêque et prêtre, Jésus-Christ, est apparu à saint Jean en soutane. On a reconnu qu'il était prêtre parce qu'il « était revêtu d'une longue tunique » (Apocalypse 1, 12). Je fais comme toujours une entorse à la mode, et je m'habille en soutane pour deux raisons : d'abord la soutane est coupée en forme de croix. Regardez. — Le Père Virgil lève les bras à l'horizontale. La soutane est réellement une croix. Il ajoute : Pour moi, poète, c'est un grand honneur de m'habiller avec une croix. D'avoir pour vêtement une croix. Je ne m'assieds jamais à ma table, pour écrire mes romans, sans avoir revêtu la croix, le vêtement par lequel on reconnaît le prêtre. Je suis le poète du Christ et de la Roumanie. On n'est pas prêtre, ni poète, par son propre mérite, ni par sa propre volonté, mais par un don d'en haut. Voilà tout sur ma soutane. Afin qu'elle ne vous effraie plus. Donnez-vous la peine d'entrer.

La dame pénètre dans l'appartement. C'est une vieille maison. Avec des hauts plafonds. Elle regarde, furtivement, les icônes, les tapis, les croix, les chandeliers, les calices, les encensoirs... La maison de Virgil Gheorghiu est en même temps un presbytère, une chapelle et un atelier d'artiste.

Le prêtre s'assoit sur un fauteuil, en face de la dame :

— Je ne sais, Père, si vous vous souvenez encore de moi. Je suis venue deux fois chez vous, il y a deux ans de cela...

Le Père rougit. Il ne se souvient pas d'avoir rencontré cette dame très fine et très élégante. Vainement, il fait un effort de mémoire.

Il y a un quart de siècle que Virgil Gheorghiu vit en exil à Paris. Il n'arrive jamais à reconnaître personne, à cause de l'exil. Dans son enfance, il pouvait reconnaître à distance n'importe quelle personne, sans la dévisager. Dans son pays natal, il n'était pas nécessaire de regarder les yeux et le visage de quelqu'un pour le reconnaître. C'était un petit monde. Un monde stable. Tous les hommes se connaissaient les uns les autres, dans les moindres détails. Virgil Gheorghiu se souvient qu'en entendant des pas dans la rue, il pouvait dire, sans regarder quelle était la personne qui passait. Car différents étaient les pas du facteur, différents ceux du cordonnier et ceux du charpentier. Chaque homme a sa manière à lui de poser les pieds sur terre, de les y appuyer pour marcher. Il reconnaissait quelqu'un de dos, sans même voir sa taille, d'après la façon dont il portait son couvre-chef. Les uns marchent, le chapeau enfoncé sur les oreilles, d'autres l'inclinent sur le côté, d'autres le laissent tomber sur la nuque et d'autres encore l'enfoncent sur les yeux... Il y a ensuite la façon de se tenir, en marchant. D'aucuns regardent devant eux d'autres vers le haut, d'autres ont les yeux penchés vers la terre. D'autres marchent courbés, pliés par le poids de leur corps ou de leurs soucis, d'autres se tiennent droits. Ces attitudes changent, chez chacun, chaque jour, et même chaque heure, selon ses soucis et ses joies. Le Père Gheorghiu savait de loin si l'homme qui s'approchait était gai. Jamais un homme n'était étranger et impénétrable à l'autre, et chacun savait toujours les tourments, les joies et les soucis de son prochain sans se parler. C'est cela la Patrie. C'est cela la Nation. C'est cela être chez soi : être, sans parole et sans regard, en communion avec tous ceux qui vous entourent. C'est connaître ce qui est visible dans la personne et ce qui ne se voit pas mais qui existe en eux. Il ne connaissait pas seulement les hommes et les femmes, il connaissait les enfants. Il savait leur état d'âme sans leur poser de questions. Et il connaissait la nature aussi bien que les hommes. Dans sa Patrie, le prêtre poète savait chaque soir, d'après la couleur du ciel, d'après l'éclat des étoiles, d'après la forme et la densité des nuages, d'après le comportement des bêtes, le vol des hirondelles et des papillons, si le lendemain il y aurait de la pluie, de l'orage ou du beau temps. Il savait avec certitude, tout de suite après la fonte des neiges, si l'été serait chaud, si le blé et le maïs pousseraient bien, et si les pluies seraient abondantes. L'homme était en contact direct — sans intermédiaire — avec les saisons, avec la terre, avec les bêtes et avec le ciel. Jamais aucun homme n'était seul.

Depuis qu'il se trouve en exil, bien que Paris soit la plus belle ville du monde, que, dans l'Ile-de-France, la lumière soit tamisée et belle comme sur les toiles des plus grands peintres, les arbres souples, fins, à haute taille, comme des corps d'adolescents, avec des branches de dentelle, au lieu de communier avec le Cosmos, le poète Virgil Gheorghiu est seul. Détaché de tout. Toujours uniquement avec lui-même. C'est une situation si désespérante pour un poète, qu'on ne peut la comparer qu'à celle d'un homme qui regarderait sa main, sa jambe, son visage, sans les reconnaître pour siens. Le ciel, la terre, les hommes, et toute créature qui se trouvent autour d'un poète font partie intégrante de sa personne. Et si un poète est déplacé ailleurs, c'est exactement comme si on l'avait séparé de son corps et installé dans un corps étranger.

C'est à cause de cela, certes, que Virgil Gheorghiu est incapable de reconnaître les personnes qu'il rencontre dans la rue. Comme c'est le cas avec cette dame élégante, qui affirme être venue deux fois chez lui. Il y a une autre chose qui l'empêche de reconnaître les personnes qui habitent autour de lui à Paris. Sa maison est dans un quartier bourgeois. A la Muette. Dans ce beau quartier, les femmes suivent avec raffinement, avec un goût exquis, très sûr, et de très près, la mode et la haute couture. A chaque saison, chaque femme devient, extérieurement, une autre personne. Elle a une autre couleur de cheveux, une autre coiffure et une autre taille. Au sens propre : la taille est quelquefois très haute, à peine en dessous de la poitrine. D'autres fois, elle est plus bas que la ceinture. La taille est parfois mince, serrée comme celle d'une guêpe. Et d'autres fois, large, évasée. Même la démarche change complètement. Car elle est conditionnée par la largeur et la forme de la jupe ou de la robe. Si la jupe est serrée sur les hanches, elles marchent à petits pas, comme les oiseaux. Si la jupe est large, comme celle des gitanes espagnoles, la démarche des femmes est ondulante. Elle varie encore entre les jupes plissées et les jupes fuseaux. La longueur aussi transforme de fond en comble l'allure. Car on marche différemment quand la jupe arrive dix centimètres au-dessus du genou, comme une jupe de tennis, et quand la jupe est longue, couvrant les talons et touchant le sol... Mais ce n'est pas uniquement cela. La couleur des yeux de la femme change, selon le fard qu'elle applique sur ses paupières, autour des orbites et sur ses cils, et qui se reflète dans les pupilles. Le visage prend une autre forme selon la nuance du maquillage et la couleur du rouge à lèvres, qui varie du rouge sang jusqu'au blanc cassé. La taille des femmes change avec la hauteur des coiffures et celle des talons. Le poète est surpris, il constate avec étonnement, que ses voisines, qui étaient des petites femmes, sont tout à coup devenues grandes, grâce à leurs toilettes, ou que des femmes de haute taille son maintenant petites. Plus que cela : en changeant de taille, de hauteur, de couleur de cheveux et d'yeux, on change automatiquement aussi d'allure et de sentiments. Celles qui, quelques mois auparavant avaient le regard timide et doux, après leur changement de coiffure, de maquillage, de taille de jupe et de talons se mettent à vous regarder avec hardiesse. D'autres fois, c'est le contraire : Les femmes, aux regards hardis et vaillants, ont des yeux romantiques et rêveurs... Le prêtre poète Virgil Gheorghiu subit comme tous les poètes, chaque changement qui a lieu autour de lui ; il a l'impression très nette qu'à chaque saison, toutes ses voisines, qui habitent avenue Henri Martin, rue de la Pompe, rue de Siam et rue de Passy, abandonnent le quartier. Aucune d'elles ne reste. Toutes partent ailleurs. Et à leur place, arrivent d'autres femmes qui habitent dans son immeuble, dans sa rue, dans son quartier. Ce sont les mêmes personnes qu'à la saison précédente. Mais il lui est impossible de les reconnaître. Comme il lui fut impossible de reconnaître Madame de Savine. Maintenant il se souvient vaguement d'elle.

— Je suis Madame de Savine, dit la dame. — Elle enlève son gant droit. Elle cherche dans son beau sac à main. Elle continue à parler. — Vous m'avez reçue chaque fois avec tant de gentillesse que nous ne vous oublierons jamais. De plus, vous avez sauvé ma fille. Au moment où tout espoir de sauvetage était perdu. J'étais désespérée. En arrivant chez vous, la première fois, je pleurais comme une folle. Vous ne vous souvenez pas de moi, Père Virgil ?

— Non, Madame.

— Je suis la maman de Chantal, Père Virgil. Vous avez oublié ma fille Chantal ?

— Ah, oui, Madame de Savine. Pardonnez-moi. Maintenant je me souviens parfaitement. Comment va la petite fille Chantal ? Il y a deux ans que je ne l'ai revue. A-t-elle grandi ? Elle avait à peine quinze ans quand je l'ai connue...

— Vous rencontrez presque chaque jour Chantal, Père, dit Madame de Savine. Elle me raconte en rentrant qu'elle vous a rencontré dans la rue. Elle vous salue même. Elle vous fait des sourires. Mais vous la regardez avec de grands yeux, sans la reconnaître... Vous savez père Virgil, c'est encore à cause de Chantal que je suis venue aujourd'hui chez vous. C'est elle qui m'envoie vous chercher... Elle vous a écrit, si vous vous souvenez, il y a deux ans, une lettre de remerciements, vous appelant « Le poète du Christ et de la Roumanie »... Depuis, elle n'a pas d'autre nom pour vous. Vous êtes le « poète du Christ »... Pas un simple poète. Cette nuit Chantal s'est trouvée très mal. On appelle un conseil de médecins. Cela n'a rien changé. Elle m'a dit : Maman chérie, va chercher le poète du Christ et demande lui de ma part de venir faire une prière pour moi. Elle m'a demandé de venir vous chercher hier soir. Il était minuit passé. Une heure trop tardive. Je lui ai promis de venir aujourd'hui, tôt. Pour me convaincre elle m'a lu le passage de votre livre « De la Vingt-Cinquième Heure à l'Heure Eternelle » où vous écrivez : On n'est pas prêtre comme on est laboureur, fonctionnaire ou artisan. On n'est pas prêtre pour faire des heures de bureau, avec des récréations et avec des jours de congé. On est prêtre en permanence. Sans interruption. Sans repos. Sans répit aucun. Sans vacances. Jour et nuit. Et comme on peut s'adresser à Dieu n'importe quand, à n'importe quelle heure du jour ou de la nuit, et pour n'importe quelle demande, sans crainte de l'importuner, de même on peut venir n'importe quand, pour n'importe quelle raison, chez le prêtre. Nous n'arrivons, certes, pas à avoir de prêtres qui ne dorment pas, qui ne mangent pas et qui n'ont jamais mal aux pieds... Mais c'est une imperfection que nous devons accepter, à cause de notre condition humaine »... Voilà que je connais ce texte par cœur. Et ni moi, ni ma fille, ne pourrons jamais vous remercier pour l'aide que vous nous avez accordée par le passé...

— Votre fille est-elle actuellement à Paris ?

— Oui, Père.

Madame de Savine sort son mouchoir. C'est un tout petit mouchoir. A peine plus grand qu'une feuille d'agenda. C'est un mouchoir très fin. Comme du papier à cigarette. Il est brodé de soie, couleur de miel pâle. Madame de Savine a les larmes aux yeux. A ce moment, en regardant ses yeux remplis de larmes, le père Virgil reconnaît parfaitement Madame de Savine. C'est à sa manière de pleurer qu'il la reconnaît. Madame de Savine a une manière de pleurer qui lui est strictement personnelle. Elle laisse ses beaux yeux bleus se remplir de larmes. Ses orbites en sont inondées. Il est étonnant que tant d'eau puisse rester collée sur les pupilles sans tomber. Madame de Savine pour ne pas abîmer l'édifice très savant de son maquillage, attend que ses yeux se remplissent d'abord de larmes, puis qu'elles tombent d'elles-mêmes, sans les toucher, comme les gouttes d'eau tombent d'un vase trop plein. C'est uniquement quand elles commencent à couler que Madame de Savine récolte ses larmes, en les cueillant, comme des diamants, dans son beau petit mouchoir fin qu'elle tient, comme une corbeille, à proximité de ses yeux, à la lisière de ses paupières, sans jamais toucher, ni ses cils, ni son visage... Cela, pour ne pas enlever ou abîmer le fard et les couleurs qu'elle a étendus sur sa peau, sur ses paupières et sur ses cils... C'est d'une dextérité qui tient du prodige. Une performance. Un record. En la voyant pleurer et cueillir ses larmes, comme des diamants, sans toucher, ni ses cils, ni ses paupières, ni la peau de son visage, le prêtre poète se souvient de sa première visite. Avec précision. C'était au mois de mai. Madame de Savine était arrivée, comme maintenant. A neuf heures du matin. Elle s'était assise sur le même fauteuil. Et elle avait pleuré, exactement, comme maintenant. Avec art. En prenant un soin extrême que ses larmes n'abîment pas son maquillage. C'est déjà à cause de sa fille Chantal que Madame de Savine est venue la première fois ici. Sans connaître personnellement le prêtre. Elle le connaissait par ses livres. Et elle lui dit :

— J'ai cherché votre adresse dans l'annuaire. J'étais contente que vous soyez mon voisin. Ensuite elle déclara au prêtre : — C'est un grand malheur qui m'oblige à venir chez vous. Je viens de perdre ma fille. Elle s'appelle Chantal. Elle n'a pas encore quinze ans. Elle, ma fille unique. Imaginez-vous, cher Père, ma douleur de mère. Ma terrible douleur.

— Un accident de voiture ? demande le prêtre.

— Ce n'est pas un accident de voiture... dit-elle.

— Pour nous, Chrétiens, la mort n'est pas une fin, Madame, dit le prêtre. La mort est un commencement. Il est écrit dans les Apophtegmes des Pères qu'un message était arrivé dans un monastère du désert, pour annoncer à un moine que son père venait de mourir. Le moine entra dans une terrible colère contre le messager et lui cria : Cesse de blasphémer, homme sans foi et cesse de mentir ; mon père ne pouvait pas mourir, comme tu viens de le dire, car mon père est immortel. C'est cela, Madame, que je vous dis, non pas pour vous consoler, mais parce que c'est vrai : votre fille Chantal ne peut pas mourir, car elle est immortelle. Toute créature humaine est immortelle...

— Chantal n'est pas morte, Père, s'écria Madame de

Savine. Chantal est pire que morte. Pire que malade. Pire qu'atteinte d'une infirmité incurable. Pire que disparue sans traces. Ma pauvre Chantal...

Madame de Savine cueillit ses larmes dans son petit mouchoir, et expliqua :

— Si ma pauvre petite Chantal venait de mourir, je l'aurais pleurée, Père. J'aurais porté le deuil. Je serais allée chaque jour sur sa tombe lui porter des fleurs. Si Chantal était devenue infirme, je l'aurais portée dans mes bras, dans sa chaise d'estropiée. Partout. Toute ma vie. Je lui aurais consacré mon existence. Je lui aurais montré, ainsi, mon immense amour et ma dévotion maternelle. Dans son malheur actuel, je ne peux rien faire pour elle. Absolument rien. Je ne peux pas la consoler. Je ne peux pas la pleurer. Je ne peux pas la soigner. Si elle avait eu un grand chagrin d'amour, je l'aurais aidée à le supporter, à l'oublier, à se consoler... mais son malheur est plus grand encore. Je ne peux rien pour elle. Et elle n'a pas encore quinze ans, Père...

— Qu'est-il arrivé à votre fille, Madame ? demande le prêtre poète.

— Elle est à la Sorbonne, Père. A la Sorbonne...

Madame de Savine ne peut se retenir. Elle éclate en sanglots. Elle ajoute :

— Depuis trois jours et trois nuits, ma petite fille Chantal est à la Sorbonne. Vous ne pouvez pas imaginer, Père, ce que cela signifie pour une pauvre mère... Et ma petite Chantal est si fragile. Si sensible, si pure et si fine... La savoir à la Sorbonne depuis trois jours et depuis trois nuits, c'est insupportable... Je vous l'ai dit : j'aurais accepté qu'elle soit morte, infirme, disparue, mais pas à la Sorbonne.

— Gardez votre espoir, Madame. dit le prêtre. Dieu a donné à tous les hommes un remède, pour chaque malheur... Je comprends votre douleur. Je la partage. Si vous aviez vécu au Moyen Age, votre petite Chantal aurait pu être frappée par les terribles désastres qui ravageaient le monde en ce temps-là, le choléra, la lèpre, la peste, la rage... Vous auriez pu alors la secourir. Nous sommes au XXe siècle. L'humanité n'est plus ravagée par le choléra, la peste, la lèpre et autres fléaux qui vidaient les villes, les villages et des régions entières, en semant le deuil et les larmes. Grâce à la science, on a trouvé des vaccins contre ces maux. De nos jours il n'y a plus de maladies sans remèdes, qui tuent les jeunes gens et sèment les larmes et le deuil dans les familles. Votre fille est malade du « mal américain ». C'est une terrible maladie qui ravage la planète. Et qui s'étend de plus en plus. Et qui n'épargne pas les pays les plus reculés du monde... Supportez cela avec courage et foi. Pour le moment, il n'y a pas de remède à cette maladie contagieuse. On ne peut rien y faire. On n'a pas encore trouvé de vaccin contre « le mal américain »...

— Il n'y a donc pas d'espoir, Père ?

— Des millions de mères souffrent comme vous, Madame. Les pauvres parents regardent, impuissants, leurs enfants terrassés, agonisants, mourant comme des chiens au bord de la route... Le remède à ce mal américain sera long et difficile à trouver. Car, voyez-vous, Madame, de nos jours on a pris la diabolique habitude de chercher les remèdes à toutes les maladies qui fauchent les hommes uniquement par l'intermédiaire de la science. Certes, grâce à elle, on a trouvé le vaccin contre la rage et le choléra, contre la malaria et la typhoïde. Et parce qu'on trouve en laboratoire des remèdes contre d'innombrables fléaux, on s'entête de nos jours à ne chercher le vaccin contre le virus du mal américain que dans ces laboratoires, avec l'aide de la science. Le mal américain qui ravage le monde moderne et qui fait plus de victimes que les épidémies d'autrefois...

— Et on ne trouvera jamais de remèdes, Père ?

— Jamais, si on s'entête à chercher là le vaccin contre le mal américain. Dans ce cas, on est perdu, car ni le célèbre Institut Pasteur, qui a débarrassé l'humanité de la rage, ni d'autres laboratoires dans le monde ne trouveront jamais de remède contre le mal américain... On le cherche là où on ne le trouvera pas. La science est une chose formidable. Mais la science et les laboratoires ne sont pas tout. Ils n'ont pas de solution à tout. Et y chercher le virus du mal américain, c'est chercher des poissons sur le Mont Blanc ou des gazelles au fond de la mer... C'est étonnant comme on peut être bête, quand on est si intelligent... car on ne peut pas dire que les hommes de notre époque ne sont pas des êtres intelligents, et il est déconcertant de constater que leur bêtise est aussi développée que leur intelligence...

Mme de Savine pleure et elle ne suit pas du tout les paroles du prêtre. Et elle a une raison, car un prêtre n'est pas un homme qui explique. Un prêtre est un homme qui prend le fardeau des autres, pour le porter lui-même. Un prêtre est un homme qui prend la maladie de son prochain, afin que ce soit lui qui meurt et non pas le malade.

— Les Américains sont tout de même des gens très intelligents, Père, dit Madame de Savine, pour masquer son inattention.

— On peut être intelligent, Madame, et faire un faux diagnostic. Vous vous souvenez que pendant des siècles, on a brûlé vives sur des bûchers, sur les places publiques, les pauvres femmes malades d'hystérie... On disait qu'elles étaient possédées par le diable. On les soumettait à la question, en leur brisant les os, en torturant leur chair, en les écorchant vives et ensuite on les brûlait, publiquement... C'était de pauvres femmes malades des nerfs... Un millénaire après seulement, on a découvert que les hystériques n'avaient rien à voir avec le diable. Mais des millions de malades ont péri assassinées... Rien n'est pire, Madame, qu'un faux diagnostic. Et on en donne souvent, non pas par ignorance, mais parce qu'on se fait un fétiche de son intelligence et de son savoir. Pendant des siècles, on a considéré les épileptiques aussi comme des gens possédés du diable... Et au lieu de les soigner, on les laissait mourir au bord des routes ou on les lapidait. Toujours à cause des mauvais diagnostics. De nos jours, on applique aux jeunes malades du mal américain un diagnostic aussi criminel que celui appliqué autrefois aux épileptiques ou aux femmes hystériques. On entend à la radio, à la télévision, et on lit dans les journaux et dans de volumineux traités, des observations criminelles sur cette maladie, sur ce fléau qui fauche la jeunesse du XXe siècle et qui est le mal américain. Des crimes les plus atroces commis légalement sous le soleil, depuis la création du monde, furent les meurtres ordonnés par les tribunaux de l'Inquisition, perpétrés par ses docteurs sacrés à la suite d'erreurs de diagnostics. Aujourd'hui on est en train de dépasser ces crimes. Toujours au nom d'une science sacralisée, on continue à massacrer les innocents par ordre de l'Université. De nos jours, les recteurs, les doyens, les professeurs de facultés, les Ministres de l'Instruction Publique, et ceux de la Culture établissent des diagnostics aberrants, criminels, totalement faux pour les pauvres malades contaminés par la maladie qui nous arrive d'Outre-Atlantique et qui est le mal américain. Les jeunes gens atteints de cette maladie terrible, tuent parfois à coups de hache leurs propres parents, incendient les bibliothèques, rouent de coups leurs professeurs et commentent des actes horribles.

Les Docteurs de nos Universités, comme autrefois ceux de l'Inquisition, déclarent — solennellement, officiellement, doctoralement, que les auteurs de ces crimes, qui sont en réalité de pauvres malades atteints du mal américain, sont « les Instruments du Progrès Social », « les Réformateurs d'un monde décadent et injuste », « les Bâtisseurs d'une société grandiose, juste, scientifique et aseptique ». Jamais, depuis que la terre existe, on n'a trouvé de faussaires de diagnostics plus aberrants et plus lâches. L'Université Contemporaine — et il ne s'agit pas d'une seule université, mais de l'Université tout court, des universités de tous les pays — déclare avec la morgue habituelle que dans le cas présent, le vice est sublime, les drogues sont des moyens de récréations et de jeux d'enfants, le meurtre n'est qu'un désir de l'absolu, l'incendie, les barricades, la tuerie, la perversion sexuelle sont des signes précurseurs d'une société meilleure et juste. Voici le diagnostic établi par l'Université. Et le mal américain se propage. Il est maintenant partout. Votre petite Chantal — votre fille — est une parmi des millions de jeunes filles contaminées par ce fléau. Elle n'a rien d'autre. Elle est atteinte de ce mal atroce qui nous arrive de l'autre côté de l'Atlantique, des U.S.A. Les professeurs de Chantal sont malades, eux aussi. Les ministres et les dirigeants de la jeunesse sont atteints eux-mêmes par ce mal.

— Je ne comprends pas, cher Père Virgil... Je vous dis que ma fille est depuis trois jours et depuis trois nuits à la Sorbonne... Et vous me parlez de mal américain...

— C'est justement ce dont souffre votre fille Chantal et des millions de jeunes filles et de jeunes gens... Pas d'autre chose. Je vous explique la maladie qui a conduit votre Chantal à la Sorbonne. Elle est malade. Certes, le virus du mal américain ne se voit pas à l'œil. Comme on ne voit pas le spirochète de la syphilis. Mais cela ne signifie pas que le virus américain n'existe pas. Car on voit ses effets : regardez votre fille Chantal. Et il n'y a pas de vaccin, car les laboratoires sont incapables d'en fabriquer. C'est une maladie qui n'est pas du domaine de la science, de la médecine, de la pharmacie... Tous les diagnostics établis sont faux. L'explication du mal américain est très simple. Au moment où les citoyens des Etats-Unis sont allés dans la lune et ont mis au point les plus formidables engins techniques, en créant la civilisation atlantique, le terrible fléau, le mal américain a éclaté chez eux. Ce virus a atteint d'abord les peuples les plus civilisés : les Etats-Unis, les Canadiens, les Suédois, les Allemands, les Japonais. Car à notre époque, les peuples civilisés sont absorbés par des choses très sérieuses : la pollution des mers, des océans, la pollution des rivières, et de l'atmosphère. Ils sont si préoccupés par cette dangereuse pollution de l'environnement physique qu'ils n'ont pas le temps de s'inquiéter d'une asphyxie plus grave et plus mortelle encore : la pollution des cerveaux. La pollution des âmes, la pollution des cœurs, la pollution des mœurs, la pollution de l'esprit.

Le cerveau de l'homme est pollué. Les sentiments sont pollués. Les raisonnements sont pollués. Les idéologies sont polluées. Les rêves même de l'homme sont pollués... Les manuels des écoles primaires, de collèges et les cours des universités sont pollués, comme les terrains marécageux sont pollués par la malaria. Et en cet instant tragique, les nations civilisées sont absor-

bées par des problèmes qu'elles jugent plus impor-
tants : la pollution des mers, des rivières, des forêts et
de l'atmosphère, parce qu'elle entraînait la disparition
des poissons, du gibier, de la flore et de la faune
terrestre et océanique... De la pollution de l'esprit et
des cerveaux, les nations civilisées n'ont pas le temps
de s'en occuper. Ce n'est pas dans les plans. Et toute
nation civilisée travaille avec des plans. La pollution
des âmes n'y est pas inscrite. Les laboratoires sont
incompétents pour cette sorte d'asphyxie. Et on est
habitué quand on est civilisé, à ne travailler qu'en
laboratoires avec le concours des statistiques. Personne, dans ce monde des sublimes progrès techniques, ne se rend compte que la pollution des cerveaux, de l'esprit humain, des doctrines, des idéologies,
des sentiments et des rêves, est plus grande que toutes
les autres pollutions, celle des eaux ou celle de l'atmosphère, des forêts.

La pollution de l'Esprit met en danger de mort im-
minente l'unique chef-d'œuvre véritable du cosmos,
qui est l'homme. Il ne faut pas sous-estimer le danger
que courent les poissons de la mer, le plancton, les
arbres, les lapins, les cerfs... Mais quand le roi de la
Création, l'Homme, le Chef-d'Œuvre de la Nature, est
en danger, il est ridicule de s'occuper d'abord de la vie
des lapins et des grenouilles.

Le mal américain vient de la structure même de la
société U.S.A. De même que la malaria apparaît là où il
y a des marécages, que la syphilis se propage là où il y
a des filles de rue et, comme le choléra, ravage les
populations sans hygiène, la Société américaine est
composée spécialement pour cultiver les bactéries du
mal américain. C'est la nation la plus riche du monde,
le peuple le plus puissant de la terre. Les Etats-Unis ne

connaissent que la gloire militaire, technique, économique, financière. Ils n'ont jamais possédé de culture. Aucune. Quand ils veulent construire des musées, ils achètent tous les chefs-d'œuvre d'art plastique à l'étranger. Ils ont assez d'argent pour s'offrir le Louvre, le Prado et n'importe quel musée de la terre. Le transporter chez eux, avec ses œuvres et même ses murs. En conséquence, ils n'ont pas besoin de peintres. Ni de sculpteurs. Ils achètent tous les livres qu'ils désirent, toutes les inventions, les compositions musicales, littéraires et scientifiques. Ils achètent les plus grands chefs d'orchestre du monde, pour diriger les concerts chez eux, à Philadelphie, au Metropolitan Opéra et ailleurs. Ils achètent les ballets, les chorégraphes, les ballerines, les danseurs, les décors et les répertoires. Ils ont construit des universités, où on doit aller en jeep d'une salle de cours à l'autre, tant elles sont gigantesques. Ils ont acheté des inventeurs, de tous les pays et les peuples, des techniciens, surtout en Allemagne, pour leur construire des engins, afin d'aller dans la lune et dans les autres planètes. Les Américains ont acheté des génies comme on achète des dentelles, des tapis ou des rideaux pour l'ornementation de leur société. Ils ont établis chez eux les compositeurs, les écrivains célèbres sur toute la planète. Ces créateurs de l'esprit, sont tous aux U.S.A... Tout cela avec des dollars. En gens pragmatiques et parfaits hommes d'affaires, ils ont constaté noir sur blanc qu'il n'est nullement nécessaire de mettre les *cerveaux au pressoir* pour obtenir tout ce que le génie créateur de l'homme peut donner. Et l'homme peut créer, comme Dieu, car il est le fils de Dieu. Les Américains ne se sont jamais donné la peine de créer quoi que ce soit, en matière de l'esprit, car il est plus facile d'acheter que de faire soi-même... Dans la société technique, per-

sonne n'a la folie de confectionner lui-même ses chaussures, ses habits, ses maisons. On les achète. Et les
Américains, qui sont à la pointe du progrès n'achètent
pas seulement des complets, des voitures, des chaussures, des maisons et des vêtements, mais aussi les
créations de l'esprit et les créateurs de l'esprit... Ils ne
produisent rien. C'est une nation de marchands. De
financiers. La richesse, la gloire, le pouvoir, sont des
choses qui montent à la tête, qui vous font perdre la
raison plus que l'alcool. Et les Américains à cause de
leur puissance et de leur gloire ont perdu la tête. Ils
sont semblables à des hommes ivres. C'est dégoûtant,
repoussant, un homme ivre ! En Amérique du Sud, on
ne dit jamais « un homme ivre », on dit « uno Disgra-
tioso », un disgracieux. Et si un peuple entier, un
peuple immense, de deux cents millions d'habitants,
est ivre, c'est le comble de la disgrâce ! C'est un danger ! C'est un péril plus grand que les engins atomiques qu'ils possèdent. Car que peut-on attendre de
bon d'un homme ivre, qui n'a pas sa raison, qui n'est
plus maître de ses actes ?...

Le proverbe : « Dieu, quand il veut punir un homme,
lui prend d'abord la raison » est illustré. En grand : Il
y a à la tête du monde, les Américains, un peuple qui a
perdu la raison. Ivre de sa gloire !

Les symptômes de l'ivresse sont presque toujours les
mêmes. On sait que le Père Noé, qui était un saint
homme, certes, quand il a débarqué de son arche,
après le déluge, ivre de succès et de vin de sa composi-
tion, se déshabilla et se promena tout nu devant ses
enfants. C'est un acte d'homme ivre. Général. Caractéristique de tous les ivrognes de la terre. Au moment où
les Américains allaient dans la lune, ils devinrent naturellement ivres de leurs sciences. Et ils ont crié ce que
tout homme ivre crie : Nous avons pris Dieu par les

pieds. Nous sommes au ciel. Nous sommes heureux. Nous avons le Paradis. Now. Maintenant. Et cette devise, *Paradise Now* est devenue le slogan de ce peuple qui est le maître du monde. Ils veulent tout. Maintenant. Now. Et *Groovy* c'est-à-dire « sans effort ». Ils veulent Now, l'abolition de la maladie, de la douleur, de l'iniquité. Tout. Now. Maintenant. Et Groovy. Sans aucun effort !

Au premier abord, ils ont raison. Quand on a tout, on se réjouit. Le drame, la racine du mal américain est ici. En désirant tout, Now et Groovy, — ce qui est humain pour les puissants, les riches et ceux qui sont dans la gloire, ils ont commis une faute qui leur est fatale. Et dans un très court délai les Etats-Unis périront comme Ninive, comme Persépolis, comme Babylone. Mais en laissant moins de traces. Car les anciennes capitales étaient bâties en granit, en marbre et autres pierres, tandis que les Etats-Unis sont une civilisation bâtie en matière plastique ! Le Péché capital de la civilisation américaine, qui entraînera sa mort, vient de ce mal concrétisé depuis quelques années dans les slogans : Paradise Now, Beatitude Now, Love Now, Justice Now, Everything Now et Groovy, Groovy, Groovy. Ils ont aboli automatiquement le passé et le futur. Ils gardent le présent. Uniquement. C'est un péché qui entraîne sans exception la mort. Le néant. La disparition. Now, le présent, est la manière de vivre des animaux. *The Animal Way of Life* est devenu aussi *the American Way of Life*. Sans passé et sans avenir. Les Américains d'aujourd'hui, depuis qu'ils sont revenus de la lune et ont conquis la suprématie mondiale, vivent ainsi. Plus d'hier ni de demain. Scientifiquement, théologiquement, moralement, pratiquement, le présent n'existe pas : dès qu'il a fait son apparition, il devient du passé. Ne vivre qu'en lui, c'est n'avoir pas d'existence, être dans le néant. Comme les bêtes. Les Américains sont ainsi retournés, en masse, à la condition animale. Et, voilà la nation pilote du monde, la nation la plus glorieuse de la terre, la plus riche et la plus chargée de succès, retournée subitement à la condition des bêtes, abolissant le passé, l'avenir et l'effort. Ce que font les animaux de toutes espèces depuis la création du monde...

Le célèbre *American Way of Life* auquel rêvaient nos parents est ainsi devenu aujourd'hui *the Animal Way of Life*. Pour savoir de quelle façon vivent les Américains en 1970, il suffit de feuilleter des livres de zoologie ou d'aller au zoo.

Les animaux aiment la musique. On a même constaté que si on fait de la musique pendant qu'on trait les vaches, elles donnent plus de lait. Si on installe un magnétophone dans le poulailler, les poules pondent plus d'œufs. Si on fait écouter aux cochons de la musique, ils engraissent plus vite... Les Américains retournés à l'*Animal Way of Life*, aiment la musique, comme tout animal. Mais, comme ils ont aboli le passé, l'avenir et l'effort, ils font de la musique sans se fatiguer à apprendre les notes, les instruments, sans étudier ce que nos ancêtres ont inventé et créé. Les Américains font maintenant de la musique pour le présent et sans effort. Sans l'enseignement du passé. Ils ont donc créé une musique conforme à leurs aspirations, à leur manière de vivre et à leur société. Une musique composée sans effort, coupée du passé et de l'avenir, créée pour le présent. La nouvelle musique américaine est née ainsi. Elle est — comme tout le monde le sait déjà — tout à fait identique aux cris des singes, aux aboiements des chiens, aux mugissements des lions, aux hurlements des hyènes, aux roucoulements des oiseaux, aux miaulements des chats.

La musique moderne — la musique américaine — la musique du xxe siècle est une cacophonie qui reproduit les mugissements et les hurlements du règne animal en souffrance ou en joie. On peut voir sur scène des hommes et des femmes, qui hurlent, mugissent, pleurent, crient, face au public, sous les feux des projecteurs. Exactement comme les animaux dans la forêt ou dans la jungle. Comme les bêtes du désert. Et on appelle cela concert ! Et musique ! De même que les bêtes ne hurlent pas d'après les notes, ils n'ont pas non plus de partitions. Pas de compositions. Les hurlements sortent des tripes, directement, ils sont des extériorisations de l'instinct.

The Animal Way of Life comporte des jeux. Les poulains, après s'être rassasiés du lait de leur mère, se roulent sur l'herbe et courent dans la prairie. Les cochons, après avoir mangé à leur faim, renversent leur auge et se baignent dans la boue. *The American Way of Life* suit aussi le *Animal Way of Life* en matière de jeux. Après avoir bu du whisky, fumé de la marijuana, rempli leur panse de nourritures en conserves et en cellophane, les danseurs et les danseuses américains montent sur scène, et exactement comme les chiens, les poulains et les cochons, hurlent, se roulent par terre, se contorsionnent, se secouent en tremblant... Ils appellent eux-mêmes cette danse bestiale « Rock and Roll » : « contorsionnement et roulement ». Mais bien que descendus au niveau des cochons, des poulains et des chiens, ils gardent encore quelque chose d'humain dans leurs danses : en dehors des roulements par terre et des contorsionnements animaux, ils introduisent les tremblements des alcooliques en crise de delirium tremens, les spasmes des épileptiques et les grimaces des aliénés furieux dans les maison de fous... Des troupes célèbres, saluées en

première page par la presse américaine, comme des
artistes de génie, dépassent le comportement animal et
les spasmes des aliénés : ils se masturbent et font
l'amour sur la scène. Devant les spectateurs. Sous les
feux des projecteurs... Et, pendant ces sublimes spectacles du théâtre américain et de la musique américaine, les acteurs géniaux crient en exécutant leur
numéro : Paradise Now, Everything now... Tous ces
malheureux contaminés par le mal américain ont aboli
les vêtements. Ils les considèrent comme des superstitions héritées du passé. Ils apparaissent nus sur la
scène. Comme les animaux.

*The American Way of Life e*t les Américains atteints
du terrible fléau qui ravage leur pays, ont aboli les
coiffeurs. Comme les bêtes aussi. Ils laissent leurs cheveux pousser, partout : les bêtes ne vont pas chez le
coiffeur ! Ils ont les poils longs, comme les chiens, les
chats, les lions et les hyènes. Ils ne se rasent plus : les
animaux ignorent les rasoirs. Ils ont aboli le mariage :
à quelques exceptions près, les animaux de la forêt, de
la jungle, du désert et des jardins zoologiques,
ignorent le mariage. Ils font l'amour en public. Et en
commun. En se passant les femelles et les mâles, les
uns aux autres. Ils louent d'immenses terrains auprès
des villes, où ils se rassemblent par milliers et par
centaines de milliers, femelles et mâles, et ils font
l'amour en commun. Et de la musique. Et de la
danse.

— Père Virgil, d'où savez-vous tout cela. Vous y êtes
allé ?

— J'y étais, Madame. Je les ai vus de mes yeux. Mais
il n'est pas nécessaire d'aller les voir aux Etats-Unis, en
Angleterre, en Hollande, en Allemagne, en Corse où à
Avignon... La télévision française prend soin de nos
enfants et nous donne des images de ces spectacles

presque quotidiennement. Pour apprendre à vos filles et à vos fils à être à la page... A ne pas se laisser dépasser par les Américains. Pour inciter les jeunes Français à faire mieux... Mais ces malades du mal américain, qui vivent la vie grégaire comme les animaux, nus comme eux, criant et sautant de la même façon, ne s'arrêtent pas là. Ils quittent la maison paternelle, leur père et leur mère, comme les animaux... Comme votre pauvre petite Chantal... Ils s'en vont vivre pareils aux bêtes, loin des maisons, des familles, loin des villes et des villages, dans la jungle, dans la forêt, dans la campagne... Toujours en troupeau.

Madame de Savine pleure, en entendant le nom de Chantal. Le prêtre poète continue :

— Pour enrayer une maladie et pour combattre un fléau il faut en établir le diagnostic, et pour le découvrir, il faut examiner le patient. C'est pour guérir la petite Chantal que je vous parle de ces choses. De sa maladie. Du mal américain qui tue les petites gosses de la planète avec la complicité de politiciens, de professeurs et de savants. En abandonnant leurs maisons, leurs parents, les écoles et les villes, les jeunes contaminés s'installent, comme des troupeaux d'animaux, dans des régions désertiques. D'aucuns partent pour des pays légendaires comme les Indes, le Népal et Katmandou parce que là-bas le haschich et les stupéfiants sont à portée de la main, comme le foin et le trèfle. Ils pensent qu'il suffit de se pencher pour les cueillir. Et, ces hommes animaux, ces troupeaux de jeunes meurent comme des chiens enragés, au bord des routes, en Turquie, dans les déserts d'Arabie, de Perse, d'Irak ou de Syrie... Dans leur fuite, loin des villes et des villages, ils rencontrent ceux qui évitent les hommes et la société pour d'autres raisons : les adolescents souffrant du mal américain rencontrent les assassins, les alcooliques, les tueurs professionnels, les voleurs, les prostituées, les clochards, les drogués, les déserteurs, les déséquilibrés, les fous... Et ils font bande ensemble...

Un célèbre auteur dramatique, récent prix Nobel de littérature, joué sur toutes les scènes du monde, porté à l'écran et diffusé par toutes les stations de télévision, met en scène deux personnages, un homme et une femme installés tous les deux dans des poubelles... Pendant les trois heures que dure la sinistre pièce, les hommes restent dans leurs poubelles. Ce sont des *hommes-poubelles*. La pièce a reçu les plus hautes récompenses littéraires. C'est l'éloge de l'*homme-poubelle*. Et ceux qui souffrent du mal américain, garçons ou filles, deviennent, eux aussi tôt ou tard des hommes-poubelles. Ils ne peuvent pas devenir autre chose. Ils mourront dans des poubelles, en hommes modernes.

Afin de réaliser leur idéal, d'éviter les villes, les villages et toute société, ils ne se réfugient pas seulement dans les forêts, les déserts et les campagnes en troupeaux, mais ils descendent même dans les égouts. L'homme-poubelle, tôt ou tard, échoue dans les égouts. Toutes les villes modernes sont construites dessus. C'est le point terminus des poubelles et des hommes-poubelles. De temps en temps ils sortent à la surface. Avec tout l'attirail des égouts. Avec les eaux sales. En ouvrant les bouches des égouts. Et voilà le danger : de même qu'au temps de Noé, la terre fut engloutie par les eaux du déluge, très bientôt les villes seront englouties à nouveau. Mais cette fois, il ne s'agira pas de l'eau du ciel, qui créa le premier déluge. Les villes, les villages et la terre seront engloutis, non par les eaux pures de la pluie, mais par les saletés et les immondices qui monteront des égouts. Avec les hommes des égouts, par les soupiraux qu'auront largement ouverts les jeunes malades du mal américain. On verra les villes, les musées, les bibliothèques, les théâtres et toutes les merveilles construites par l'homme, englouties par les eaux sales, par les saletés, par les immondices montés des canaux d'égouts... Et la loi dans les villes de la terre sera faite par les hommes-poubelles, par les êtres des égouts qui feront surface en même temps que les immondices... Les villes seront englouties dans leurs propres détritus. L'apocalypse de saint Jean, où la terre est détruite par le feu est une apocalypse rose en comparaison de celle qui arrivera inévitablement. Car le fléau ravage déjà les Etats-Unis. Et les eaux des égouts ont atteint la cote d'alerte en Hollande et dans d'autres pays civilisés.

Mais il y a un danger plus grand encore. Les Américains sont les maîtres du monde. Et, conformément à toutes les lois de la sociologie, les forts sont imités par les faibles, les riches sont imités par les pauvres. Les petits copient les grands. Les gens de banlieue et des faubourgs imitent les habitants du centre des villes, les valets imitent les maîtres, les ouvriers les patrons, les vaincus copient les vainqueurs... Et comme à l'heure actuelle, aucun peuple ne peut égaler les Etats-Unis en richesses, en pouvoir, en civilisation, tous les peuples de la terre les imitent. Tous veulent mener *The American Way of Life*. Surtout les jeunes. De toutes les peuplades du monde. Or l'*Américan Way of Life*, c'est l'*Animal Way of Life*. Sans passé, sans avenir. Avec la religion du présent, le rêve de devenir homme-poubelle, homme-troupeau, homme des égouts... La France est le pays le plus cultivé du monde. Paris est la ville lumière. Et pourtant, un beau jour du mois de mai, le fléau du mal américain s'est déclenché en plein cœur de Paris. Au Quartier Latin. Le Théâtre de France et la

Sorbonne, deux vénérables institutions, furent occupés par les jeunes malades du mal américain. A eux se sont joints en un instant, les prostituées, les invertis, les homosexuels, les voleurs, les assassins, les clochards, les drogués, les évadés, les déserteurs, les alcooliques, et toute la faune des égouts...

A la Sorbonne, une des premières universités du monde — la lumière de la terre — les hommes-poubelles ont fait la loi. Ils siégeaient dans les fauteuils des grands professeurs. Les amphithéâtres étaient pleins de jeunes contaminés du mal américain. On incendia les bibliothèques, on mit le feu aux manuscrits. On abandonna les vêtements, on se promena tout nu. On instaura la règle de la jungle : vie grégaire, amour en commun, échange public des mâles et des femelles. Dans la cour de la Sorbonne, dans les salles de cours, dans les amphithéâtres. On boucha les latrines. On écrivit avec des excréments les slogans de l'homme-poubelle et des malades du mal américain sur tous les murs. Toujours les mêmes : pas de passé, pas d'avenir. Paradise Now, Paradise Groovy. Maintenant. Sans effort. Les eaux des milliers de kilomètres d'égouts qui se trouvent sous la ville de Paris montèrent à la surface dans le Quartier Latin avec la faune. La Sorbonne était inondée d'immondices par le déluge des eaux sales. L'homme-poubelle y était roi.

Les jeunes y sont allés avec le goût de l'aventure qui pousse toujours la jeunesse. Et ils étaient dans l'enceinte de la Sorbonne les premiers à mourir noyés dans les détritus... La fille de Madame de Savine y était comme des milliers de filles et de fils de ministres, de généraux, de présidents-directeurs généraux. Enfermée. Et sachant que sa fille Chantal vivait à la Sorbonne comme une bête, passant de mâle en mâle à quinze ans, Madame de Savine vint chercher le père Virgil.

— Père, aidez-moi à sauver ma fille... pleura Madame de Savine. Des milliers de mères pleuraient comme elle. J'ai appris par les journaux que vous étiez allé à Nanterre. Pour essayer de sauver les jeunes malades du mal américain... Je sais qu'on vous a battu. On vous a arraché la croix, on l'a piétinée et on a brisé vos lunettes... Je sais que vous avez souffert. Mais je vous demande de répéter ce calvaire.

— Que me demandez-vous, Madame ?

— Allez à la Sorbonne et ramenez-moi ma fille... Vous la trouverez facilement. Elle est petite et frêle comme un ange. Elle s'appelle Chantal de Savine. C'est une des plus petites filles qui se débauchent là-bas... Il y en a certes de moins âgées. Mais elle me semble la plus petite... La plus jeune... Je l'ai vue. J'y suis entrée, Elle aurait voulu me suivre, mais les déserteurs de la Légion étrangère qui commandent à la Sorbonne l'ont giflée, devant moi, et lui ont interdit de sortir... Une dizaine d'hommes nus et barbus m'ont soulevée et m'ont jetée dans la rue, comme un objet... Ils me disaient : Les vieux sous les chrysanthèmes... Les vieux sous les chrysanthèmes !...

Madame de Savine a à peine 35 ans. Mais pour les hommes-poubelles, pour les malades du mal américain, c'est un être exterminable, un être à enterrer sous les chrysanthèmes, comme toutes les mères. Comme tous les pères. Car pour eux, le malheur de l'univers, c'est l'existence des mères, des pères, des professeurs, des gens d'ordre, des bibliothèques... Tout cela doit être brûlé, tué, enterré...

— J'y vais, Madame, dit le prêtre poète.

Il mit sa ceinture rouge, baisa sa croix et la mit autour de son cou, sur la poitrine.

— Vous y allez maintenant ?

— Madame, depuis que j'existe, j'essaie de faire le bien. Je ne réussis que très rarement. J'essaierai encore une fois. J'espère que les Anges m'aideront à vous ramener votre fille...

Le soir même Chantal de Savine était chez elle. Le prêtre poète savait qu'il n'avait aucun mérite. Absolument aucun. Les Anges avaient accompli le miracle. Et s'il avait trouvé un moyen pour faire sortir la petite Chantal, Virgil Gheorghiu savait que ce n'était pas grâce à lui-même ; c'est l'esprit de Dieu qui rend intelligent et courageux...

— Qu'arrive-t-il à Chantal cette fois, Madame ? demande le prêtre.

— Chantal est mariée maintenant dit Madame de Savine... Très bientôt je serai grand-mère. Elle est dans une clinique d'accouchement, ici, tout près de votre maison... Une très bonne clinique.

Madame de Savine sort son petit mouchoir et cueille les diamants de ses larmes...

— Depuis trois jours et trois nuits, ma fille est entre la vie et la mort... Les médecins ne proposent qu'une solution : sacrifier l'enfant. Chantal s'y oppose. Malgré l'avis général des docteurs qui affirment qu'un accouchement est impossible. Ce sont les séquelles de son séjour à la Sorbonne. Car elle fut atteinte de toutes les maladies vénériennes... Maintenant elle veut son enfant malgré l'avis des médecins. Elle m'a suppliée de venir vous voir et de vous inviter à aller prier pour elle. Chantal est sûre qu'elle aura son enfant si « le poète du Seigneur » vient prier pour elle.

— J'y vais, Madame, dit le prêtre.

Il continue à s'habiller, prend son Eucologion, son livre de prières, son encensoir, sa croix de bénédiction, deux chandeliers et l'étole.

— Je suis prêt, Madame.

Avant de sortir dans la rue, le prêtre s'arrête chez le concierge et lui dit :

— D'un moment à l'autre un peintre maçon va venir pour me faire quelques réparations... Il s'appelle Giovanni Rota. C'est un Italien. Ayez la bonté de lui donner la clef de l'appartement. Je vais à l'hôpital et serai de retour dans une demi-heure...

Au moment où ils traversent la rue de Siam, une voiture sport débouche à toute allure de la rue Mignard. Madame de Savine pousse un cri et s'écroule au milieu de la rue. Le chauffeur s'arrête, blême, et pense l'avoir tuée. Mais elle n'a que quelques égratignures. Dès qu'elle est debout, elle dévisage le jeune chauffeur du bolide, prête à le gifler :

— C'est toi, canaille de Max, qui as voulu me tuer ?
— Madame de Savine rit. Elle dit au prêtre — C'est le professeur Max Hublot, mon cousin, Père. C'est lui qui a voulu me tuer... — Et complètement remise, elle embrasse son cousin. — Mais qu'as-tu, mon pauvre Max ? On dirait que c'est toi qui sors de sous les roues d'une voiture, pas moi. Tu as très mauvaise mine... Que t'arrive-t-il ?

— Je te le dirai plus tard, chère cousine. Où puis-je te conduire ?

— Nulle part. Je vais avec le Père Virgil à la clinique d'accouchement. Tu sais que Chantal aura bientôt un bébé. Je serai grand-mère...

— Ma femme est aussi à la maternité. Je vous accompagne.

Max Hublot, qui vient d'arriver du S.D.E.C.E. encore ahuri par l'interrogatoire qu'il vient de subir, le Père Virgil Gheorghiu et Madame de Savine se dirigent tous les trois, dans la belle voiture du professeur, vers la clinique.

L'ESPIONNE

En route, Madame de Savine dit.

— J'ai plus d'une centaine de cousins, Père Virgil, mais je n'en aime aucun plus que le professeur Max Hublot. Mon père était le meilleur ami du sien.

A cette occasion, le prêtre apprend que le mari de Madame de Savine fut longtemps gouverneur de la France d'Outre-Mer, et que le professeur Max Hublot, comme elle, habite dans son quartier. Mais le Père Virgil ne se doute pas encore que cette rencontre fortuite, provoquée par une faute de conduite, doit l'amener à découvrir la vérité sur Madame Max Hublot et sur son mystère...

X

LE POETE DU CHRIST ET DE LA ROUMANIE

— Quelle coïncidence, s'exclame Max Hublot. Chantal se trouve juste à côté de ma femme ! Un simple mur sépare leurs lits. Elles dorment l'une à côté de l'autre ! Elles deviendront peut-être mamans le même jour... Et elles ignorent qu'elles sont cousines ! Je ne vous ai pas encore présenté ma femme. Dans les premières années de mariage c'est toujours comme ça. Surtout quand il y a des centaines de cousins, comme dans notre famille ! Dorénavant ne nous perdons plus de vue, puisque nous habitons le même quartier !

Tous trois arrivent dans le hall de cette clinique d'accouchement pour milliardaires. La réceptionniste, en uniforme d'infirmière blanc comme la neige, coupé par un grand couturier et assez proche d'une robe de mariée, offre ses services aux visiteurs. Avec son roucoulement, avec le chuchotement qui lui sert de langage, en voyant le prêtre en soutane, elle dit, sur le ton d'une amante qui vient d'apprendre une infidélité par hasard :

— C'est pour un dernier sacrement, Père ? On ne nous a pas avertis. Toutes nos patientes se portent bien, à ma connaissance.

— Je ne suis pas ici pour administrer le dernier sacrement. Mais pour guérir...

Malgré ses études de politesse qui l'obligent à garder le sourire sans interruption, la réceptionniste est scandalisée. Elle s'adresse à Max Hublot et à Madame de Savine :

— Nous avons les plus grands, les plus réputés et les plus célèbres médecins de Paris, et du monde... Et dans une clinique qui a le privilège de posséder les plus illustres professeurs, vous appelez un prêtre pour « guérir » ? C'est la première fois que cela nous arrive. Avez-vous averti le médecin-chef ?

— Non, répond le père Virgil. Mais vous pouvez l'appeler. Je lui dirai que moi, prêtre, je suis entré dans sa clinique pour demander l'aide de Dieu et guérir une de vos malades. Je ne mets pas en doute la célébrité, le savoir, la gloire de vos médecins... Mais les médecins ne peuvent guérir que pour un temps très court. Ils peuvent accorder une guérison éphémère. Sans lendemain. Même s'ils réussissent l'accouchement, l'opération chirurgicale, le malade mourra de toute façon à une brève ou longue échéance. Tous vos malades meurent. Même si on fait des prodiges médicaux, vos miracles et vos guérisons sont éphémères. On a mis, récemment, un autre cœur dans la poitrine d'un homme malade. Il a vécu quelques mois, quelques années de plus. Ensuite il est mort. Seul Dieu est véritable médecin car ses guérisons ne sont pas éphémères. Elles durent l'éternité. Et je veux prier pour la fille de Madame de Savine. Afin qu'elle soit saine et sauve dans l'éternité... Et cela, vous ne pouvez pas le faire avec la plus haute science médicale. Au revoir, Mademoiselle.

Le professeur Max Hublot est conduit dans la chambre de sa femme. Madame de Savine mène le prêtre chez sa fille. Le père Virgil examine longuement la femme malade. La petite fille que le prêtre sauva, il y a deux ans, à la Sorbonne, est méconnaissable. Elle paraît maintenant âgée. Une femme très usée. Et elle n'a pas encore vingt ans ! Ses cheveux blonds ont la racine noire, ils sont brûlés et sans éclat. Comme de la paille. Ils ont subi trop souvent les traitements des coiffeurs, de décolorants et colorants. Le visage de Chantal est comme un linge trop souvent lavé. Son regard est blasé et triste. Mais elle se réjouit de tout cœur en recevant le prêtre :

— Merci d'être venu, Père ! s'exclame-t-elle. Aidez-moi à ne pas perdre mon enfant. Je désire tant être mère. Et tous les médecins disent que cela ne sera pas possible. Aidez-moi, Père Virgil... Vous êtes le poète du Christ. Dieu vous aidera. Sûrement. Votre foi est comme les charbons ardents, vos prières sont de la poésie et vos poésies sont de la prière. Il est impossible que le Christ ne vous exauce pas. Il est poète comme vous. C'est vous-même qui l'avez écrit. Il ne peut pas refuser la prière d'un prêtre poète. J'ai une confiance absolue. Du moment que vous êtes venu, je serai maman.

Le prêtre bénit la femme malade. Il dispose les cinq doigts de sa main droite de manière à ce qu'ils forment les initiales de Jésus-Christ en langue grecque. C'est avec ses doigts transformés en lettres qu'il fait le signe de la croix sur Chantal. Chaque fois qu'il accorde sa bénédiction en formant avec sa main le monogramme du Christ, il est certain que le créateur a fait cinq doigts aux mains des hommes pour que chacun puisse avoir le saint nom de Dieu dans ses doigts. Si le créateur avait fait des mains différentes, l'homme n'aurait pas possédé le monogramme du Christ.

— Comme vous êtes bon, Père, dit Chantal.

Elle baise la main qui la bénit, et qui est encore convertie en lettres du mot Jésus-Christ.

— Faites abstraction de ma personne, ma petite Chantal, dit le prêtre. Gardez vos bonnes pensées pour Dieu. Moi, je ne les mérite pas. Ce n'est pas par modestie que je le dis. Mais parce que c'est vrai. Je suis poète, c'est un fait. Mais ce n'est pas grâce à moi : le don poétique m'est accordé d'en haut, je ne fais que le cultiver. Mais il ne m'appartient pas en propre. Je suis seulement détenteur d'un don qui vient du Ciel et qui lui appartient. Pour le sacerdoce, c'est la même chose, ma petite Chantal. Ce n'est pas l'homme qui choisit d'être prêtre. C'est Dieu qui choisit ses prêtres, quand Il le veut et parmi ceux qu'Il veut. Aucun homme n'est digne d'être prêtre. Pas même les saints du calendrier. Le Christ ne m'a pas choisi comme prêtre ni comme poète pour mes mérites. Au contraire. Le plus souvent, Il choisit ses prêtres et ses poètes parmi les plus indignes, les moins capables et les plus faibles, parmi les misérables le plus souvent. C'est l'Esprit-Saint qui rend intelligent. Cessez donc de m'adresser de belles paroles sur ma personne. Il n'y a pas de bons et de mauvais prêtres. « Un bon prêtre ne reçoit rien de plus et le mauvais prêtre ne reçoit rien de moins... Le miracle s'accomplit, non point par son mérite, mais par les paroles du Christ qu'il répète et par la vertu du Saint-Esprit. » (Saint Paschase Radbert, Patrologia Latina Tome 120 col. 1311.)

— Mais comme poète, Père Virgil, je vous préfère à tous les autres, dit Chantal.

— Vous avez tort, c'est un don que j'ai reçu exactement comme d'autres. Ni plus grand ni plus petit que chez eux. Et si j'arrive parfois à écrire des beaux livres, ce n'est pas grâce à mon mérite personnel. Quand je compose un livre, je suis, ma petite Chantal, semblable à une huître malade du cancer. Car la perle — les belles perles — sont en réalité des cancers et des plaies des huîtres, mais, de temps en temps, certaines, au lieu de laisser pourrir leur chair malade de ses ulcères, transforment leur plaie en perle. Je pouvais mourir comme les huîtres malades. Comme tous les hommes malheureux. Car l'histoire, depuis que je suis sur terre, n'a pas cessé de me maltraiter, comme les joueurs de football maltraitent un ballon, en le frappant tous de leurs bottes et en le jetant d'un coin à l'autre du terrain. L'histoire m'a ainsi frappé, me jetant d'un pays à l'autre avec des coups de pieds au derrière et des coups de poings en pleine figure. J'ai été jeté dans tous les chaudrons de l'histoire, bouilli dans tous les creusets, ma chair est passée par tous les laminoirs et toutes les filières de la torture et de la souffrance... Et, au lieu de laisser pourrir ma chair, je l'ai transformée tant que j'ai pu, en perles, en poésies, comme les huîtres transforment, au fond de la mer, leurs plaies en perles...

« Aujourd'hui je suis à la fin de ma vie terrestre. Je désire imiter l'exemple du ver à soie. Vous connaissez les vers à soie, ma petite Chantal ? A la première époque de leur vie, les vers à soie sont comme tous les autres... Ils n'ont qu'un souci : chercher des feuilles vertes de mûrier et les dévorer... Mais leur mort est belle : Ils transforment la matière de leur corps en un tombeau rond de soie sublime. Je voudrais mourir comme eux en transformant ma chair, mes os et la matière qui me composent en fils de soie ; et quand le travail serait terminé, je serais physiquement inexistant et à ma place on trouverait de la soie... Comme à la place des huîtres malades du cancer on trouve des perles...

« J'ai longuement hésité avant de venir, dit le père

Virgil. Vous, Chantal, et votre maman et toute la famille de Savine, vous êtes catholiques. Et moi je suis
orthodoxe. Il n'y a, certes, qu'une séparation politique,
historique, géographique. L'Eglise d'Orient et celle
d'Occident sont une seule et même Eglise, mais je voulais que ce soit votre curé, le curé de votre paroisse
catholique et romaine, qui vienne aujourd'hui prier
pour vous. Si je suis venu, c'est parce qu'on m'a
répondu, comme on me répond toujours quand il s'agit
des prières pour les femmes qui ont une naissance
difficile, pour les bénédictions des maisons, ou pour la
sécheresse, ou pour la maladie, que ce sont des prières
tombées en désuétude... Pour moi, les choses sacrées
ne sont jamais en désuétude. C'est le soleil et la lune
qui tomberont un jour en désuétude, qui s'éteindront
comme des lampes sans huile, mais Dieu, non : Il bril-
lera toujours... et les grâces accordées par Ses sacrements aussi. Pas question de désuétude ici. Et c'est
avec le consentement tacite et ironique des prêtres
catholiques que je suis venu. Ils m'ont prévenu qu'il
est ridicule en notre siècle de progrès inimaginables
d'aller dans la clinique la plus perfectionnée de Paris,
qui possède les appareillages les plus modernes, où les
médecins sont tous des sommités mondiales, il est un
peu ridicule qu'un prêtre y vienne pour guérir. Guérir,
c'est l'affaire de la science et des médecins. Le prêtre ne
peut pénétrer dans ces hôpitaux supermodernes, que
pour porter les derniers sacrements aux mourants, et
pour enterrer les décédés... Moi, ma petite Chantal, je
suis convaincu qu'il n'y a pas d'autre docteur que le
Christ... »

En parlant, le prêtre couvre la table de chevet de
Chantal d'un très beau linge de soie, brodé de croix. Il
pose les deux chandeliers en cuivre, finement ciselés. Il
allume deux cierges blancs et pose entre les deux chan-

deliers une belle croix byzantine, avec des pierres précieuses et des émaux de toutes les couleurs... Il met de l'encens et allume l'encensoir ; puis il commence la prière de l'Eucologion, composée spécialement pour les femmes qui ont des difficultés à accoucher. C'est une prière vieille comme l'Eglise et transmise de génération en génération. Le père Virgil lit dans l'Eucologion broché de velours rouge, et récite lentement. On ne comprend pas toutes les paroles, mais de temps en temps on entend « car c'est Toi, ô Christ, le médecin de nos âmes et de nos corps... C'est Toi seul qui guéris. Nous t'en supplions, Seigneur, jette Tes regards vers Ta servante Chantal, qui est dans la souffrance et dans l'affliction et délivre-la de son tourment ; accorde la vie à l'enfant qu'elle attend... Car Toi, Notre Dieu, Tu es Philantropos, Tu aimes les hommes et Tu es notre protecteur et notre père, dans cette vie et dans la vie éternelle, et nous Te rendons grâces, maintenant et toujours et dans les siècles des siècles... »

Au moment où le père Virgil lève les yeux de l'Eucologion, il voit la chambre de Chantal remplie. Toutes les infirmières sont là, les lys blancs, comme les appellent les Japonais. Il y a des hommes de service, des femmes de ménage, des laborantines, des médecins, des malades des autres chambres... Tous sont venus et ont assisté à la prière pour la délivrance de Chantal. L'odeur de l'encens, la beauté des objets du culte et de l'étole, la poésie du texte, tout a ému. Il règne un silence réellement religieux. Au moment où le prêtre approche la belle croix byzantine des lèvres de Chantal pour qu'elle la baise, tous les assistants font le signe de la croix. Et ceux qui ne sont pas chrétiens baissent les yeux et joignent les mains, en signe de prière...

Au moment où le père Virgil Gheorghiu sort, il est

accosté par le professeur Max Hublot. Comme d'habitude, il ne le reconnaît pas.

— Je suis le professeur Max Hublot, Père. Nous sommes arrivés ici ensemble, avec Madame de Savine. C'est moi, qui étais sur le point d'écraser la mère de Chantal avec ma voiture... maintenant vous me reconnaissez ?

— Certes, Professeur, certes. Dites-moi ce que je peux faire pour vous...

Cette fois le prêtre triche. Ce n'est pas joli. Mais il est effrayé. Il sait ce qui doit arriver. Et il veut gagner du temps. Il veut s'esquiver. C'est une faiblesse de la chair. Même le Christ, quand le moment était tout proche et que quelques heures seulement le séparaient de l'agonie et de la mort, a essayé de tergiverser. Sur le Mont des Oliviers. Il a demandé si cette coupe ne pouvait pas lui être épargnée. Car le Christ fut réellement homme. Comme Il est réellement Dieu. Et rien de ce qui est humain ne lui fut épargné. C'est pourquoi Il demanda à son père céleste un sursis. Un prêtre est aussi un homme. Et l'homme qu'est le père Virgil Gheorghiu cherche un subterfuge pour se débarrasser du professeur Max Hublot. Mais cela n'est pas possible.

— Père, vous êtes roumain. Madame de Savine vous l'a dit : je suis marié à une Roumaine. Elle est ici, dans la chambre voisine de celle de Chantal. Elle attend aussi un bébé. Comme Chantal. Vous êtes un homme admirable, Père. On m'a raconté comment vous êtes allé à la Sorbonne ramener Chantal à sa mère... Voilà pourquoi je me permets de vous importuner. Voulez-vous entrer dans la chambre de ma femme et lui accorder votre bénédiction ? Seulement votre bénédiction...

— Avec plaisir, Monsieur le Professeur.

Max Hublot continue :

— Ma femme est endormie, artificiellement. Elle ne vous verra pas quand vous la bénirez.

— Certes non, dit le prêtre.

— Il y a encore une chose, Père, que je ne peux pas vous cacher : ma femme est une athée militante. Elle est tellement engagée dans son incroyance que si elle en avait le pouvoir, elle détruirait de ses propres mains toutes les églises qui existent sur la terre et elle brûlerait tous les livres de prières et, pardonnez-moi, mais c'est elle qui me l'a répété des dizaines de fois, rien ne lui ferait plus de plaisir que de tuer de sa propre main les prêtres, les moines, les moniales, et tous ceux qui croient en Dieu... Pouvez-vous lui accorder la bénédiction dans ces conditions ?

— Certainement, Monsieur le Professeur... Certainement...

Le prêtre est absent. Il sait que Madame Hublot se trouve dans cette clinique. Il sait qui est madame Hublot. Il sait comment et pourquoi elle est entrée en France. Il sait tout sur elle. Et c'est à cause de cela qu'il lui est difficile de suivre le professeur dans la chambre de sa femme et de lui accorder sa bénédiction. Non pas de lui accorder la bénédiction, mais de la voir. C'est par faiblesse qu'il veut éviter cette rencontre. Mais il est déjà trop tard ; l'infirmière ouvre la porte de la chambre de madame Hublot. Le prêtre entre. Il reste pétrifié. Au milieu du grand lit blanc est couchée, les yeux fermés, la fille du professeur de Philosophie de Virgil Gheorghiu, l'actuelle madame Max Hublot. Elle est identique à sa maman, à la « belle Héléna ». C'est la première fois qu'il voit de près la fille de Léopold Skripka. Il l'a aperçue, souvent, dans la rue. Mais toujours de loin. Maintenant, il est à moins de deux mètres d'elle. Elle s'appelle Héléna, comme sa mère. Elle a de beaux cheveux noirs répandus sur l'oreiller, des pommettes mongoles, des yeux en amande, des épaules rondes, la peau couleur d'olive... La bouche entrouverte laisse voir ses dents de bonheur, ses lèvres charnues, comme des fruits trop mûrs. La fille de Léopold Skripka est si identique à sa maman, à la belle Héléna, que la ressemblance semble irréelle.

— Comment s'appelle votre femme, Monsieur le Professeur ?

— Monique, mon Père... Elle est baptisée. Mais elle est violemment antireligieuse, je vous l'ai dit.

Le prêtre dispose les doigts de sa main droite en lettres, pour faire de ses cinq doigts le monogramme de Jésus-Christ, puis il fait le signe de la croix sur la femme endormie, en disant : « Seigneur Tout-Puissant, aie pitié, et jette tes regards sur ta servante, car elle a terriblement besoin de Toi. Et sans Toi, elle et les siens seront perdus... »

— Au revoir, Monsieur le Professeur, dit le prêtre. Je souhaite beaucoup de bonheur à l'enfant qui va venir au monde, à la maman et à vous-même... Si je passe par ici, je viendrai vous voir...

— Il y a une autre chose, Père. Puis-je vous accompagner ? J'ai quelque chose de très urgent à vous dire. Des choses qui ne peuvent pas attendre.

— Monsieur le Professeur, quand j'ai quitté la maison pour venir ici, avec Madame de Savine, il y avait un maçon qui devait arriver. Il est chez moi. Il fait des travaux. Nous pourrions nous voir une autre fois.

— Impossible, Père. C'est très urgent.

— De quoi s'agit-il, Monsieur le Professeur ?

— Il faut que vous me donniez une attestation sur l'identité de ma femme... Aujourd'hui même. Je viens d'être interrogé par les Services de contre-espionnage.

C'est pour cela que je conduisais si mal et que j'ai
failli tuer ma cousine ! Je suis excédé : j'ai téléphoné à
mon avocat, de la clinique, pendant que vous officiiez.
Mon avocat qui est un de vos lecteurs, m'a dit de vous
demander un certificat sur l'identité de ma femme... La
police a reçu des lettres anonymes l'accusant de vivre
en France sous un faux nom. Ce qui est absurde. L'avocat m'affirme qu'une simple lettre signée par vous,
attestant que le nom de ma femme est celui qui est
inscrit sur son passeport, fermera le dossier. Voilà
quel immense service vous pouvez nous rendre.

— Etes-vous sûr que ma déclaration suffira pour
classer l'affaire ?

— Mon avocat, qui est le meilleur civiliste de Paris,
a pris contact avec le chef des Services. On lui a
affirmé, catégoriquement, que s'il apporte l'attestation
écrite et signée par vous, le dossier sera fermé immédiatement, et on donnera un non-lieu... Dans vos livres,
vous avez écrit que vous étiez l'élève de Léopold
Skripka. Et son ami. Or, c'est justement ce que les
lettres anonymes reprochent à ma femme : d'être la
fille de Léopold Skripka et de vivre à Paris sous un
faux nom. Vous connaissiez donc Léopold Skripka, sa
femme et sa fille ; votre avis est plus valable qu'un
acte officiel... Quand pouvez-vous me donner cette
lettre ?

— Je ne sais pas, Monsieur le Professeur... Je tâcherai de faire de mon mieux. Venez me voir vers la fin de
la semaine.

— Impossible, Père. Il me faut votre déclaration
aujourd'hui même. Puis-je venir la prendre vers midi,
chez vous ?

— Venez vers quatorze heures, Monsieur le Professeur, je vous attends.

Le père Virgil Gheorghiu sort de la clinique ; il se

dirige vers sa maison. Il est sans étole. Sans le joug du
Christ. Mais jamais, jamais, il n'a senti plus lourde-
ment autour de son cou, la rudesse, le poids du joug
écrasant, le joug du prêtre et du poète du Christ et de la
Roumanie. Il chancelle sous le poids de sa charge. Il
avance lentement, en priant avec le poème de Rainer
Maria Rilke :

Ich bin allein mit aller Menschen Gram
den ich durch Dich zu lindern unternahm :
(je suis tout seul, écrasé par les soucis de tous les hom-
[mes,
que je dois soulager ! grâce à toi...)

XI

L'ANGE N'A PAS BESOIN D'ASCENSEUR
POUR ARRIVER AU TROISIEME ETAGE...

— L'ouvrier italien est passé, Père. Il est allé chercher ses outils. A midi il sera de retour pour commencer le travail. C'est la concierge qui parle.

Le prêtre a une heure devant lui. Il monte. Il est accablé. *Ganz grau und aufgelöst* (d'une pâleur verte et effondré). Comme le Christ dans le Jardin des Oliviers. Dans son appartement, au troisième étage, il y a une très belle icône devant la cheminée. C'est Luis de Caralt, l'éditeur espagnol, ancien alcade de Barcelone, qui la lui a offerte pour son ordination. Le prêtre poète s'agenouille devant l'icône. C'est son icône préférée. Il sait que le drame éclatera dans quelques heures. Le professeur Max Hublot sera là, pour lui demander une fausse déclaration. Virgil Gheorghiu doit affirmer par écrit que Madame Hublot s'appelle Monique Martin. Qu'il la connaît. Et se porter garant d'elle, dire qu'elle ne porte pas un faux nom. Madame Hublot ne s'est jamais appelée Monique Martin. Son nom est Héléna Skripka. C'est la fille de Léopold Skripka, l'homme engagé comme mercenaire par l'Armée Rouge, lors de l'occupation de la Roumanie, le 23 août 1944, pour faire de lui un Premier Ministre. Léopold

Skripka, le collaborateur de l'occupant, a signé de sa propre main le massacre de millions de Roumains. Il a signé des décrets de déportation, d'internement, de mise à la question et de spoliation de vingt millions de Roumains. Le pays, à l'heure actuelle, est une patrie dévastée et désolée. *The Waste Land.* Un paysage lunaire. Les oiseaux ne chantent plus, les rivières sont taries, les vaches sont stériles, les enfants naissent infirmes. Vingt-cinq ans d'occupation. De massacres. D'extermination. De pillage. Le chef des milices rouges, le commandant des milices de la mort est Léopold Skripka, le père de Madame Hublot. Entouré d'une bande d'assassins qui tuent pour de l'argent. Sa fille est ici, cachée. Elle a collaboré, comme lieutenant de son père, à tous les massacres. Elle n'est pas moins coupable que lui.

Le prêtre prie :

— Seigneur, rien ne m'échappe de ce qui se passe dans mon pays du Danube, rond comme un pain paysan et comme la lune. Chaque homme tué me fait sauter du lit et crier. Et ils sont des millions qui furent tués. J'ai agonisé avec chacune des victimes. Depuis vingt-cinq ans. Chaque jour et chaque nuit...

Et Dieu répond :

— Tu es le poète de ton peuple, le poète de la Roumanie, et tu dois mourir avec chaque Roumain, être assassiné par la police rouge, être emprisonné et déporté avec chaque Roumain... C'est cela être le poète d'un peuple. Même si tu vis à des milliers de kilomètres, tu dois subir les malheurs passés, présents et futurs de la Roumanie.

— Les malheurs futurs ? Ce n'est pas assez, le passé et le présent ?

— C'est surtout les malheurs futurs que tu dois

subir. « Dieu ne fait rien qu'il n'ait révélé son dessein à ses serviteurs, les poètes » (Amos III, 3,7). « Rien n'échappe au regard de Dieu et tout est découvert à ses yeux » (saint Paul, Epître aux Hébreux, 4, 13. Psaume 13, 138). Et tout ce que Dieu voit, il le dévoile à ses poètes. Tu es le poète du Christ. Tu es au courant de tout. Apprends à souffrir. Lutte surtout avec les mots. Car les paroles sont supérieures à toutes les armes, même atomiques. Elles ne peuvent être détruites, ce sont elles qui détruisent. « Les paroles ne peuvent être lapidées. Ce sont elles au contraire qui deviennent des pierres lancées comme avec une fronde, elles chassent les occupants et les mettent en fuite comme des bêtes sauvages » (saint Grégoire de Naziance, 5° Discours Théologique, Patrologie Grecque, Tome 36, col. 172). « L'occupation étrangère sera lapidée et brisée et elle périra misérablement, cette misérable, car les paroles vraies et solides sont des pierres pour ceux qui ressemblent aux bêtes » (saint Grégoire de Naziance, 2° Discours Théologique, Patrologie Grecque, Tome 36, col. 26).

Virgil Gheorghiu a lutté, lutte et luttera jusqu'à sa mort pour la liberté, la justice et la dignité de son peuple et de tous les hommes. Mais il n'est pas uniquement poète. Il est prêtre. Pour un prêtre, le combat doit s'arrêter au moment où les occupants, les bourreaux, les massacreurs, les pillards, les assassins, sont sur le banc des accusés. Au moment du jugement et du châtiment, le prêtre doit s'arrêter. Non seulement s'arrêter, mais il doit même cacher les assassins, les protéger, les aimer. Donner sa vie pour eux. S'il ne le fait pas, il n'est pas chrétien, il n'est pas prêtre. Il n'est pas imitateur du Christ. Il n'est rien. Il est exactement comme les bêtes. Car seules les bêtes ne savent pas pardonner aimer ceux qui leur font du mal. Un chrétien doit aimer ses assassins. Mais c'est une chose que nul, en dehors du Christ, n'a réussi à faire.

Virgil Gheorghiu se souvient d'avoir écrit un livre intitulé « Pourquoi m'a-t-on appelé Virgil ? » Il y décrit sa décision de devenir saint, d'entrer dans le calendrier. Son père lui a dit que pour devenir saint, il n'est pas nécessaire de mourir martyr, ni de vivre en ermite, mais qu'il faut faire une seule chose, aimer ses ennemis. En matière d'amour, et même d'amour terrestre entre un garçon et une fille, on n'est jamais certain d'aimer. L'amour n'est pas mesurable. Aucun compteur Geiger ne peut détecter si on aime réellement ou non. On peut avoir l'impression d'aimer. Et peu de temps après, on s'aperçoit que ce n'est pas vrai. Il n'y a qu'une preuve qu'on aime : au moment où les ennemis vous ôtent la vie en plantant des clous dans votre chair, comme ils l'ont fait au Christ, ou au moment où ils vous tirent une balle dans la nuque dans une cave de prison, c'est alors que vous savez si vous aimez réellement vos ennemis. Virgil Gheorghiu n'a jamais renoncé à devenir saint, à aimer ses ennemis. Mais il ne peut avoir de preuve de son amour. Il doit attendre l'heure de sa mort — car il a la certitude qu'il sera tué par eux. Et voilà que le Seigneur lui offre l'occasion de se tester avant l'instant de sa mort. Grâce à Madame Hublot. Le professeur va venir chercher la fausse déclaration selon laquelle le bourreau du peuple roumain, sa femme, n'est pas la fille de Léopold Skripka. S'il donne cette fausse déclaration, il protège et sauve, au risque de sa vie, son ennemie mortelle et l'ennemie mortelle de tout son peuple.

— Mon Seigneur et mon Dieu, pourrai-je cacher l'assassin de ma famille et de mon peuple ? demande le prêtre devant l'icône.

Dieu ne répond pas, mais le père sait qu'il peut

sauver son ennemie. Le risque sera très grand. Pour cette fausse déclaration il sera mis en prison, condamné, expulsé. Tous les réfugiés essaieront de le lapider. En cachant la fille de Skripka, il sauve du châtiment la meurtrière des pères et des mères de tous les exilés...

Le père est à un tournant. La décision est difficile à prendre. Comme prêtre, les canons lui interdisent de dénoncer les assassins, les criminels, les voleurs. Il est obligé de les protéger, si odieux que ce soit, de les cacher à la police, de les aider à fuir. Le Canon 55 de saint Basile est formel : tout prêtre qui aide les policiers à capturer un assassin est exclu de la communauté et déposé.

Il ne reste au père Gheorghiu qu'à faire ce que son sacerdoce lui réclame, ce que le Christ a fait, cacher la fille et complice de l'assassin. Pour lui, c'est la seule décision à prendre, qui signifie la prison et la lapidation par les exilés. Il implore à nouveau :

— Seigneur, tu as envoyé un ange sur le Mont des Oliviers pour aider ton fils, le Christ, à mourir, à accepter la mort et à pardonner à ses ennemis. Envoie-moi aussi un ange, Seigneur, afin qu'il me donne du courage. L'homme est faible. « Même le Christ fut faible : alors lui apparut un ange du ciel, qui vint le fortifier. » (Luc 22/43).

Gheorghiu n'est certes pas le Christ, mais le Poète sent dans son corps les clous qui furent plantés dans la chair du Seigneur et ceux qui sont plantés, jour et nuit, dans le corps de la Roumanie.

— Si tu m'envoies un ange, tout sera sauvé. Je deviendrai fort. Fais-le venir du ciel, ici, chez moi, rue de Siam, à Paris, au troisième étage. Ce n'est pas plus difficile ici qu'au Mont des Oliviers. Si tu envoies un ange, je dompterai ma chair. Et au jugement dernier je me présenterai devant toi, Seigneur. « En emportant ma chair entre mes dents et mon cœur dans la paume, comme un oiseau. » (Job VIII, 13, 1,4) Car je veux te voir face à face. Mais n'oublie pas de m'envoyer un ange... Un seul...

XII

L'HOMME DE KICHINEV

Le poète du Christ et de la Roumanie attend l'ange avec la certitude qu'il viendra... Il sait, depuis trois ans déjà que la fille de Léopold Skripka est arrivée à Paris sous un faux nom. Elle débarqua à Orly, d'un avion de Swiss Air, vers sept heures du soir. Son père, Léopold Skripka était le maître absolu de la Roumanie. Et pourtant aucune voiture de l'ambassade et aucun policier de l'Armée Rouge n'attendait sa fille à l'aéroport. Avait-elle fui la maison paternelle ? Certes non. C'est son père qui lui avait établi son passeport sous un faux nom. Elle n'avait presque pas d'argent en poche. Elle prit le car d'Air France à Orly jusqu'à la gare des Invalides. Et de là elle marcha à pied le long du quai, avec un guide de Paris dans une main et sa valise dans l'autre, jusqu'au petit foyer des étudiants étrangers, au Quartier Latin. On l'installa dans une chambre avec trois autres filles. Elle était d'une tristesse sans bornes. Une tristesse si grande, si profonde, qu'aucune langue du monde ne peut la nommer, sauf la langue russe, qui l'appelle *Ounynie*. Ce mot désigne une tristesse qui dépasse les limites, qui est voisine du désespoir et plus grande que la soif de mourir. Car l'*Ounynie* paralyse la pensée et même l'idée de se suicider. Un homme atteint d'*Ounynie* est mort, bien qu'il bouge encore. Son âme est paralysée par la douleur. Héléna Skripka est arrivée malade d'*Ounynie*. Elle est allée le lendemain à la Sorbonne. Elle s'y est inscrite sous son faux nom. Elle est allée à la préfecture de police, avec sa carte d'étudiante et son passeport, et elle a reçu sa carte de séjour en France sous le nom de Monique Martin. Elle allait régulièrement aux cours de langue française. Ses progrès étaient nuls. Sa tête semblait en permanence ailleurs. Elle n'adressait pas la parole, pendant des jours entiers, à ses camarades. Elle ne se promenait pas. Elle ne fréquentait pas les réunions d'étudiants. Elle n'allait pas au cinéma. Ni dans les musées. Elle n'a jamais regardé les vitrines des magasins. Plusieurs fois elle essaya de lier amitié avec des hommes. Elle les accompagna même au restaurant, passa la nuit avec eux dans de petits hôtels. Mais elle les quittait le lendemain, sans raison apparente. Elle évitait les émigrés et les agents diplomatiques ou consulaires de l'ambassade communiste à Paris. Elle manifestait avec brutalité son hostilité au régime capitaliste de la France. Rien ne lui plaisait. Elle évitait, aussi violemment, les cercles d'étudiants communistes français. Plusieurs fois elle leur dit qu'elle méprisait les communistes français, plus que les capitalistes. Car ce sont des bourgeois. Un jour on l'a vue en compagnie d'un attaché du Centre National de la Recherche Scientifique. Tout était différent, contraire, opposé, entre cette fille de l'Est et le Français Max Hublot. Malgré cela, ils se sont mariés un an plus tard. La fille de Léopold Skripka, le satrape de la Roumanie, est devenue Madame Max Hublot. Elle habite le même quartier que le père Virgil. Il l'a aperçue plusieurs fois. Mais il n'a jamais eu l'occasion de la voir de près ou de lui parler. Aujourd'hui, à la clinique, il la voit pour la première fois de près. Et c'est aujourd'hui qu'il fait la connaissance de son mari.

Subitement le prêtre se souvient de saint Jean Népomucène, le saint vénéré de toute la Tchécoslovaquie. Ce n'est pas une coïncidence qu'il lui vienne à l'esprit juste à ce moment : saint Jean Népomucène, fils de paysans, comme Virgil Gheorghiu, était devenu, grâce à ses dons, confesseur de la reine et aumônier du roi de Prague. Le roi en proie à une crise de jalousie, demanda au prêtre Jean Népomucène si sa femme lui était fidèle. Le prêtre refusa de répondre.

« Elle t'a confessé la vérité. Tu sais, prêtre, de façon sûre si elle me trompe ou non. Dis-moi la vérité !

« Je connais la vérité, répondit le prêtre. Mais je ne la dirai jamais. Vous ne devez pas me la demander.

Et parce qu'il n'avouait pas la vérité, il fut tué, brûlé et ensuite il fut jeté du pont dans les eaux de la Molda, au milieu de Prague. Tous les ponts, en Tchécoslovaquie, possèdent d'un côté et de l'autre la statue de saint Jean Népomucène. Sur ces statues le nom de saint Jean n'est pas écrit. Au début les peintres écrivaient sur son icône le mot *Tacui*, « j'ai gardé le silence ». Plus tard, on remplaça le mot *Tacui*, par cinq étoiles : une étoile pour chaque lettre. Saint Jean Népomucène est devenu le saint Silence, puis le saint Tacui. Aujourd'hui il est le saint Cinq étoiles.

Le père Virgil Gheorghiu était informé de la présence de Héléna Skripka à Paris. On l'accusait de missions d'espionnage, de sabotage et de propagande. Ce qui pouvait être vrai. Mais le poète du Christ avait gardé le silence, le Tacui, les Cinq étoiles, sur la fille de Skripka à Paris. Et sur sa fausse identité.

A partir d'aujourd'hui, il sera à nouveau question de la fille de Léopold Skripka. Avec acuité.

— Seigneur, je suis ton poète et ton prêtre ; c'est pourquoi je t'en supplie, dis à l'ange qui montera chez moi, au troisième étage, de me donner, sinon le courage qu'il donna au Christ, au Mont des Oliviers, au moins le courage de saint Jean Népomucène. Afin que je puisse garder le silence, supporter le feu, et ne pas reculer quand ils me jetteront dans la rivière...

En attendant le miracle et la visite de l'ange réconfortant, le poète du Christ et de la Roumanie pense à ses rencontres avec Léopold Skripka, sa femme et sa fille. Il y a longtemps de cela. Les voilà :

Virgil Gheorghiu appartient à une famille prolétaire. Les fils de prolétaires dans ce temps-là ne pouvaient faire carrière que dans l'armée et dans l'église. Le petit Virgil fut trop pauvre pour le goût de l'Eglise, il fut donc donné aux militaires pour l'habiller, le nourrir et faire de lui un officier. Il se trouva donc élève au collège militaire de Kichinev à l'âge de onze ans. La ville de Kichinev était la capitale de la très belle province de Bessarabie. Kichinev se trouve à moins d'une demi-heure de distance du Dniestr, qui est la frontière entre la Roumanie et l'Empire bolchevique russe. Pendant les nuits d'hiver on entendait sans arrêt des fusillades : le Dniestr étant glacé, les habitants du paradis soviétique, essayaient de s'évader. Et quand ils passaient la glace avec leurs enfants et leurs femmes, on les fauchait à la mitrailleuse. Il y en avait un sur mille qui arrivait à passer la frontière. Les autres restaient, morts par milliers, sur la glace. Mais la faible chance d'un sur mille méritait d'être tentée, car la vie dans le Paradis Rouge était pire que l'Enfer, surtout pour les paysans. Pire que la mort.

Comme étendue, Kichinev est la deuxième ville de Roumanie après Bucarest. Virgil Gheorghiu y resta pendant huit ans. Jusqu'à son baccalauréat. Le lycée militaire n'était pas un lycée pareil aux autres. C'était d'abord une caserne pour les enfants. Mais pas une caserne comme les autres. Il y régnait le plus dur régime militaire qu'on pût inventer. Aucune épreuve physique n'était trop dure pour aguerrir les corps. Le réveil était à six heures moins cinq le matin. A six heures les élèves étaient rassemblés dans la cour. La neige leur arrivait le plus souvent jusqu'à la ceinture. A six heures, il faisait toujours noir dans cette grande banlieue de l'Europe, au bord du Dniestr, où cesse l'Occident et où commencent les steppes infinies qui ont pour limite l'Asie. Pendant une demi-heure, les élèves exécutaient la gymnastique matinale, dans la neige. Mais ce n'était pas uniquement la neige qui était dure à supporter. Ni le froid qui faisait éclater les pierres et gelait la sève au cœur des arbres. Le plus dur, pendant cette demi-heure de gymnastique matinale, c'était le vent et les rafales de neige et de glace qui arrivaient en ligne directe de Sibérie et qui traversaient la plaine russe sans rencontrer aucun obstacle. Ces rafales arrivaient à des vitesses d'éclair, et vous frappaient le visage, comme des fouets, comme des knouts, et vous coupaient le souffle. On avait des brûlures de froid sur le corps, semblables à celles du fer rouge. Mais cela faisait partie intégrante de l'éducation. On avait le devoir de devenir plus fort que le granit, de ne jamais avoir froid. Après une demi-heure de flagellation par les fouets du vent et des rafales de glace sibérienne, on rentrait. Suivaient les douches froides. Puis l'inspection vestimentaire, pour vérifier si les innombrables boutons de cuivre brillaient aussi fortement que des étoiles. On vérifiait si les chaussures pouvaient servir de miroirs. Suivait la prière. Le petit déjeuner. Cinq heures d'études. Avec les meilleurs professeurs du royaume de Roumanie.

Pour devenir professeur au lycée militaire, on devait être docteur et avoir au moins un diplôme de licence à l'étranger. C'était souvent plus difficile de devenir professeur au collège militaire qu'à l'université. A midi, avant le repas, on se déshabillait complètement et on passait devant une commission de médecins. C'était la visite médicale complète. On examinait la bouche, les oreilles, la gorge, les organes génitaux, la peau... On mesurait les élèves et on les pesait chaque jour. Les après-midi étaient consacrés à l'éducation militaire, mondaine, morale, manuelle, technique et sociale... On était noté pour chacune de ces disciplines au même titre que pour les mathématiques. Les élèves du lycée militaire portaient le titre d'Aigles du Roi. Ils portaient le même uniforme que le roi. Les mêmes écussons. Et le monogramme du roi en fil d'or était cousu sur leurs képis, sur leurs épaulettes. Partout. Ils devaient en savoir, sur tout, plus que tous les élèves de Roumanie, qui, eux, ne portaient pas l'uniforme du roi, et n'étaient pas les Aigles du Roi. Ils devaient connaître, en plus des matières inscrites dans tous les lycées, le code des manières élégantes. Les manières royales. On devait savoir danser, tirer au fusil, au pistolet, démonter une mitrailleuse et la monter, plus vite que les armuriers. On devait pouvoir marcher une demi-journée dans la neige, sous la pluie et dans les rafales de vent sans se fatiguer. On devait savoir jouer convenablement au moins d'un instrument de musique. Savoir par cœur les vers des grands poètes et bien les réciter. Il fallait être élégant. Et propre. Dehors et dedans. On devait surtout apprendre à donner sa vie à n'importe quel moment, à mourir avec élégance et souffrir sans que cela se voit. Pour entrer au lycée militaire, on sélectionnait les meilleurs enfants du pays, on acceptait trois ou quatre pour cent des candidats. Parmi ceux

qui étaient admis à porter l'uniforme du roi la majorité ne pouvait supporter le régime. Il était trop dur.
Et deux ou trois pour cent seulement de ceux qui
entraient comme élèves arrivaient au baccalauréat. La
majorité était éliminée chaque trimestre, et chaque
année. Car le lycée militaire n'était pas seulement une
caserne pour enfants, un collège royal, mais c'était
avant tout une institution de compétitions. Seuls les
champions arrivaient à la fin de la course.

L'avant-dernière année du collège, Virgil Gheorghiu
eut un nouveau professeur de philosophie. Il s'appelait
Léopold Skripka. C'était le plus jeune de tous. Il avait
à peine une dizaine d'années de plus que ses élèves de
la dernière classe. Le lycée militaire de Kichinev était
le premier poste de professeur de Léopold Skripka. Il
venait directement d'Allemagne où il avait reçu à Iéna
le titre de docteur en Philosophie. *Cum laude.* La majorité des professeurs étaient docteurs de Paris,
d'Oxford, de Cambridge, et les officiers étaient, pour la
plupart, des diplômés de Saint-Cyr, ou des Polytechni-
ciens de Paris. Léopold Skripka était une exception. Il
était grand, beau, jeune, et très élégant. Il mesurait un
mètre quatre-vingt et ses costumes étaient coupés par
les meilleurs tailleurs d'Occident. Il portait de très
belles chemises de soie et des cravates italiennes. Il
n'avait que des chaussures anglaises. Son regard était
franc, le timbre de sa voix profond, sonore, comme
celui des chanteurs d'opéra. L'après-midi, il y avait
aussi des cours appelés « communautés libres ». Pendant ces cours, le professeur était assis à côté des
élèves. On pouvait lui poser toutes les questions qui
n'étaient pas dans le programme analytique. Il devait
répondre en camarade, car on était sur pied d'égalité.
C'étaient les séances les plus redoutées par les professeurs. Ils descendaient dans l'arène. Tout élève pouvait

leur poser la plus méchante des questions. Léopold Skripka a conquis ses élèves dès sa première présence aux séances communautaires. Il a d'abord ébahis par ses connaissances encyclopédiques et modernes. Sa spécialité était la sociologie. Une science toute neuve et très en vogue à cette époque-là. En étant sociologue, on abordait les sciences humaines, l'anthropologie, la géographie, la technologie, bref, toutes les sciences étaient comprises dans la sociologie : c'est la science de la vie de l'homme sur la terre. Léopold Skripka était brillant. Sa science était toute fraîche. Il était patient, travailleur, homme du monde. On ne pouvait lui trouver aucun défaut. Il avait les yeux légèrement cernés chaque matin, car il lisait toute la nuit. Il a déclaré que le professorat n'était pour lui qu'une étape, et qu'il voulait devenir un savant, et accessoirement professeur d'université... Pendant la première séance communautaire, on lui posa des questions sur les grands philosophes vivants en Allemagne, aux Etats-Unis, en France et en Angleterre. Des auteurs qui n'étaient pas au programme. Il les connaissait tous. Il était aussi enchanté que les élèves les connaissent aussi au moins de nom.

Le soir de la première leçon, Virgil Gheorghiu apprit qu'il avait reçu la meilleur note. Il n'avait pas été appelé au tableau et interrogé, comme le demande le règlement. Il avait participé à la discussion générale. Et malgré cela, Léopold Skripka l'avait noté, avec le qualificatif d'excellent. C'était de sa part, une élégance que ses élèves n'ont jamais trouvée chez aucun autre professeur. Jusqu'à la fin du collège, Léopold Skripka n'appela jamais Virgil Gheorghiu au tableau noir et il lui mit toujours, d'office, la meilleure note.

Le dimanche, les élèves du lycée militaire de Kichinev étaient libres de sortir dans la ville, pendant deux heures. A condition qu'il n'y ait aucun cas de maladie contagieuse dans le municipe de Kichinev. Malheureusement, il y avait presque toujours, dans cette grande ville, des cas de scarlatine, de rougeole, de grippe et d'autres maladies. Les élèves étaient alors confinés dans le collège.

Pendant les rares dimanches où il n'y avait pas de maladies, les élèves devaient tous, dans le cadre du programme scolaire, rendre visite à leurs supérieurs, c'est-à-dire aux officiers et aux professeurs. Il était recommandable que les élèves rendent visite aux autorités principales de la ville, aux ministres, au maire, au métropolite et aux archevêques... C'étaient des visites d'étiquette, qui devaient durer un quart d'heure. Si les personnalités en question ne voulaient pas les recevoir, ce qui était compréhensible, surtout pour les professeurs et les officiers qui les voyaient toute la semaine, les élèves devaient déposer leurs cartes de visite. Il était impardonnable de ne pas rendre visite à ses supérieurs pendant l'année scolaire.

Le lundi, aux leçons de savoir-vivre, d'éducation morale et sociale, et aux cours de bonnes manières, on faisait la critique de la visite. On critiquait le visiteur s'il était en faute, mais aussi le maître et la maîtresse de maison.

Le premier dimanche sans épidémies déclarées, Gheorghiu rendit visite à son professeur de philosophie. Léopold Skripka habitait l'étage d'un hôtel particulier qui se trouvait entre la mairie et la cathédrale. Un très bel hôtel. Il avait un valet en livrée. C'était l'unique professeur qui avait un valet. Les officiers avaient certes, des ordonnances, mais les professeurs du collège, n'avaient comme personnel domestique qu'une cuisinière ou une bonne à tout faire. Léopold Skripka stupéfia ses élèves à nouveau. Le seconde chose

qui étonna le visiteur, après la présence du valet,
c'était les livres. Un rayon de livres. Tous reliés en
cuir. Avec les initiales de Léopold Skripka. Dans sa
bibliothèque, tous les philosophes du monde étaient
présents dans leurs langues originales. Virgil Gheorghiu parla philosophie avec Léopold Skripka pendant
un quart d'heure. Conformément au règlement des visites d'étiquette. Quand l'élève se leva pour prendre
congé, Skripka l'arrêta brusquement :

— Vous n'allez par partir, dit-il.

— Demain vous direz à l'école que j'ai commis des
fautes graves contre l'étiquette, en restant chez vous
lors de ma première visite plus de quinze minutes...

— Au diable l'étiquette ! Vous êtes mon meilleur
élève... On est entre maître et disciple.

— Vous êtes mon meilleur professeur, dit le poète.

On rit. On discuta. On mangea des petits fours secs,
servis par le valet en livrée. C'était la première fois que
le poète était servi par un valet en livrée.

Léopold Skripka et lui devinrent amis. C'est la seule
page lumineuse que Virgil garda des huit ans passés
dans la caserne d'enfants de Kichinev, caserne qu'il a
décrite dans un livre intitulé « Lycée, cimetière de mon
enfance ».

Un jour on apprit au lycée que le professeur Léopold
Skripka était marié. Et depuis longtemps. On apprit
cela par hasard. Car ç'aurait été une grave faute contre
les usages que le professeur parle à ses élèves de sa vie
privée ou que ces derniers lui demandent s'il était
marié. Et durant les cours d'éducation et de bonnes
manières, ni les fautes des élèves, ni celles des professeurs n'étaient épargnées. C'est donc par hasard qu'on
apprit l'existence d'une Madame Léopold Skripka.
Tous les élèves s'efforcèrent d'imaginer comment était
la femme que cet homme exceptionnel, leur profes-

seur de philosophie avait choisie comme épouse. Ils
étaient certain qu'elle était d'abord très belle. Et très
élégante. Car Léopold Skripka était beau et élégant. Et
pour un professeur, pour un civil, être élégant à côté
des officiers, qui ont des uniformes à galons d'or, des
décorations, des étoiles, des écussons, des dolmans de
fourrure, et des bottes vernies, avec des éperons,
n'était pas facile. Malgré cette concurrence, l'élégance
de Léopold Skripka sautait aux yeux, même parmi les
officiers.

A priori, aucune femme n'était à la hauteur de Léopold Skripka, qui possédait la beauté physique, l'élégance, la culture, les titres, l'aisance et les meilleures
manières. Et pourtant on dut constater que Madame
Léopold Skripka, « la belle Héléna » comme on l'a tout
de suite appelée après l'avoir vue, était en de nombreux points supérieure à son mari. D'abord, « la belle
Héléna » était supérieure au professeur Skripka par sa
naissance. Elle appartenait à une très riche et très
ancienne famille de banquiers allemands établie à
Jassy, la capitale de la Moldavie, depuis des siècles. En
dehors des banques et des maisons, la famille de « la
belle Héléna » possédait les meilleurs vignobles de
Moldavie. Presque en totalité. Elle avait fait ses études,
à partir du *Kindergarten* en Allemagne puis en France,
chez les sœurs du Sacré-Cœur et elle avait obtenu une
licence de sciences à Oxford. Elle était professeur de
mathématiques. Elle n'était pas belle à la façon des
artistes de cinéma, mais elle avait une beauté originale,
avec des pommettes mongoles, des yeux pétillants de
malice et d'intelligence, en forme d'amande ; elle avait
une taille de guêpe, et elle s'habillait, comme en Occident, de façon très sobre. Ce qui la faisait remarquer à
côté des autres femmes qui traînaient sur leurs épaules
d'immenses fourrures et des kilos de bijoux achetés

partout, Madame Léopold Skripka n'utilisait ni poudre, ni rouge à lèvres, ni parfum. Son parfum était celui de l'eau fraîche et du savon.

Léopold Skripka n'était né, ni noble, ni riche. Il était fils d'instituteur. Il fut toujours premier de sa classe. A l'Université, il fut pris en sympathie, non seulement par ses camarades et ses professeurs mais par le Recteur de la célèbre Université de Jassy, qui l'invitait à sa table, dans sa maison, dès la première année. Quand le Recteur, qui était aussi professeur de philosophie et maître de Léopold Skripka, devint ministre de l'Instruction publique, il envoya son étudiant préféré avec une bourse d'Etat à Iéna. « Tu deviendras docteur en philosophie et plus tard tu prendras ma place comme professeur à l'Université de Jassy, où tu seras élu Recteur. » Par son mariage, Léopold Skripka avait ajouté à ses dons et à sa culture les millions de son épouse. Quand Madame Léopold Skripka fut nommée professeur de mathématiques dans un collège de jeunes filles à Kichinev, ils achetèrent leur bel hôtel particulier. Ils achetèrent ensuite une voiture grand sport. C'était une Lancia blanche. La première qu'on a vue dans cette partie de la Roumanie. Chaque matin, Madame Léopold Skripka conduisait son mari en le laissant devant l'escalier de marbre du collège. D'autres fois, c'était lui qui la conduisait à son école et il parquait la belle voiture devant le lycée militaire.

Quelques semaines après avoir acheté la voiture et la villa de marbre blanc, un autre événement notable se produisit dans la vie du couple. Un des députés de Kchinev mourut subitement d'un infarctus du myocarde. On fit des élections partielles. Le candidat gouvernemental était le ministre de la Culture et de l'Instruction publique, l'ancien maître de Léopold Skripka. Il vint à Kichinev et fit une propagande électorale telle qu'on n'en a jamais vue. Tous les murs de la ville étaient couverts d'affiches électorales, avec la photo du ministre de la Culture et de son adjoint, le professeur Léopold Skripka. Le gouvernement gagna les élections. Le candidat étant ministre, le nouveau député de Kichinev fut Léopold Skipka le professeur de philosophie. Et ce n'était pas tout : quelques mois plus tard, il fut élu maire adjoint de la ville.

Léopold Skripka ne prit pas congé du lycée militaire, comme l'aurait fait tout autre député et maire adjoint. Il continua à assurer ses cours de philosophie. Il engagea, en le payant de sa propre poche, un remplaçant qui était chargé de faire ses cours en cas d'absence. Mais Léopold Skripka n'était presque jamais absent. Il quittait Kichinev le soir, et le lendemain matin, il était à la chambre des députés. Dès le début, ses discours furent retranscrits in extenso par toute la presse. Il était le plus jeune député du parlement roumain. Le soir, il prenait le train, et le lendemain à sept heures, sa femme le prenait à la gare et après un petit déjeuner en tête à tête, elle l'amenait au collège militaire dans sa voiture blanche.

Le voyage Kichinev-Bucarest durait une nuit entière Léopold Skripka disposait d'un compartiment officiel dans les wagons-lits. Il travaillait au collège, à la mairie, au Parlement, jusqu'au dernier moment. Il sautait ensuite dans le train, avec sa belle petite valise de maroquin et il voyageait toute la nuit. Le matin, il descendait à Bucarest pour aller prononcer un discours à la Chambre des députés ou bien à Kichinev pour donner un cours de philosophie, le visage reposé, bien rasé, et avec un col de chemise impeccable. Cela étonnait. Pas un signe de fatigue. Toujours souriant. Toujours de bonne humeur et intelligent. Comme épouse du maire adjoint, la belle Héléna était photo-

graphiée par tous les journaux et revues de Kichinev
car elle présidait à côté de son mari d'innombrables
œuvres culturelles, artistiques, de bienfaisance et autres... Tous les élèves du lycée militaire étaient amoureux de la belle Héléna. Chacun d'eux possédait une
ou plusieurs de ses photos, découpées dans les magazines et cachées dans leurs livres de classe et dans
les cahiers. Pour tous les adolescents du lycée militaire de Kichinev, la belle Héléna représentait la
femme idéale. Elle a été le premier grand amour de
tous les élèves. Aucun ne l'a jamais oubliée. Et chaque
élève, surtout les grands, rêvait le soir, avant de s'endormir, à la belle Héléna, la femme idéale, la muse de tous
les adolescents. Plusieurs fois par an pour la pratique
des bonnes manières, il y avait au lycée militaire des
réceptions d'environ deux cents personnes. Dans la
grande salle du collège, avec ses immenses lustres de
cristal semblables à ceux du Quai d'Orsay avec ses
hauts murs, ses moulures dorées et ses immenses
glaces, se trouvaient toutes les personnalités de la ville,
les officiers, les professeurs avec leurs familles et les
élèves de la dernière classe. Cette immense salle de
réception était à l'origine une salle de danse, car le
lycée militaire était installé dans un ancien château.
Les élèves de la dernière classe étaient invités pour
vérifier leurs connaissances pratiques, et le lendemain,
ils étaient tous notés pour leur conduite en société. Car
un garçon qui porte l'uniforme du roi doit savoir, non
parce qu'il l'a lu dans des livres, mais surtout par la
pratique, comment inviter une femme à danser, comment lui offrir une coupe de champagne, comment lui
parler pour la flatter, la faire rire et se sentir à l'aise...
Car tout cela fait partie intégrante de la vie d'un officier. On avait des instructions précises : commencer
par danser avec la femme du commandant, ensuite

avec celles des officiers et des professeurs, les plus
avancés en âge. Et s'il restait encore du temps, on
invitait aussi les jeunes filles... Pour tout élève, le
rêve dans ces réceptions était de danser avec la belle
Héléna. Aucune danse ne devait durer plus de trois
minutes, mais ces trois minutes avec la belle Héléna
constituait le bonheur absolu. Aucun des élèves qui ont
connu madame Léopold Skripka et qui ont dansé avec
elle n'ont oublié, ni la couleur de sa robe, ni la forme de
ses boutons, ni comment étaient faites ses chaussures,
sa coiffure... On n'oublie jamais rien sur son premier
amour. Et la belle Héléna fut le premier amour de plusieurs générations d'adolescents.

Le lundi, après le bal, on faisait la critique. En
compagnie des officiers, des professeurs et des maîtres de cérémonies. Léopold Skripka fut le premier
à prendre la parole :

— Tout a été parfait à la réception d'hier soir et au
bal qui a suivi. Je rends hommage au comportement
des élèves, à leur tenue et à leurs manières. Il y a une
seule chose qui ne peut plus durer. Une chose très
grave, et que je serai forcé de communiquer par un
rapport écrit au commandant du lycée. La voilà : Tous
les élèves qui ont dansé avec ma femme, sans exception aucune, lui ont marché tout le temps sur les pieds,
en lui écrasant les orteils. Pour ne pas parler de ses
chaussures qu'elle a dû jeter tout de suite en arrivant à
la maison. Ce n'est pas digne des Aigles du Roi... Il faut
que vous appreniez à danser, ou choisir un autre
métier que celui d'officier... Je ne parle pas de Virgil
Gheorghiu, qui n'a fait que marcher, avec toute sa
semelle sur les pieds de ma femme... Le soir on a dû lui
mettre des compresses. Tous ses orteils étaient enflés.
Ecrasés...

Le professeur Léopold Skripka parlait ironiquement. Il était très flatté que ses élèves soient tous, platoniquement, amoureux de sa femme, et de savoir que si on avait fait un contrôle, on aurait trouvé dans tous les pupitres des centaines de poèmes d'amour écrits par les élèves...

— Ce n'est pas parce que nous ne savons pas danser que nous marchons sur les pieds de Madame Léopold Skripka, dit Virgil Gheorghiu. Nous savons tous très bien danser. Depuis huit ans nous prenons des leçons de danse chaque jour...

— Dans ce cas, c'est ma femme qui ne sait pas danser ! C'est parce qu'elle danse mal que vous lui marchez tout le temps sur les pieds ! Voulez-vous que je l'envoie prendre des leçons ?

— Madame Skripka danse très bien, Professeur, dit « son meilleur élève ». Mais ce n'est pas de notre faute si nous lui marchons sur les pieds. C'est parce qu'elle est trop belle. Elle est si belle, votre femme Monsieur le Professeur, qu'il est impossible de ne pas perdre la tête dès qu'on la prend dans ses bras pour danser... Et quand on perd la tête, on ne sait plus où on met les pieds... L'amour est comme l'alcool. Il vous fait marcher de travers. Danser mal. Trébucher... C'est cela l'explication de toute l'affaire.

Léopold Skripka fut le premier à rire.

Le lendemain mardi, avant de commencer son cours de philosophie, le professeur Léopold Skripka annonça à ses élèves, d'un ton grave :

— J'ai raconté à ma femme ce que vous avez dit sur elle et les raisons pour lesquelles vous lui écrasez les pieds en dansant avec elle : c'est parce qu'elle vous fait perdre la tête avec sa beauté. Elle me charge de vous remercier et de vous dire que votre compliment est un des plus beaux qu'elle ait reçu durant toute sa vie... Et elle me conseille, en même temps, de prendre des leçons chez mes élèves sur la manière de lui dire des choses agréables et de lui faire des compliments pareils aux vôtres... Maintenant commençons notre leçon...

Toute la classe se mit debout et applaudit les paroles de la belle Héléna, les remerciements qu'elle leur adressait.

Virgil Gheorghiu se rappelle toutes ces scènes comme si elles s'étaient déroulées hier, car les souvenirs de l'enfance, et de l'adolescence sont ineffaçables. Ce matin, à la clinique, le prêtre a constaté, avec stupéfaction que la fille de Léopold Skripka était en tous points pareille à sa maman, à la belle Héléna. Il ne pouvait pas ne pas la reconnaître. Car comment un ancien élève du lycée militaire de Kichinev aurait-il jamais pu oublier le visage, les yeux, les dents de bonheur, le teint, les cheveux de la belle Héléna ? A ce point de vue, il n'y a aucun risque d'erreur. Madame Max Hublot, la femme du professeur, ne s'appelle pas Monique Martin, comme c'est écrit sur son passeport. Son nom est Héléna. Comme sa mère. Elle est bien la fille de Léopold Skripka : le nom et le prénom inscrits sur son passeport sont faux. Depuis longtemps, Virgil Gheorghiu a été averti de ce mensonge. Et les lettres qu'il reçoit concernant la fausse identité de Madame Max Hublot, ne sont pas moins nombreuses que celles reçues par la police... Mais lui, un prêtre, un poète, il ne peut pas procéder comme la police, ni comme la justice... Voilà la difficulté...

XIII

UNE AVENTURE DANS LES WAGONS-LITS...

Le député Léopold Skripka, le plus jeune du Parlement, conquit dès les premiers jours ses collègues de la Chambre sans distinction de partis et surtout la presse. Il était différent de tous ceux qu'on voyait au Parlement ! A Bucarest, les députés étaient comme tous ceux de partout, des politiciens bavards qui vous recevaient toujours bras largement ouverts, comme des frères, même s'ils ne vous connaissaient pas, et qui vous promettaient le Ciel et la Lune, oubliant ensuite tout ce qu'ils vous avaient promis. Ils étaient préoccupés de leurs affaires de coulisses, d'interventions occultes. Léopold Skripka était d'une autre race. D'abord il était grand, élégant comme un lord. Il était aimable, le sourire aux lèvres, attentif à ce qu'on lui disait. Mais distant. Il n'était pas de la race des parlementaires joviaux, gros et menteurs. Skripka était cultivé. Dans le monde des politiciens, on ne lit que les journaux. Il s'habillait à l'étranger. Il pesait chaque mot dans cette enceinte où tout le monde parle pour parler, sans jamais rien dire. Des mots creux. Il ne s'occupait jamais des affaires de coulisses. Il n'était jamais suivi d'une bande de parasites et d'agents électoraux ! Le plus étonnant de tout, c'est qu'il ne défendait le programme d'aucun parti politique. Il était avec les députés de droite quand il s'agissait d'une cause juste, il était à côté de la gauche quand le problème était valable et il était avec les députés du gouvernement quand ils proposaient quelque chose d'intéressant. Tout le monde acclamait l'impartialité de Léopold Skripka. On lisait le même jour des articles d'éloges sur lui dans la presse d'extrême droite, dans celle d'extrême gauche, et dans les journaux du centre et du gouvernement. Il n'était inféodé à aucun groupe ! Un député-philosophe qui défendait la justice et la vérité contre les partis. Il était au-dessus d'eux. De tels hommes n'existent pas sur terre. C'était trop beau pour être vrai. Léopold Skripka, en se posant au nom de la vérité au-dessus des partis devenait l'enfant chéri et l'ami de tous.

Un jour, il défendait un parti, le lendemain, les adversaires de celui-ci. C'était une stratégie. Il acheta un appartement au centre de Bucarest, dans un immeuble moderne, au dernier étage, avec jardin. L'immeuble, le plus récent de Bucarest, n'était pas encore terminé. Il descendait entre-temps au plus grand hôtel de Roumanie, l'Athénée Palace, vis-à-vis du Palais Royal, à côté de l'hôtel particuler d'Aristide Paximade. Léopold Skripka était à Bucarest au moins deux jours par semaine. Il pouvait dormir aussi bien à l'Athénée Palace que dans sa villa de Kichinev, de même que dans son compartiment officiel des wagons-lits. Dieu l'avait doué d'une nature robuste et d'une faculté d'adaptation qui dépassait celle des caméléons. En le voyant si fort, si résistant, on commença à miser sur son avenir politique, comme on mise sur un beau cheval de courses. On disait et on pariait que dans un an ou deux il serait Premier Ministre, puis chef de parti, et qu'ensuite son parti deviendrait le seul stable de Roumanie.

De même que les joueurs font fortune sur les champs de courses en misant sur le cheval gagnant, ainsi les hommes d'affaires, les financiers et les industriels font fortune en misant, pendant sa course, sur un jeune homme qui deviendra ministre, premier ministre et chef de parti.

Léopold Skripka fut sollicité pour collaborer à divers conseils d'administrations, des sociétés, des banques, des industries... En le cooptant dans leurs seins les grandes entreprises s'assuraient la protection et l'appui d'un homme fort ; et cette garantie était plus importante que les assurances contre les incendies et les sinistres... Tout le monde invitait Léopold Skripka et tout le monde l'aimait comme l'aimaient ses élèves au lycée militaire de Kichinev et ses professeurs à l'Université.

Une des premières personnes qui ouvrit les portes de son beau palais au jeune député fut Madame Paximade. L'ancienne Poule d'Or. Elle donna une réception spéciale en l'honneur de Léopold Skripka.

Elle ne fit de telles réceptions que pour des membres de l'Académie française, des vedettes de théâtre ou des ministres français en visite à Bucarest. Elle n'avait jamais donné de réception pour une personnalité roumaine. Léopold Skripka fut le premier. Madame Paximade savait la valeur des hommes, et jamais elle ne s'est trompée sur leur compte ; pendant la réception, elle s'adressa au jeune député avec le plus beau sourire du monde :

— Cher ami, cher Léopold, ne vous fâchez pas que je vous appelle par votre nom, j'ai annoncé ce matin à mon mari que chaque jour nous aurons un couvert de plus à notre table. C'est pour vous. Venez quand vous voudrez. Comme chez vous...

— Je ne mérite pas un tel honneur, chère Madame...

165

— Vous êtes en train d'insulter les Françaises, en disant que je fais des choses qu'on ne doit pas faire... Retirez vos paroles. Du moment que je mets un couvert pour vous à notre table, à la table d'Aristide Paximade, c'est que vous le méritez. Et personne en dehors de Dieu, ne sait mieux qu'une Française ce qu'un homme mérite ou ne mérite pas... Vous le méritez. En outre, demain, mon cher Aristide va vous demander d'accepter de faire partie du conseil d'administration de nos journaux, de nos banques et autres entreprises dont il est président-directeur général... Ne dites pas à nouveau que c'est trop. Nous avons besoin d'hommes de votre classe, de votre valeur et de votre énergie... Vous, comme nous, n'avons qu'à gagner dans cette alliance.

Dès le lendemain, Léopold Skripka siégeait parmi les banquiers qui dirigeaient le trust de la presse, le trust de l'industrie lourde, les exploitations forestières, minières et agricoles... C'était un homme qui recevait sans se déplacer, une valise pleine de sous, chaque mois. Comme tout administrateur de grande société. Son nom était écrit avec vénération dans toute la presse, car il était un des patrons. Sa photo était quotidiennement dans les journaux. Il n'avait que des amis. Pas un seul ennemi.

C'est alors que « son meilleur élève » dans une séance de travail communautaire au collège militaire de Kichinev, attaqua ouvertement Léopold Skripka.

Durant cette période de passage de l'enfance à l'âge adulte, tout jeune homme détruit ses idoles et se révolte contre tout.

— Monsieur le Professeur, dit Virgil Gheorghiu, me permettez-vous de vous poser une question d'ordre philosophique ? Comment se fait-il que vous n'ayez

166

aucun ennemi et seulement des amis dans le
monde ?
— C'est une chance, dit Léopold Skripka. Il en est
des hommes comme de certaines actrices de cinéma :
elles sont adoptées par le public. Elles deviennent des
vedettes. Des étoiles, sans qu'elles sachent pourquoi.
On parle de sex-appeal... Moi j'appelle ça « chance »...
— C'est faux, Monsieur le Professeur. Pour un philosophe, ce n'est pas la même chose que pour une actrice
de cinéma. Un philosophe est un homme qui prend une
attitude dans la vie. Et il n'y a qu'une attitude : ou
pour le monde, c'est-à-dire pour l'éphémère et le mensonge, ou contre le monde, c'est-à-dire pour l'absolu, la
vérité et l'éternité. Vous vous engagez dans le monde,
pour le monde. Vous êtes contre la vérité, l'éternité, et
l'absolu : vous n'êtes donc pas, dès le départ, un philosophe. Mais un politicien. J'aurais dû me rendre
compte de cela dès votre arrivée ici. Vous êtes un déma-
gogue, car votre doctorat à Iéna n'est pas un doctorat
en philosophie mais en sociologie. Or la sociologie n'a
rien à voir avec la philosophie. La sociologie c'est tout
ce que vous voulez, mais pas de la philosophie. La
philosophie, c'est la métaphysique, la logique, la théologie... La sociologie est une science pareille à celle des
avoués, des avocats, des politiciens... Elle se préoccupe
exclusivement des choses de la terre, des statistiques,
des mensurations, des plans, de toutes les besognes
terrestre de l'homme. Un sociologue n'est pas un
philosophe. C'est pour cela que vous êtes entré dans la
politique ; vous êtes devenu maire, député et vous
deviendrez ministre, premier ministre, des professions
contraires à la philosophie, mais voies naturelles de
celui qui s'occupe uniquement des affaires terrestres,
de la sociologie... C'est tout ce que je voulais vous dire.
Je vous retire ma confiance et mon admiration... Nos

chemins se séparent. Je veux aller aux étoiles, je veux devenir poète, prêtre, philosophe, artiste, tout ce qui est contraire à la sociologie.

La salle était debout. On chahutait. On prit Virgil Gheorghiu comme une chose et on le jeta hors de la classe. Tout le monde adorait Léopold Skripka. On ne tolérait pas qu'on touche à lui, car indirectement on atteignait aussi la belle Héléna, la muse dont tous étaient amoureux...

La réaction de Léopold Skripka fut étonnante. Il ordonna qu'on rappelle Virgil Gheorghiu, il se leva, abandonna, la cathèdre et serra la main de son élève.

— Ce que vous venez de me dire nous lie encore plus que par le passé. Vous êtes mon élève préféré et ce que vous venez de dire ne manque pas de logique. J'y ai réfléchi souvent. On reste amis, plus que jamais.

Dans tout autre collège du monde, l'élève qui aurait dit ces paroles d'outrage contre un professeur aurait été puni. Eliminé. Au lycée militaire de Kichinev, la discipline était prussienne. On n'avait pas le droit de bouger les cils devant les supérieurs. Mais pendant les heures de discussion en commun comme celle-ci, on pouvait dire toutes les vérités. Même les plus atroces. Seules étaient punies la mauvaise foi et l'injustice. Ce n'était pas le cas. Il n'y avait aucune erreur dans les propos de l'élève contre Léopold Skripka.

— Si il y avait eu une erreur dans tes propos, je les aurais réfutés je t'aurais combattu. Il est possible que tu vois juste. Nous discuterons de la sociologie pour décider si c'est une branche de la philosophie ou non. Le débat est clos. Dans deux heures je dois sauter dans le train. J'ai un débat très important à la Chambre demain.

Léopold Skripka partit. Le lendemain il fit un discours brillant à l'Assemblée. On l'appela « la Bouche d'Or ». On disait qu'il était plus grand que le grand diplomate roumain Nicolas Titulesco. Il devait repartir le soir pour Kichinev. A sept heures, il se trouvait encore dans sa baignoire, dans son bel appartement de l'Athénée Palace. Le téléphone sonna. Il y avait un appareil dans la salle de bains. Un appareil couleur d'ivoire.

— Ici la réception, Monsieur le Député. Il y a ici dans le hall, Maître Moïse Silberman. Il insiste pour vous parler. Absolument.

— Vous ne lui avez pas dit que je suis dans ma salle de bains ?

— Certes nous le lui avons dit, Monsieur le Député. Maître Moïse Silberman insiste. Il ne peut pas vous dire au téléphone de quoi il s'agit, même si vous êtes dans votre salle de bains.

— Passez-le moi, dit Léopold Skripka.

— C'est Maître Moïse Silberman, dit la voix au téléphone. Je suis à la réception. Dans le hall de l'hôtel.

— Qu'est-ce que tu veux, Moïse ? Laisse-moi faire ma toilette.

— Impossible Herr Doktor. Impossible. Je dois vous voir tout de suite. Puis-je monter chez vous ?

— Maître Silberman, vous êtes un homme raisonnable. Je vous ai dit que je me trouve dans ma baignoire. Je ne peux pas vous recevoir dans la salle de bains, tout nu. Ne demandez pas l'impossible.

— Qu'est-ce que cela peut faire que vous soyez nu ou habillé, Herr Doktor... ! C'est une question extrêmement importante. Je monte. Et ne vous gênez pas pour vous habiller devant moi. Dans une minute je serai dans votre appartement.

— La question la plus importante peut attendre deux jours... Je pars ce soir et serai de retour dans deux jours. Et on parlera de votre affaire urgente. Maintenant c'est impossible. Impossible.

— Dans une minute je suis dans votre appartement. Et merci de me recevoir, Herr Doktor. Vous êtes un homme de Dieu. Un juste. Un instrument de la Providence...

Léopold Skripka connaît à peine Maître Moïse Silberman. C'est un avocat parmi les milliers qui sont au barreau de Bucarest. Jamais personne n'a vu ni entendu Maître Silberman plaider. Il n'a certainement pas eu un seul client de toute sa vie. Mais on le rencontre à toute heure dans les salles du Palais de Justice. Il n'a pas de procès à plaider. Mais il est toujours habillé de sa robe d'avocat en train de monter des escaliers, de les descendre, de passer d'une salle d'audience à l'autre, ou d'arpenter « la salle des pas perdus », une sorte d'Agora immense, une sorte de marché couvert où tout le monde se donne rendez-vous et se rencontre. Moïse Silberman est quelquefois à la table de presse. On dit qu'il est aussi journaliste. Mais personne n'a jamais vu d'article signé de lui. On dit qu'il écrit dans des revues qui ne se trouvent pas en vente. Malgré tout, Maître Moïse Silberman est un homme habile. Il est très mal habillé. On a l'impression qu'il dort avec ses vêtements. Il porte toujours sous son bras droit un immense porte-documents, une sorte de valise contenant des livres, des journaux, des dossiers, des sandwichs et même du linge de corps : Moïse Silberman est un personnage pittoresque, extravagant. C'est ainsi que tout le monde le connaît. Personne ne le prend au sérieux. Personne ne lui parle, si ce n'est pour se moquer, pour lui dire une méchanceté. La plupart des avocats et des magistrats ne répondent jamais à son salut. On l'ignore complètement. C'est un homme sans importance. Personne ne pense avoir un jour besoin de lui. Comme on n'a pas besoin d'un chiffon qu'on voit au milieu de la rue ; on ne le regarde même pas, on marche dessus. C'est la même chose pour Maître Silberman. On ignore la vérité, mais il est sûrement célibataire. Aucune femme n'aurait accepté de devenir son épouse. Les femmes, même les plus laides, nourrissent des ambitions illimitées !

Un seul personnage, au Parlement, avait quitté un groupe de députés pour aller de lui-même saluer Maître Moïse Silberman, et se présenter :

— Je suis le professeur Léopold Skripka, le nouveau député de Kichinev et je tiens à vous saluer et à faire votre connaissance...

Maître Moïse Silberman semblait tomber des nuages. Jamais un miracle pareil ne lui était arrivé. Même pas en rêve.

A partir de ce jour-là, il est devenu le plus fanatique adepte de Léopold Skripka. Certes, Maître Moïse Silberman qui ne manque ni d'intelligence ni d'esprit d'observation, a remarqué que le nouveau député de Kichinev, dans les premiers jours de son arrivée au Palais du Parlement roumain, est allé se présenter et serrer la main des portiers, des gendarmes, des huissiers, des hommes de service, du cafetier, et des gardiens. Personne n'a été oublié. Mais cela ne refroidit en rien l'enthousiasme de Maître Silberman pour le député de Kichinev. Car, il y avait déjà eu par le passé, de nouveaux députés qui par habitude électorale, serraient la main des hommes de service, des jardiniers et des gardes en arrivant au Palais du Parlement. Mais jamais aucun d'eux n'était venu se présenter en s'inclinant, devant lui. C'est que pour appeler les choses par leur nom, il était moins considéré que les balayeurs, aussi bien au Tribunal qu'au Parlement où il vient faire la chronique pour un journal ronéotypé que personne n'a jamais lu. Plus que cela, depuis que le député de Kichinev a fait la connaissance de Moïse Silberman, c'est toujours Léopold Skripka qui salue le premier dès qu'il aperçoit Moïse Silberman dans la rue, dans un café, ou ailleurs. Il est vrai, et Maître Silberman l'a remarqué, que jamais le nouveau député de Kichinev ne se laisse saluer. Même pas par les gendarmes qui gardent les portes du Parlement. C'est toujours lui qui salue, en élevant avec un grand geste son chapeau. Mais cela ne change rien aux sentiments de Moïse Silberman envers Léopold Skripka. Car jamais de sa vie il n'a été salué par personne. C'est lui qui salue. Et souvent sans recevoir de réponse. Dans ces conditions Léopold Skripka est l'homme providentiel envoyé par Dieu sur terre pour consoler le pauvre misérable que tous les humains méprisent.

Avant que Léopold Skripka ait le temps de mettre son peignoir et de sortir de sa baignoire, Maître Moïse Silberman est déjà dans son appartement. Avec son grand porte-documents rempli à craquer de toutes sortes de choses hétéroclites.

— Mon cher Maître, vous savez que je vous aime bien, n'est-ce pas ? dit Léopold Skripka.

— Vous êtes comme Dieu, Herr Doktor. Exactement comme Dieu. Car seul Dieu et vous-même daignez aimer les misérables comme moi.

— Parce que vous êtes convaincu que je vous aime, cher Maître, il faut que vous partiez tout de suite. Laissez-moi m'habiller. Il est sept heures et quart. Mon train part à neuf heures. Je n'ai pas une seconde à vous accorder... On parlera dans deux jours. Longuement. Après-demain je serai de retour à Bucarest. Demain je préside le Conseil Municipal de Kichinev, quelques solennités publiques et j'ai aussi mon cours de philosophie au lycée militaire. Je ne veux pas manquer le train à cause de vous...

— Je dois vous parler tout de suite, Herr Doktor. Tout de suite !

— Vous ne pouviez pas me dire au téléphone de quoi il s'agit ? demande Léopold Skripka. Je ne veux pas vous mettre à la porte, mais je dois enlever mon peignoir et m'habiller...

— C'est une affaire très confidentielle, Herr Doktor. Comment aurais-je pu vous parler au téléphone d'une affaire confidentielle. C'est entre quatre yeux que je dois vous parler. Et sans aucun retard.

— Je ne peux pas enlever mon peignoir et rester tout nu devant vous pendant que je mets mes caleçons et ma chemise... Soyez sérieux, Maître Silberman, venez après demain.

— Je tournerai le dos, et vous pourrez vous déshabiller si vous êtes si pudique que ça... Je ne regarderai pas... Je vous promets de ne me retourner que lorsque vous serez habillé...

Léopold Skripka ne se fâche pas. Maître Moïse Silberman n'est pas un homme contre qui on se fâche. On le met à la porte ou on se moque de lui. Il est si peu important que Léopold Skripka — homme pudique — ne ressent aucune gêne à enlever son peignoir et enfiler sa chemise devant lui. Comme devant un meuble.

— Combien veux-tu me demander aujourd'hui, Moïse ? demande Léopold Skripka.

Il était notoire que si Moïse Silberman arrivait chez quelqu'un en disant qu'il s'agissait d'une affaire très grave et urgente, c'était toujours pour le taper d'une toute petite somme d'argent. Le pauvre Moïse Silberman ne mangeait jamais à sa faim. On le voyait, dans ses jours d'opulence, entrer dans un restaurant végétarien. C'étaient les moins chers de Bucarest. Il commandait du riz avec des raisins secs et un yogourt. C'étaient ses grands repas. Léopold Skripka cherche son portefeuille pour en finir le plus vite possible et s'habiller tranquillement.

Tout homme à sa place aurait été agacé par l'intrusion de Moïse Silberman chez lui. Le député de Kichinev, au contraire, est content de cette visite. Même si cela l'incommode. Le docteur en sociologie de l'Université d'Iéna a une théorie sociale qui lui tient à cœur : sur terre il n'y a pas de déchets véritables. Toute chose, humaine, animale, végétale ou minérale, a une valeur. Le principal, pour le sociologue, est de trouver la véritable valeur de ce que tous appellent un déchet, et de la faire ressortir. Léopold Skripka a exposé plusieurs fois cette théorie sur l'inexistence des déchets et sur la valeur cachée de tout résidu. Il a cité en exemples des industriels qui firent fortune en commençant par ramasser les boîtes de conserve et tous les objets métalliques. Il a donné l'exemple d'un mouvement politique roumain composé de pauvres, qui devint un parti très riche en obligeant tous ses membres à rassembler les feuilles d'étain qui servent à envelopper le chocolat, les bonbons et les cigarettes. Maître Moïse Silberman est considéré par tous comme un déchet humain. Léopold Skripka veut prouver sa théorie de la non-existence des véritables déchets en lui cherchant des qualités et en le saluant.

— Je ne suis pas venu vous demander de l'argent, Herr Doktor. Remettez votre portefeuille en place. C'est pour une affaire importante que je suis ici. Pas pour vous demander quelques centimes. Non.

Moïse Silberman est en sueur. Malgré le froid qu'il fait dehors. Fiévreux. Son visage avec des taches de rousseur est humide. Gras. De plus il est agité, nerveux, comme en transes. Il ne tient plus le dos tourné au professeur.

— Habillez-vous sans vous gêner, dit-il... Pourquoi se gêner parce qu'on est nu... C'est stupide de se gêner de sa nudité. Surtout dans des moments où il y a des affaires incomparablement plus importantes que celles d'être habillé ou nu...

Léopold Skripka enfile ses pantalons. Il dit :

— Je t'écoute, Maître Silberman. Parle.

— Je ne peux pas... s'exclame Maître Silberman. Je suis devenu muet. Comment pouvez-vous faire une chose pareille, Monsieur le Professeur ? C'est de la folie.

Moïse Silberman est horrifié. Ses yeux sont grands ouverts. Il a la main devant sa bouche. Il regarde le slip en fil d'Ecosse du professeur Léopold Skripka. Sans paroles.

En Roumanie les hivers sont terriblement durs. Même le vin gèle. Le grand poète romain Ovide, pendant son exil en Roumanie, a écrit que les habitants mangent le vin, et ne le boivent pas, comme ailleurs. C'est que le vin est transformé, en hiver, en morceaux de glace.

— Vous allez attraper la mort, Herr Doktor, dit Moïse Silberman... Vous êtes le plus admirable de tous les Roumains, le Seigneur vous aide à vous enrichir et vous cherchez la mort. Ce n'est pas juste !

— Qu'est-ce qui n'est pas juste, mon cher Moïse ?

— Ces trucs que vous portez sous vos pantalons, ce sont des culottes de femmes, bonnes pour les hommes d'Italie, d'Espagne... C'est en Occident que vous avez pris l'habitude de porter ces couvre-culs de rien du tout, Herr Doktor. Vous allez mourir si vous continuez à porter des slips... On perdra le meilleur des Roumains. Au nom du Seigneur, enlevez-les et ne mettez plus jamais ces choses-là... C'est pour les danseuses sur scène. Et votre chemise, elle vous atteint à peine la ceinture... Une chemise doit couvrir les hanches et les reins sous les pantalons, Herr Doktor ! Ne faites pas d'imprudences. Habillez-vous convenablement...

En Roumanie, on a l'habitude de porter des caleçons longs à cause du froid qui vous coupe le souffle. Les chemises aussi sont plus longues qu'en Occident.

— Laissez mes slips tranquilles, Maître Silberman. Passez au fait. Le temps presse. Dans quelques minutes, je dois sauter dans un taxi. Si vous ne vous dépêchez pas de me dire pourquoi vous êtes chez moi, je serai obligé de vous abandonner... Je n'ai jamais raté un train de ma vie et je ne le raterai pas ce soir non plus...

— Monsieur le Député, je vous ai dit que vous êtes le meilleur des vingt millions de Roumains qui existent en Roumanie... Certes, tous sont des gens admirables. Mais vous l'êtes encore plus qu'eux tous réunis... Mes amis et moi-même, nous avons un problème extrêmement délicat. Il nous est impossible de le résoudre seuls. Il nous faut l'aide d'un Roumain, et vous êtes le seul à pouvoir nous aider... Nous avons confiance en vous plus qu'en nous-mêmes. Nous nous fions au docteur Léopold Skripka plus qu'en nos pères et mères... C'est pour cela que je me trouve chez vous, parce que nous vous faisons confiance...

— Moïse, le temps passe... Tu es ici depuis dix minutes déjà et tu me parles de mes caleçons, des vingt millions de Roumains et d'autres choses... Je ne pense pas que tu sois venu pour cela.

— Ce n'est pas pour cela, Herr Doktor...

Maître Moïse Silberman est effrayé, tout d'un coup. Il tremble même.

— Tu te sens mal, mon cher Moïse ? demande le professeur.

— Non, mais ce que j'ai à vous dire est trop grave. Je suis subitement effrayé... J'hésite à entrer dans le sujet, comme les gens non sportifs de mon espèce hésitent à plonger dans la mer... Même si l'eau n'est pas froide.

— Ne plonge pas, cher Moïse. Je ne t'y forcerai pas. Je t'annonce tout de même que dans quelques minutes je pars. Et je te laisse ici.

Le Professeur Léopold Skripka est habillé. Il met à son poignet sa montre qu'il sort d'une boîte d'argent doublée de velours. Il est extrêmement ordonné et ne la laisse pas sur sa table de chevet, afin qu'elle ne soit pas encrassée par la poussière et que l'or ne soit pas égratigné.

— Vous connaissez Hanna Tauler ? demande brusquement Maître Moïse Silberman.

— Assez de blagues, cher Silberman. Après m'avoir entretenu de la valeur des caleçons longs, de la rigueur du climat, de ma gentillesse et autres bagatelles, tu veux maintenant me parler d'Hanna Tauler. Passe au sujet grave et urgent pour lequel tu es monté, me faisant sortir de ma baignoire...

— Je suis dans le sujet, dit Moïse Silberman. C'est pour Hanna Tauler que je suis venu. Envoyé par mes amis. Et par le Secours Rouge International. Tous, sur les cinq continents, ont confiance en vous. Nous sommes tous d'accord : vous êtes l'homme providentiel, l'homme que nous cherchons...

— Tu fais partie du Secours Rouge ? demande Léopold Skripka.

— Non. Il n'y a pas encore de section roumaine du Secours Rouge. Mais on la créera, grâce à Hanna Tauler...

Léopold Skripka est heureux. Sa théorie sur la non-existence des déchets est vérifiée. Il n'y a pas de véritables résidus dans l'univers ! Toute chose a une valeur. Et voilà que l'homme que tous méprisent a une valeur, lui aussi : il sera un des fondateurs du Secours Rouge International en Roumanie. Si cela se fait, même Moïse Silberman sera utile. Léopold Skripka a eu raison de le saluer, toujours en premier, et d'aller se présenter à lui.

— Vous ne pouvez pas dire que vous ne connaissez pas Hanna Tauler ? proteste Moïse Silberman.

— Hanna Tauler ? Bien sûr que je la connais, répond Léopold Skripka. Pas personnellement. Naturellement. Nous ne fréquentons pas les mêmes milieux... Mais je connais son nom par les journaux... Comme tout le monde...

Léopold Skripka récapitule rapidement tout ce qu'il sait sur Hanna Tauler. Comme à un examen. C'est le plaisir intellectuel des sociologues d'être des encyclopédistes. De connaître tout sur tous. Car la sociologie, que son élève refusait de considérer comme science et surtout comme branche de philosophie, la sociologie, en revanche est une science encyclopédique. Certes l'encyclopédie n'est pas de la philosophie. Mais c'est déjà quelque chose. Il y eut un temps où être un encyclopédiste était plus qu'être un philosophe.

C'est de cette manière, que Léopold Skripka récapitule ses connaissances sur Hanna Tauler. En quelques secondes. Avant de reprendre la discussion avec Maître Moïse Silberman.

Hanna Tauler était une jeune institutrice de l'école juive d'un quartier marchand de Bucarest. Elle avait moins de trente ans. C'était la fille unique d'un rabbin qui jouissait d'une grande considération, non seulement parmi les juifs, mais même parmi les chrétiens.

L'ESPIONNE

Hanna Tauler était laide, très laide. Comme rarement une jeune fille peut l'être. Elle était malade de phtisie et avait passé l'âge du mariage, sans que personne ne se présente pour l'épouser malgré une assez jolie dot que son père lui offrait. Pourtant dans ces milieux la dot compte plus que l'aspect physique de la mariée. Mais dans son cas, elle n'avait pas joué son rôle car il ne s'était même pas présenté un vieillard pour demander au sage rabbin sa fille en mariage. Partout et toujours, il se trouve un homme pour demander une vieille fille en mariage, malgré sa laideur, malgré sa répugnance physique. Hanna Tauler ne fut même pas demandée par un aveugle. Elle n'était pas seulement laide, mais sale ; sa négligence était sans pareil. De sa vie, elle n'était jamais allée chez le coiffeur, elle n'utilisait même pas de peigne ; elle ne se lavait pas. Elle coupait toute seule, avec des ciseaux, ses cheveux à la hauteur de la partie inférieure des oreilles. Et quand ils étaient ravagés par le vent, ou le matin quand ils lui tombaient dans les yeux, elle les redressait avec ses doigts. C'était son peigne. Elle avait une chevelure chétive, des cheveux rares, trop lisses et sans éclat ni couleur précise. Tous les regards évitaient Hanna Tauler. Elle comprit. Très vite. Et elle fit tout pour décourager les yeux de se poser sur elle. Elle devenait de plus en plus répugnante.

Hanna Tauler a connu la solitude dès son enfance, du fait qu'elle était juive, atteinte de phtisie, considérée comme très contagieuse et parce qu'elle était laide, sale et négligente. Hanna Tauler n'était ni intelligente ni bête. Elle était extrêmement rusée et orgueilleuse.

Pour des natures comme celle de Hanna Tauler, les seuls débouchés pour s'épanouir et avoir ce qui leur manque, l'admiration, la crainte, l'autorité, c'est de devenir intendante d'orphelinat, directrice de cantines pour les pauvres, visiteuse de prisons, organisatrice d'œuvres de charité... Pour elle, il était facile d'accéder à toutes ces professions qui lui auraient donné ce que la vie lui refusait, un entourage qui la craigne, la flatte, l'admire et tienne à gagner ses grâces. Son admirable père étant rabbin, on pouvait la placer dans une de ces œuvres. Hanna Tauler aurait réalisé sa vie, sans être belle, sans être bonne, sans être propre, sans effort aucun. Mais elle ne profita pas de ces débouchés que la vie offre aux refoulés, aux frustrés, aux laids, aux malades, aux infirmes physiques et moraux. Elle devint révolutionnaire. Pour l'être, il faut un minimum de lecture. Il faut lire au moins les feuilles ronéotypées ou tapées à la machine que des groupes de gens écrivent et distribuent en cachette. Elle ne connaissait aucun groupuscule révolutionnaire. La vérité est qu'en ce temps-là, il n'y en avait pas. Elle devint révolutionnaire dans le sens le plus primitif, le plus rudimentaire, le plus analphabète du terme : elle devint nihiliste. Un nihiliste est un homme qui, même s'il est tout seul, a la conscience d'être une révolution complète. Sans camarades, sans programme, sans rien. Un nihiliste est un homme qui est lui-même une révolution intégrale. Pour cela il n'a qu'une chose à faire, être contre tous et contre tout : contre l'ordre, contre les parents, contre la police, contre les voisins... Tout est bon à attaquer. On est contre les jupes longues, contre les jupes courtes, contre les jupes en général. Et si on est contre, on est nihiliste. Véritablement.

Hanna Tauler était devenue nihiliste. Pour s'extérioriser et se prouver à elle-même qu'elle était nihiliste, en dehors de la haine contre son père, contre ses élèves, contre ses coréligionnaires, contre les synagogues et les églises, elle passa à l'action. Elle fit des achats au Marché aux Puces de Bucarest où son père était rabbin

et qui porte le nom de Taika Lazar (Le père Lazare)
peut-être parce que, de même que le Christ ressuscita
Lazare, de la même façon les marchands de ce quartier
de chiffonniers ressuscitent tous les objets morts, irrécupérables et leur donnent une nouvelle vie. Hanna
Tauler acheta dans ce marché de ferraille où on trouve
de tout, un sac de grenades ramassées par des gosses
dans les terrains vagues. Elle étudia leur fonctionne-
ment. Toutes étaient hors d'usage, il fallait les remplir
avec de la poudre, les recharger. Mais elle y arriva.
Avec l'aide des vieux ferrailleurs. Elle dépensa pas mal
d'argent : une bonne partie de sa solde d'institutrice
de l'école confessionnelle juive. Elle possédait maintenant une bonne douzaine de grenades. Elle les mit
dans un sac, avec une mèche et de l'essence, comme on
lui avait dit de le faire. Elle déposa ces engins sous
une banquette dans le Palais du Parlement Roumain.
Hanna Tauler était convaincue que la face du monde
changerait, que le paradis des nihilistes et des réformateurs serait instauré sur terre grâce à ses grenades.
   Elle agit en secret. Sans complice. Elle tapa à la
machine un manifeste signé « Parti Communiste Roumain »...
   Le résultat fut plutôt lamentable. En dehors de
quelques chaises et de quelques mètres de velours et
de moquette brûlés, il n'y eut pas de dégâts impor-
tants. On n'entendit même pas la détonation. Les grenades n'explosèrent pas comme elles doivent le faire
mais seule la poudre, qu'Hanna Tauler avait mise
dedans, fit de la fumée et les plus grands dégâts furent
provoqués par l'essence dont elle avait imbibé l'emballage...
   C'était la première fois depuis que la Roumanie
existe qu'un attentat était commis, et la Roumanie a
deux mille ans, le même âge que l'Eglise.

Au Parlement. Et cet attentat était l'œuvre du Parti Communiste Roumain. Il était signé. Le premier problème était qu'il n'existait pas de Parti Communiste Roumain. Il y avait à Jassy quelques personnes, des intellectuels surtout, qui avaient purgé des peines en Sibérie sous le régime tsariste. Comme ils étaient presque tous de bonnes familles et influents, on les avait relâchés. Ils avaient passé la frontière et formé à Jassy, la capitale de la Moldavie, un groupement de soi-disant révolutionnaires. Mais c'étaient des humanistes et des humanitaires. Ils étaient contre la police secrète, contre l'esclavage en Russie et contre l'injustice. La majorité de ces gens étaient déjà bourgeoisement établis, c'étaient des avocats, des écrivains, des professeurs d'université, des prélats... Ces intellectuels humanitaires, de la même classe spirituelle que Dostoïevski, Pouchkine, et Tolstoï, ne pouvaient être soupçonnés d'être les incendiaires du Parlement Roumain.

Ils avaient à Jassy une revue intitulée « La Vie Roumaine » où ils écrivaient tous, en exposant clairement leurs idées. Personne ne leur porta grief. Plusieurs furent choisis comme ministres, comme Constantin Stere.

Malgré les efforts de la police, on n'arriva pas à découvrir le moindre embryon de Parti Communiste Roumain. Le royaume avait des rêveurs, des nihilistes, des socialistes, des adeptes de Romain Rolland, de Gandhi, de Jean Jaurès, de Darwin, mais pas de communistes. Hanna Tauler fut plus enragée que la police, elle cherchait à être connue, condamnée, admirée, adulée. Et elle se dénonça elle-même. Il était difficile de la croire. Et quand elle s'accusa, les policiers, qui étaient des amis de son père rabbin, l'envoyèrent promener, la qualifiant de mythomane, de folle. L'affaire fut classée. Ou presque. Mais elle fournit la preuve que c'était elle qui avait acheté les grenades, qui les avait chargées, qui les avait imbibées d'essence et déposées sur l'ordre du Parti communiste dans le Parlement Roumain. Hanna Tauler ne put jamais fournir les noms des dirigeants du Parti communiste qui lui avaient ordonné de commettre l'attentat.

Elle affirmait qu'elle préférait mourir plutôt que de dénoncer ses camarades et ses chefs, qui en fait n'existaient pas. Elle se fit arrêter, envoyer devant le Tribunal Militaire. Et, c'est alors que se produisit le miracle : on vit arriver à Bucarest des milliers de journalistes étrangers pour assister au procès de Hanna Tauler. Les meilleurs avocats de France, d'Angleterre et d'Allemagne offrirent leurs offices pour défendre la grande, la courageuse, la martyre Hanna Tauler. Il y eut d'innombrables commissions de juristes, des délégations de la Ligue des Droits de l'Homme, de la Croix-Rouge Internationale et de la Ligue des Nations pour vérifier les conditions de détention de la grande révolutionnaire Hanna Tauler. Pendant des mois et des mois après l'arrestation, pendant la durée du procès et des mois après la condamnation, la presse étrangère des cinq continents et toutes les institutions humanitaires et juridiques envoyèrent des commissions d'enquête. On rappelait dans les journaux tout ce qui concernait Hanna Tauler : ce qu'elle mangeait à son petit déjeuner, à midi et le soir, chaque jour, quels étaient ses heures de promenade, à quelle heure elle se couchait et se réveillait, quels journaux elle lisait, quels étaient les noms de ses gardiens, de ses juges, combien de mètres cubes d'air contenait sa cellule, combien d'enfants avait le président militaire du tribunal et pourquoi il était président du tribunal. On publia même les portraits et les biographies complètes des gardiens, des gendarmes, des avocats avec le roman de leur mariage... La photo de Hanna Tauler fut plus diffusée à cette époque que celle de Greta Garbo, la première vedette de cinéma du monde. Tous les articles, les photos, les livres, les enquêtes avaient deux buts : montrer combien était grande, combien était géniale Hanna Tauler. Jeanne d'Arc était une naine à côté d'elle. Le second but était de montrer que la Roumanie était le pays le plus barbare de la terre, que les gendarmes et les policiers prenaient au petit déjeuner une tasse de sang prélevé sur les prisonniers politiques d'origine juive, que le roi était un ivrogne, que la magistrature était corrompue, que le peuple était tenu dans un esclavage pire que celui qui existait au Moyen Age. On décrivait dans tous les journaux de la terre des Roumains sauvages qui n'avaient pas dépassé le stade des Noirs.

Ce pays immonde faisait la honte du genre humain, pour avoir martyrisé une héroïne si admirable. Depuis la dénonciation de Hanna Tauler comme incendiaire du Parlement, elle était naturellement considérée partout et par tous comme le valeureux chef du Parti Communiste Roumain. Le problème était qu'il n'y avait pas de Parti et par conséquent il ne pouvait y avoir de chef ! La Roumanie était composée de vingt millions d'habitants, la majorité étant des paysans pauvres : plus de quatre-vingt-dix pour cent. Le reste de la population était divisé entre les fonctionnaires de l'Etat et les marchands, les financiers, les hommes d'affaires, en un mot la bourgeoisie, qui était entièrement d'origine étrangère. Le Roumain aime être paysan ou fonctionnaire. Et même s'il avait voulu être bourgeois, il n'aurait pas réussi ; c'était un privilège des étrangers...

Pendant les deux ans que dura l'affaire Hanna Tauler, on a tant parlé de la Roumanie, et en termes si cruels que les enfants du monde entier se réveillaient la nuit en pleurant, parce que dans leurs cauchemars ils étaient tombés dans les griffes des sauvages de Roumanie ! Le gouvernement et le Tribunal Militaire auraient voulu fermer le dossier mais la presse étrangère avait besoin d'une vedette et d'une martyre qui souffre pour l'humanité, pour l'instauration du Paradis sur terre. On décida de condamner Hanna Tauler au minimum de prison, avec déduction des mois qu'elle avait passés en détention préventive. Malgré cela, la boue ne cessait d'être jetée sur la Roumanie. On annonça que le gouvernement avait essayé de l'empoisonner, qu'elle était malade et qu'on lui refusait les soins médicaux. On prétendit qu'elle était au secret. On relogea le directeur de la prison dans une autre maison du quartier et on transforma son appartement après l'avoir refait, peint et meublé, en salle de réception pour Hanna Tauler ; car elle recevait tout ce qui existait comme personnalités du monde de la presse, du cinéma, de la politique, de la radio... Etant donné la qualité des visiteurs, on dut installer des fauteuils, un bar, des valets, c'était une réception perpétuelle. Malgré cela la Roumanie restait le pays des sauvages... Même le roi de Roumanie n'a pas été autant photographié que Hanna Tauler. Depuis deux millénaires que la Roumanie existe, on n'a jamais tant écrit sur ce pays rond comme la lune ou comme un pain de campagne qui se trouve au bord du Danube, dans les Carpathes. Et on disait seulement que les Roumains étaient des sauvages et qu'une seule personne était admirable : Hanna Tauler !

C'est tout ce que le professeur Léopold Skripka connaît d'Hanna Tauler. Tout le monde en sait autant que lui. En tout cas, le portrait d'Hanna Tauler est célèbre d'un pôle à l'autre plus que ceux des stars de cinéma...

— Bien sûr que je connais Hanna Tauler, mon cher Moïse Silberman... Je vis sur terre. Et tout homme a vu, au moins une fois par jour, depuis plus de deux ans, dans son journal quotidien la photo de la grande martyre du capitalisme, des réactionnaires et des antisémites. Tout le monde connaît son histoire, certes, mais la véritable, celle racontée par les journaux... Pour faire pleurer les lecteurs... Mais je t'avertis que j'ai encore trois minutes et que je t'abandonne...

— Savez-vous, Herr Doktor, que Hanna Tauler s'est évadée ? dit Maître Moïse Silberman. C'est le Comité International du Secours Rouge qui a envoyé un commando de spécialistes pour la faire évader.

Moïse Silberman s'arrête pour étudier la réaction produite par cette nouvelle sur le professeur Léopold Skripka. Le député de Kichinev est indifférent à la nouvelle. Sa principale préoccupation est d'arranger le nœud de sa cravate devant la glace. Les nœuds de cravates étaient la spécialité de Léopold Skripka. Il était arrivé à un tel art que le nœud semblait posé, comme une fleur, sur le tissu... Il n'était ni trop serré, ni trop lâche. Une véritable fleur.

— Tout est bien qui finit bien... En Amérique la censure interdit les films sans happy end.

Moïse est perplexe.

En parlant, le professeur a conclu les deux problèmes : l'évasion de Hanna Tauler et le nœud de sa cravate.

— Les deux sont bien finis, maintenant en route, mon cher Moïse...

— La presse n'a rien dit sur cette évasion, Herr Doktor... Elle a eu lieu cette nuit à deux heures quarante. La nouvelle est arrivée trop tard pour les journaux du matin... Le gouvernement est très ennuyé par cette évasion... Je vous dis que c'est l'œuvre d'un commando de professionnels venus spécialement des Etats-Unis, d'Allemagne et d'Angleterre pour faire évader Hanna Tauler...

— Je suis très content pour elle... dit le professeur Léopold Skripka.

— Vous êtes réellement content de son évasion ?

— Chaque fois qu'un prisonnier s'évade et chaque fois qu'un autre gagne le gros lot à la loterie nationale, je suis content. Très content. J'affirme que je suis plus content que si c'était moi qui m'évadais ou gagnais. — C'est tout ce que Léopold Skripka trouve à dire sur cette évasion. Il est satisfait. — Allons Maître Moïse Silberman... Alors ? C'est donc pour me communiquer en premier la nouvelle de l'évasion ?... Personnellement cette personne ne m'intéresse pas. Elle est trop laide. Terriblement laide. Et sale.

— C'est tout ce que vous me répondez ?

— Ce n'était pas la peine de te déranger et de me déranger pendant mon bain pour me dire une chose qui même si elle me fait plaisir, ne m'intéresse à aucun point de vue. Je l'aurai lue demain matin dans les journaux.

— La chose terrible, je ne l'ai pas encore dite. Tous les policiers, tous les gendarmes et tous les garde-frontières ont déjà reçu la photo de Hanna Tauler. Et l'ordre de l'arrêter ou de l'abattre. Sa tête est mise à prix. Un million cash à celui qui fournit des renseignements conduisant à son arrestation. Un million, Herr Doktor. Avez-vous bien entendu : ils offrent un million pour Hanna Taùler. Son évasion est annoncée à toutes les polices... Demain matin, la nouvelle sera à la première page de tous les journaux. Avec une grande photo. Il y a des millions de gens pauvres qui feront n'importe quoi pour toucher la somme.

— C'est certain, Moïse Silberman... Tous les

pauvres vont rêver de toucher un million en la dénon-
çant... Il me reste une minute. Si tu as encore un mot à
dire, dépêche-toi...

— Il faut sauver Hanna Tauler, Herr Doktor... dit
Maître Moïse Silberman.

— Elle s'est sauvée déjà, n'es-tu pas venu me dire
qu'elle s'est évadée ?

— Elle est en fuite, mais il reste à la sauver...

— Maître Silberman, vous ne manquez pas de
logique, n'est-ce pas ? Vous avez avoué que c'est un
commando international du Secours Rouge, des professionnels recrutés aux U.S.A. en Angleterre, et en Allemagne qui s'en sont occupés. Les spécialistes savent
cacher les évadés. Le principal est fait. Il s'agit de
personnes hautement qualifiées. En outre, le Secours
Rouge International possède les moyens financiers de
cacher ses protégés. Ne vous faites pas de bile inutilement...

— Vous avez parfaitement raison, Herr Doktor.
Mais, malgré ces professionnels qui l'ont fait évader et
qui la protègent, et malgré les moyens du Secours
Rouge, Hanna Tauler ne sera réellement en sécurité
que si elle arrive dans le pays des Soviets. En U.R.S.S.
A Moscou. C'est Staline, le Généralissime, qui a donné
au Secours Rouge l'ordre de la transporter au Kremlin. Elle y est son invitée personnelle. On a aménagé
ses appartements. Elle y séjournera autant qu'il sera
nécessaire.

— Si le Généralissime Staline, le Tsar Rouge de
Moscou et de toutes les Russies, le commandant et le
maître de tous les communistes de la planète invite
Hanna Tauler chez lui au Kremlin, il va de soi qu'il a
envoyé aussi les moyens de transport... Il ne l'a pas
invitée à venir à pied à Moscou et sans escorte...

188

Soyons sérieux. Ce n'est pas la peine de pleurer sur le sort d'une personne qui est invitée à séjourner au Kremlin et qui est l'hôte et la protégée de Staline le maître suprême des deux cents millions de Russes et de tous les communistes de la terre. Je voudrais bien être à la place de Hanna Tauler...

— Ne plaisantez pas, Monsieur le Professeur. Tout ce que vous dites est vrai. Plus que vrai. Vous êtes un prophète. Comme Isaïe. Comme Ezéchiel. Vous avez deviné que le Généralissime a mis tous les moyens à la disposition du Secours Rouge International pour que Hanna arrive saine et sauve au Kremlin, demain soir, vers dix-huit heures. Les préparatifs pour la réception de la Camarade sont en cours. Les articles qui salueront son arrivée à Moscou sont déjà écrits. Ses portraits en affiches sont prêts à être collés sur tous les murs.

— Tant mieux pour elle, le pauvre laideron, dit Léopold Skripka. Elle a réussi sa carrière. La voilà Tsarine Rouge de Moscou et de toutes les Russies, maîtresse du Kremlin ! Maintenant adieu, cher Maître et merci pour les nouvelles...

— Une seule phrase et vous pouvez partir... Laissez-moi dire une seule phrase... La plus importante. Pour ne courir aucun risque, on a décidé que Hanna Tauler voyagerait de Bucarest à Kichinev dans votre compartiment officiel des Wagons-Lits... Là, personne ne la dérangera. Tout le monde vous connaît. Vous aurez une femme dans votre compartiment. Elle pourrait être votre épouse, votre sœur, votre maîtresse... En aucun cas, un policier ne vous dérangera. Aucun contrôleur de train. Aucun gendarme. Personne, même pas un ministre n'osera ouvrir la porte de votre compartiment, en sachant qu'il y a une femme dedans... Ni lui demander ses papiers d'identité. Toute la nuit, pendant le voyage Bucarest Kichinev, Hanna Tauler sera en sécurité. Dans votre compartiment officiel. Plus tranquille que dans le sein d'Abraham. Demain à sept heures, elle descendra dans la gare de Kichinev. Elle sera tout de suite prise en charge par des spécialistes hautement qualifiés du Secours Rouge International. Pour vous dire qu'aucun détail n'est négligé ce sont des Camarades habillées en infirmières de la Croix-Rouge roumaine qui viendront la prendre sur les marches du wagon-lit. On la transportera dans une ambulance de la Croix-Rouge — une ambulance authentique — jusqu'au Dniestr, à moins de trente kilomètres. Le Dniestr est gelé. Elle passera de l'autre côté comme on traverse une rue. Et sur l'autre rive l'attend l'avion personnel du Généralissime Staline qui l'amènera à Moscou... Elle sera reçue à l'aéroport par tout l'appareil du Parti et avec la musique militaire dans Moscou pavoisé et fleuri, rempli de ses photos... Merci, Herr Doktor...

— Merci pourquoi ? dit Léopold Skripka... Tu ne t'imagines pas que j'ai travaillé toute ma vie pour devenir subitement bagnard... Car malgré mon mandat de député, malgré mes amitiés politiques, je serai condamné au bagne. Avant d'être traîné dans la boue. C'est la loi. Celui qui cache les bagnards évadés le devient lui-même automatiquement. Dura lex, sed lex. Toi, Maître Silberman, tu connais les lois mieux que moi. Tu es avocat..

— Personne n'osera demander qui est la femme que vous avez introduite dans votre compartiment... Vous êtes l'illustre député, maire et professeur, Léopold Skripka... Il n'y a que dans votre compartiment que Hanna Tauler puisse voyager sans courir de risque. Vous ne perdez rien, absolument rien... Vous n'avez qu'à gagner... Tous les communistes du monde garderont le nom de Léopold Skripka gravé en secret dans leur cœur...

— La réponse est non ! — Le député est furieux. Il ajoute : — Vous êtes réellement fou, Maître Silberman, de me demander une chose pareille ! Et moi je suis fou de vous avoir reçu et ensuite de vous avoir écouté... Je devais agir comme tous les autres, qui ne vous ouvrent jamais leur porte...

Il sort de son appartement, avec sa petite mallette de maroquin, la plus belle qui existe en Roumanie, exécutée sur ses dessins par un grand maroquinier de Vienne. C'est à la fois une mallette, un porte-documents, une serviette... Elle est très belle et légère. On peut tout y mettre et aller partout avec, sans la laisser au vestiaire, de même qu'on n'y laisse pas son portefeuille... Léopold Skripka prend l'ascenseur. Il ferme ostensiblement la porte à Moïse Silberman qui court derrière lui. Pendant qu'il descend, le visage crispé, Moïse Silberman reste pendant quelques instants, devant la grille fermée de l'ascenseur, consterné. Il ne connaît pas Léopold Skripka sous cet aspect. Presque personne ne l'a jamais vu fâché, nerveux, crispé, en fureur. Lui l'a vu. Et après quelques secondes de réflexion, maître Moïse Silberman emprunte l'escalier en courant malgré son aspect d'infirme. Il arrive en bas, dans le hall de l'hôtel, avant l'ascenseur. Il attend Léopold Skripka devant la porte. Celui-ci serre la main des directeurs, des fonctionnaires de l'hôtel et avec son beau sourire, se dirige vers un taxi. Il feint de ne pas voir Moïse Silberman, mais celui-ci lui emboîte le pas. Et quand il monte dans le taxi, Maître Silberman s'accroche à la portière et dit en suppliant :

— Permettez-moi de monter avec vous Herr Doktor...

Afin de ne pas se donner en spectacle, il ne dit ni oui

ni non. Moïse Silberman est déjà à côté de lui, sans permission.

— Ferme la bouche et ne dis pas un seul mot! ordonne Léopold Skripka. Il y a dans la vie des choses avec lesquelles il ne faut pas jouer. Jamais. Si vous prononcez une seule parole sur cette affaire que j'ai déjà oubliée, je vous livre à la police. Entendez-vous ?

— J'ai compris répond Moïse Silberman.

Il reste muet pendant tout le parcours. Il ne bouge même pas. Il s'est collé dans le coin de la voiture et reste immobile. Léopold Skripka veut lui dire un mot. Pour lui pardonner ses propositions insensées. Mais il se tait.

Les rues de Bucarest sont verglacées. Le taxi avance très lentement.

— On doit attraper le train de Kichinev, chauffeur, dit Léopold Skripka. Dépêchez-vous !

— Ne vous en faites pas, Monsieur le Député, répond le chauffeur... Vous arriverez à temps...

Tous les chauffeurs de taxi qui travaillent dans le secteur de l'Athénée Palace, du Parlement et de la gare connaissent Léopold Skripka.

C'est le plus généreux de leurs clients. Et le plus aimable. Il leur serre toujours la main avant de quitter le taxi, même devant les ministres et les députés. Et c'est une chose que les chauffeurs de taxi n'ont jamais vue à Bucarest, qu'ils n'oublieront jamais, et chacun raconte à ses enfants que depuis quelque temps, il est apparu à Bucarest un homme pas comme les autres, un véritable monsieur, qui est député, et qui s'appelle Léopold Skripka. Et, de cette manière, avec des petits faits et gestes de rien du tout, il construit sa légende...

Avant d'arriver à la gare, Léopold Skripka se rappelle, comme par hasard, un fragment de discussion à laquelle il a participé il y a quelques jours à une réception dans les salons d'Aristide Paximade : on parlait de tout et de rien, comme dans les réceptions mondaines. Entre deux petits fours, Madame Paximade dit à Léopold Skripka, sans insister, comme on dit une phrase sans valeur dans un salon :

— Cette sale Hanna Tauler nous a fait tant de tort à l'étranger qu'on ne peut plus sortir.

Aristide Paximade était à cette époque Ministre des Affaires Etrangères de Roumanie. Une semaine auparavant il avait fait un voyage officiel à Paris. Madame Paximade dit :

— Pendant la réception que nous avons donnée à l'ambassade roumaine à Paris en l'honneur du Président de la République Française, on n'a pas cessé de parler, dans tous les coins et tout le temps de cette fille, de Hanna Tauler. Moi, j'ai dit à mon cher Aristide que cette sale fille nous fait tant de tort à l'étranger qu'il faut la tirer de force de prison et la faire évader... N'importe où. Mais qu'elle parte. Il faut la faire évader par nos soins, contre sa volonté même... Nettoyer la Roumanie. Autrement nous n'aurons plus de tranquillité. Qu'en dites-vous, cher Léopold ?

A ce moment Madame Aristide Paximade a été appelée ailleurs. Léopold Skripka oublia ses propos. Maintenant ils lui reviennent en mémoire. Clairs : comme s'il les entendait pour la première fois de la bouche même de Madame Paximade. Tous ceux qui ont connu l'ancienne Poule d'Or savent qu'elle ne prononçait jamais une parole en l'air. Tous ses mots avaient une signification. Les soi-disant discussions à bâtons rompus étaient pour elle établies comme des opérations mathématiques, où aucun chiffre et aucun signe ne peut être éliminé ou ajouté. Ses paroles signifiaient que l'évasion de Hanna Tauler était déjà décidée. Après quelques minutes d'absence, Madame Paximade est revenue auprès de Léopold Skripka et lui a demandé des nouvelles de sa femme, de sa maison.

— Un jour, je viendrai avec Aristide à Kichinev... Vous savez, cher Léopold, que je ne connais pas Kichinev ? On dit que là-bas il fait dix fois plus froid qu'à Bucarest, est-ce vrai ? On dit que le vent qui y souffle arrive en droite ligne de Sibérie, on dit que le Dniestr est gelé dans toute sa profondeur... C'est par-là qu'il faut faire sortir cette fille qui nous salit à l'étranger, cette Hanna Tauler, lui donner une paire de patins, la mettre sur la glace du Dniestr et lui flanquer un bon coup de pied au derrière... Elle sera de l'autre côté, dans son Paradis Rouge, moins de deux minutes plus tard... N'est-ce pas une bonne idée, cher Léopold ?...

— Tu es communiste, Maître Silberman ? demande subitement Léopold Skripka.

— Vous savez qu'il n'y a pas de parti communiste en Roumanie... Comment pourrait-on être militaire dans un pays où il n'y a pas d'armée ? Non, je ne suis pas membre du parti communiste...

— Mais tu es communiste sympathisant ?

— A vous, je peux le dire, Herr Doktor... J'ai toujours désiré être communiste... Dans la religion chrétienne, ceux qui désirent être baptisés mais qui n'arrivent pas à l'être, uniquement grâce à leur désir, sont considérés comme baptisés. Je suis membre du parti communiste par désir. Ils le savent. C'est pour cela, ou plutôt parce que vous m'accordez votre amitié que les spécialistes qui ont fait évader Hanna Tauler, m'ont contacté et m'ont envoyé chez vous, vous proposer de la prendre cette nuit dans votre compartiment et de la transporter à Kichinev... Je vous ai répondu le plus franchement possible.

— Tu connais depuis longtemps ces gens du Secours Rouge International qui t'ont envoyé chez moi ?

— Non, Herr Doktor... Le commando arrive de l'étranger. Il n'y a aucun Roumain parmi ceux qui ont fait évader Hanna Tauler et qui la transporteront en Russie. Ils ne connaissent même pas le roumain. Ils ont parlé allemand avec moi.

— Le Parti Communiste International t'a-t-il confié d'autres missions par le passé, en te sachant sympathisant, ou est-ce la première fois ?

— C'est ma première mission... Et elle n'a pas réussi. Il n'y en aura donc pas d'autres.

— Tu as réussi, Maître Moïse Silberman. J'accepte de recevoir dans mon compartiment des wagons-lits Hanna Tauler, et de la protéger jusqu'à Kichinev... Es-tu content ?

Moïse Silberman pleure : il ne peut pas parler ; il veut baiser la main de Léopold Skripka, mais il n'ose le faire.

— Vous aurez la reconnaissance éternelle du Parti Communiste... et de l'Internationale.

— Mon pauvre Moïse, le Parti Communiste n'a jamais eu, il n'a pas, et il n'aura jamais de reconnaissance envers personne. C'est un des points principaux de la doctrine. Si vous utilisez le mot reconnaissance, vous n'êtes pas communiste. Il n'existe pas dans le dictionnaire marxiste. C'est un mot bourgeois, pire : c'est un mot antimarxiste... Ne parle pas de reconnaissance. Ceux qui ont droit à une reconnaissance quelconque de la part du Parti Communiste sont liquidés. Car ils sont embarrassants. Ceux que l'on doit vraiment éliminer, les irrécupérables, sont ceux qui ont droit à la reconnaissance. Et on se débarrasse d'eux avant de se débarrasser des ennemis... J'ai fait mon doctorat en sociologie à Iéna, la meilleure faculté de philosophie à l'heure actuelle. Je connais la signification du mot communiste...

— Ma reconnaissance à moi vous sera éternelle... Sur moi, vous pouvez compter. Vous permettez que je descende avant d'arriver à la gare ? On pourrait me repérer.

Le taxi s'arrête. Maître Silberman disparaît comme une ombre, englouti par la nuit dans le quartier commercial de la gare. Léopold Skripka arrive deux minutes avant le départ du train. Il est en retard. Mais il ne manque pas de serrer la main du chef de train et des contrôleurs des wagons-lits. Très vite. Mais sans oublier personne.

Le contrôleur ouvre la porte de son compartiment officiel :

— Je dépose votre bouteille d'eau minérale dans le seau à glace, comme d'habitude, Monsieur le Député...

Léopold Skripka reste seul dans le compartiment. On donne le signal de départ. Le train se met en marche. Et juste à ce moment, la porte du compartiment officiel s'ouvre lentement et une silhouette enveloppée d'un châle marron entre. On voit son nez long, charnu, recourbé et jaune comme de la cire. On voit quelques centimètres de peau du visage, de la même couleur que le nez. Malgré son âge, elle semble trop grasse. Et trop grosse. Dans les journaux, Hanna Tauler, la martyre, est réduite en chair et en os. En réalité elle a une corpulence de mère de dix enfants. Léopold Skripka est debout. Il la regarde avec curiosité, avec attention, avec une certaine appréhension même. Il salue en inclinant légèrement la tête, comme on salue, dans les réunions publiques, les personnes qu'on ne connaît pas personnellement. Et Hanna Tauler le regarde dans les yeux et ne répond pas à son salut. Elle a le regard noir, orgueilleux et méchant. C'était à Hanna Tauler de saluer en premier. C'était elle qui entrait. Elle ne l'a pas fait, ce qui est un oubli grave pour celle qui sera demain soir la maîtresse du Kremlin ; ce qui est impardonnable, c'est qu'elle n'ait pas répondu à Léopold Skripka, l'homme qui lui a offert son compartiment au risque de sa liberté et de sa réputation. Il avait droit au moins à une réponse, il a reçu un regard haineux. Rouge.

Hanna Tauler est arrivée sans aucune valise. Elle ne possède même pas de sac à main. Rien que ce qui est sur elle. Quand elle s'approche de la lumière électrique, Léopold Skripka remarque qu'elle a comme les adolescents un duvet noir, un commencement de barbe et de moustache. Il a pitié. Réellement, cette fille est trop laide ! Et en plus de la laideur, avoir barbe et moustache, c'est le comble ! Léopold Skripka lui pardonne de ne pas avoir répondu à son salut et de l'avoir regardé avec des yeux d'animal méchant. Il pense que pour une femme qui sort de prison, il est normal de ne pas saluer et de regarder avec méchanceté tous les gens libres.

Dans le compartiment officiel, il y a deux larges couchettes. Hanna Tauler s'assied auprès de la porte, sans s'étendre. Elle tient le châle sur son visage et se couvre complètement. Elle fait semblant de dormir, mais elle ne dort pas : son corps bouge.

— C'est une chance qu'elle ne parle pas, pense Léopold Skripka. Son silence me lave de tout soupçon de complicité. Elle est entrée sans demander la permission. Elle s'est assise sans saluer, sans ouvrir la bouche. Si elle ne parle pas, je ne le ferai pas non plus. Elle se croit déjà la Tsarine Rouge de Moscou et de toutes les Russies. Elle sera reçue à Moscou par la populace comme la Reine du Prolétariat Universel, comme la martyre de la lutte de classe. Comme une souveraine. Elle sera transportée en cortège précédé des motocyclistes, comme les reines. On entonnera l'Hymne Soviétique pour elle, elle passera les troupes en revue. Le soir elle dînera avec le Généralissime Staline, dans la vaisselle d'or du Tsar... C'est cette femme qui aura tous ces honneurs demain soir... Dieu soit loué : il fait encore des heureux sur terre...

Après ces pensées, Léopold Skripka se rend compte que la distance sociale entre lui et la femme à l'horrible châle marron est grande ; il peut se considérer comme seul dans le compartiment. Deux hommes qui se trouvent à des milliers de kilomètres l'un de l'autre ne se voient pas, une jeune fille peut se déshabiller et se baigner toute nue. Quand un homme est à cent kilomètres la séparation la rend seule. C'est la même distance sur le plan social que ressent Léopold Skripka face à celle qui sera demain la Tsarine Rouge sur le trône du Kremlin. Il commence donc à se déshabiller, comme si elle n'était pas là. Car elle est socialement trop haut pour le voir. Skripka ouvre sa belle mallette de maroquin doublée de moire et sort son pyjama de soie. Il range sur le portemanteau son pantalon, son veston, sa chemise, et, torse nu, fait sa toilette en se lavant avec volupté, avec beaucoup d'eau, beaucoup de savon. C'est un de ses plaisirs les plus grands. Il se lave les dents avec son dentifrice commandé en Allemagne. Puis il ouvre son flacon d'eau de cologne, en verse largement dans la paume de sa main gauche et se frictionne la poitrine, le visage, le cou, les jambes. Il répète ces gestes en utilisant maintenant la paume droite. Aucune brosse ne remplace l'eau de Cologne pour le massage, chaque soir. Il enfile ensuite son pyjama de soie couleur de miel et se prépare à s'étendre sur le lit et y allumer une cigarette blonde pour la fumer dans le noir, toutes lumières éteintes. Il est impossible de savourer une cigarette de qualité quand il y a de la lumière. Dans le noir, la saveur est incomparablement plus grande. Cette minute qui précède la détente est interrompue par une voix rauque d'eunuque. C'est Hanna Tauler qui parle. Sa voix est aussi laide que son visage. Pauvre Tsarine Rouge...

— Vous avez de l'eau de Cologne ?

Elle prononçait ce mot comme on dit Thylyphone, au lieu de téléphone, ou Mierci au lieu de merci...

— Oui, Madame, j'ai de l'eau de Cologne, répond Léopold Skripka, amusé.

C'est une voix sinistre, et une prononciation semblable à celle des mauvais théâtres d'autrefois...

— Voulez-vous my donnyier un pieu di Colonyia ?

Léopold Skripka lui tend la bouteille après avoir ouvert le bouchon. Car il la soupçonne de ne même pas savoir ouvrir un flacon.

— Ça sent bon, bon, très bon... Puis-je prendre un peu di Colonyia ?

Elle s'en verse dans la paume, se frotte le visage, les mains, et le cou. Sans se dévoiler. Elle fait ces gestes avec un mélange de féminité, de sauvagerie et d'enfantillage. Elle respire ensuite encore une fois le flacon, en l'introduisant presque dans sa narine droite.

— C'est bon la Colonyia... Très bon.

— Gardez le flacon, Madame, dit Léopold Skripka. Je vous l'offre.

Subitement elle se redresse. Elle se bute. Son regard devient hostile. Elle tend le flacon. Comme elle tendrait un poison qu'elle ne voudrait pas, avec horreur, avec crainte.

— Je ne veux pas, crie-t-elle.

Léopold Skripka bouche le flacon, toujours amusé.

C'est le même amusement que ressentaient probablement les marins occidentaux en offrant des miroirs aux indigènes d'Afrique ou des Amériques. Car dans les gestes d'Hanna Tauler, il y a comme chez les sauvages du plaisir, de l'amusement, mais aussi la peur du diable et de la sorcellerie. Certes, elle ne croit pas au diable au sens où il est imaginé par les autres hommes : mais Léopold Skripka et sa Colonyia sont le diable et ses tentations telles que peut les concevoir à la manière communiste une future tsarine rouge. Léopold Skripka constate automatiquement, parce qu'il est docteur en sociologie (pour cela seulement et pas pour des raisons politiques), que la Passionaria, l'héroïne Hanna Tauler, la victime du Capitalisme, la Jeanne d'Arc du Communisme et la championne du combat révolutionnaire est, au sens propre du mot, une sauvage. Une vraie femme sauvage, superstitieuse, sale, qui craint les mauvais esprits logés dans un flacon d'eau de Cologne. Et les sortilèges que les voyageurs portent dans leurs valises. Elle apparaît, aux yeux du sociologue, non seulement comme une sauvage, une superstitieuse, mais aussi comme une gourde, une laide et un être méchant et mal élevé. Une femme cruelle. Elle prend plaisir à ne pas dire bonjour, à ne pas répondre au salut. C'est d'autant plus grave qu'elle est institutrice (pas institutrice d'Etat — avec des diplômes — mais tout de même institutrice) dans l'école des pauvres juifs de son quartier. Elle est obligée, par son métier, d'apprendre aux enfants à dire bonjour. Et, comment peut-elle enseigner si elle ne le fait pas ? Et, ce qui est plus grave encore, c'est que si la révolution dont elle est devenue l'héroïne se réalise, elle commandera des millions d'hommes et d'enfants, leur interdisant de dire bonjour, leur ordonnant de craindre les esprits mauvais cachés dans les flacons d'eau de Cologne et dans les mallettes des voyageurs. L'humanité descendra avec de tels Führers, à l'âge de la pierre... Le sociologue Léopold Skripka est triste. Il veut en savoir davantage sur le comportement des futurs commandants du monde concentrationnaire, sur Hanna Tauler. Il demande :

— Pourquoi n'avez-vous pas répondu à mon salut, Madame ?

— Etes-vous capitaliste ? demande-t-elle, le regard cruel.

— Pas encore, chère Madame... Je ne suis pas encore un véritable capitaliste, mais je fais tous les efforts possibles, et je m'emploie de mon mieux à le devenir un jour... J'espère réussir. Et j'aimerais devenir un grand Capitaliste, pas un capitaliste ordinaire...

— Dommage, dit-elle...

— Pourquoi dommage ? Il n'est rien de plus agréable que d'être capitaliste, c'est-à-dire posséder beaucoup d'argent, pouvoir le dépenser. Ce n'est pas dommage d'être capitaliste, c'est une grande chance ! Tous les hommes de la terre rêvent de le devenir. Même ceux qui n'ont aucune chance tentent de réaliser leur rêve par la loterie nationale...

— Tous les capitalistes seront fusillés... dit-elle. Tous les capitalistes sont les sangsues du peuple, les parasites de l'humanité, la classe des oppresseurs et des spéculateurs. On les fusillera tous, jusqu'au dernier...

Le communisme de la pauvre héroïne internationale est un communisme d'analphabète et de sauvage. Et ce qui dérange le plus Léopold Skripka, c'est qu'elle fait des fautes de grammaire tout le temps. C'est impardonnable pour une institutrice, comme il est impardonnable pour une marxiste d'être superstitieuse à la manière des sauvages...

— Pourquoi m'avez-vous cachée dans votre compartiment si vous êtes un capitaliste ? demande-t-elle, très méfiante.

— Parce que les capitalistes sont des gens polis. Ils font des efforts pour l'être. Cela, bien sûr, tant qu'ils sont encore en vie... Car, d'après ce que vous avez dit tout à l'heure, vous allez les tuer tous... Et on n'aura plus de capitalistes ni de politesse. Décapités ! Ensemble !

— Pourquoi êtes-vous poli avec moi ? demande-t-elle. Vous savez que je vous tuerai de ma propre main le jour où la révolution sera instaurée, où, nous les opprimés, nous prendrons le pouvoir. Je vous chercherai partout pour vous tuer, personnellement. Espérez-vous sauver votre vie en me cachant cette nuit dans votre compartiment ? Cela ne vous servira à rien ! Car nous ne nous laissons pas acheter par la politesse. Vous serez fusillé, ce n'est pas en me cachant cette nuit que vous sauverez votre vie ; cela afin que vous le sachiez... Les communistes et les chefs des opprimés sont incorruptibles... Votre manœuvre de corruption ne prendra pas...

Léopold Skripka a étudié à l'Université d'Iéna, pendant des années les théories de Karl Marx, d'Engels, de Fuerbach, de Lénine, et il ne peut pas croire que ces belle théories puissent être si facilement transformées en boue, en haine et en cruauté...

Un élève de la dernière classe au lycée de Kichinev, Virgil Gheorghiu, lui a donné une poésie dédiée à sa femme, dans laquelle l'adolescent écrit : si blanche et si pure que soit l'étoile de neige, dès qu'elle touche la terre, elle devient de la boue... C'est la même chose avec les belles théories de justice sociale de Marx, Engels, Lénine, Fuerbach... Dès qu'elles tombent dans le cerveau de Hanna Tauler, de Staline, des chefs de prisons et de camps de concentration, ces belles théories pures comme le flacon de neige deviennent de la boue, du sang et des larmes...

Léopold Skripka sait que ce seront toujours des gens comme Hanna Tauler, comme Staline, comme les chefs de la Milice Rouge et les commandants des prisons qui appliqueront ces belles théories, qui mettront le communisme en pratique, qui réaliseront les idées. Et alors il n'y aura plus d'idées, mais de la boue et du sang. Les hommes d'action qui les appliqueront seront tous des hommes sans idées, des sauvages cruels. Ils porteront les drapeaux de Marx, d'Engels, et des théoriciens pour commettre des massacres, des exterminations, pour créer des camps de concentration, des républiques pénitenciaires, des Etats cages. Ils transformeront en actes bestiaux, en caricatures, en vengeances et en actes sanglants toutes les idées...

— Dommage pour les étiquettes... Car les étiquettes sont jolies...

— Comment avez-vous été contacté par le Secours Rouge ? demande Hanna Tauler...

— Je ne comprends pas votre question, dit Léopold Skripka. Je ne connais le Secours Rouge que par ouï-dire.

— Qui vous a contacté pour vous dire de me protéger cette nuit ?

— C'est un pauvre bougre qui m'a prié de lui rendre un service personnel en vous laissant dormir dans mon compartiment, pour que la police ne vous découvre pas.

— Comment s'appelle le camarade qui vous a contacté ?

— Ce n'est pas un camarade. C'est une connaissance à moi. Que j'aime, parce qu'il est malheureux.

— Son nom, ordonne Hanna Tauler. Je veux savoir le nom de celui qui vous a contacté.

— C'est Maître Moïse Silberman... Mais c'est un acte de charité envers lui que j'ai accompli en donnant suite à sa requête... Rien de plus. C'est par pitié pour lui que j'ai cédé à sa demande.

— Moïse Silberman ? demande Hanna Tauler...

— Son regard est cruel. Du feu et de la poudre. — Je ne connais pas le nom de ce camarade. C'est certainement un pseudonyme qu'il a utilisé pour que vous ne le dénonciez pas. Ce n'est pas son véritable nom : il a bien fait de vous cacher son identité. Les règles du secret doivent être respectées. Maintenant je veux dormir. — Cette dernière phrase est un ordre, mais à peine l'a-t-elle prononcée qu'elle ajoute : — Je veux boire de l'eau.

Léopold Skripka remplit le verre. Elle attend qu'il soit plein à ras bord. Elle a soif. Une véritable soif. Elle tient le verre avec ses deux mains. C'est une habitude des prisonniers, des bagnards. Dans les prisons, quand on verse la soupe, ils tiennent tous leur gamelle ainsi. Hanna Tauler boit maintenant, en portant le verre à ses lèvres, toujours avec ses deux mains. Dans les cours des prisons, on voit les prisonniers tenir ainsi leur gamelle : c'est pour se chauffer les mains pendant qu'ils reçoivent la nourriture chaude, pendant qu'ils la mangent. Et ainsi, en la sentant avec les deux mains, ils la mangent aussi avec la peau des paumes, pas seulement avec la bouche. En tenant la gamelle ainsi ils profitent plus de la boisson et de la nourriture. Et pour rien au monde ils n'accepteraient de la garder dans une seule main. C'est comme s'ils gaspillaient une partie de leur nourriture...

— Je dors, maintenant, dit Hanna Tauler.

Elle pose le verre. Elle ne dit pas merci. Ni bonne

nuit. Elle tourne le dos avec hostilité à Léopold Skripka. Et elle essaie de se couvrir l'épaule avec le châle.

— Faites de beaux rêves, dit ce dernier. Et permettez-moi de couvrir votre épaule avec ce plaid. Je vois que vous avez décidé de ne pas vous déshabiller et d'entrer dans votre lit. Permettez au moins que je vous couvre l'épaule... Vous pourriez avoir froid. Et si vous tombez malade, vous ne pourrez plus me fusiller quand vous prendrez le pouvoir...

Elle ne dit rien. Le professeur tire le plaid sur lequel elle est étendue. Il le déplie et couvre le corps de la femme, en l'étendant sur son châle. Et en mettant les pans du plaid sous ses épaules. Afin qu'elle ait chaud. Comme on procède avec les enfants, après les avoir mis au lit. Comme la maman de Léopold Skripka le couvrait quand il était petit... Le corps de Hanna Tauler reste immobile, comme de pierre, pendant que le professeur la couvre. Il sourit : cela lui fait plaisir de se sentir couverte par des mains étrangères. Quand il était petit, et quand sa mère venait le soir le border, Léopold Skripka procédait exactement comme Hanna Tauler : il faisait semblant de dormir. Le plaisir est double de cette manière.

Hanna Tauler s'endort tout de suite. Elle dort d'un trait, jusqu'à Kichinev.

Le professeur Léopold Skripka, par contre, n'arrive pas à dormir comme d'habitude dans le wagon-lit. Il se réveille plusieurs fois et boit de l'eau minérale. Il la boit à la bouteille même ; c'est un homme qui aime la propreté, l'hygiène et il n'a pas le courage de boire dans le verre qui a servi à Hanna Tauler. Il se console de cette manie en se disant que c'est une habitude qu'il a attrapée en Allemagne, la maladie de l'hygiène, de l'asepsie. Il ne peut pas dormir, parce qu'il vit une aventure exceptionnelle. Historique. Comme il n'en arrive pas aux voyageurs de wagons-lits. La suprême aventure d'un voyageur de wagons-lits est une aventure amoureuse. Mais l'aventure de Léopold Skripka est incomparablement plus passionnante qu'une simple aventure de hasard.

Le matin, il se leva une heure et demie avant l'arrivée à Kichinev. La bagnarde continuait à dormir. Elle, qui lui avait promis de le chercher partout et de le fusiller de sa propre main le jour de la victoire du prolétariat...

Léopold Skripka se rase, il se lave en se frottant longuement, avec force, pour éveiller ses muscles insuffisamment reposés par la nuit. Après s'être lavé, frotté avec de l'eau de Cologne, après avoir limé ses ongles de mains et de pieds, il ouvre largement la fenêtre et respire profondément l'air glacé, torse nu. C'est l'air de Sibérie.

Je n'irai jamais en Sibérie, pense le professeur Léopold Skripka. Hanna Tauler m'a promis de me fusiller. Et les fusillés, on les enfouit sous la terre, on ne les envoie pas en Sibérie.

Il fait quelques mouvements de gymnastique. Plus que d'habitude. Puis il ferme la fenêtre et s'habille avec lenteur. Il met des chaussettes neuves, des caleçons neufs, une nouvelle chemise, une nouvelle cravate, comme d'habitude. Pendant qu'il est tout nu, il regarde si sa compagne bagnarde, celle qui va le fusiller n'ouvre pas l'œil. Non, elle dort profondément, comme une pierre. Sa respiration est rauque. Ce n'est donc pas une légende, qu'elle est poitrinaire. Seuls les asthmatiques et les phtisiques respirent ainsi. Le professeur met longtemps à faire le nœud de sa cravate, comme d'habitude. C'est la phase finale de son habillement, la touche de l'artiste. Il ouvre sa bouteille thermos en argent et boit une tasse de café. A chaque voyage il fait remplir sa bouteille thermos de café préparé à l'Athénée Palace. Enveloppée dans une serviette de flanelle, elle le garde chaud, bouillant même. Le café des wagons-lits est toujours mauvais. En buvant sa tasse, il regarde Hanna Tauler. Il la touche de sa main droite, et la réveille :

— Qu'est-ce que vous me voulez ? grogne-t-elle de sa voix méchante.

— Dans une demi-heure nous serons à Kichinev. C'est pour cela que je me suis permis de vous réveiller. Et maintenant puisque vous êtes réveillée, je vous souhaite une bonne journée. Avez-vous bien dormi et avez-vous fait de beaux rêves ?

— Je ne rêve jamais dit Hanna Tauler. Pourquoi me parlez-vous toujours de rêves ? On voit que vous êtes un bourgeois ! Hier soir aussi vous m'avez dit « faites de beaux rêves » ! Pourquoi me dites-vous toujours de rêver ? Je ne suis pas une rêveuse. Je suis une matérialiste, une marxisto-léniniste-staliniste. Et nous autres, communistes, nous ne rêvons pas. Nous agissons. Je ne connais pas les rêves, aucune sorte de rêves. A la place des rêves, nous avons la pensée et la dialectique marxisto-leniniste... le rêve, c'est du déviationnisme...

Léopold Skripka remarque avec satisfaction que le vocabulaire de Hanna Tauler contient quelques mots du lexique communiste. C'est déjà quelque chose.

— Désirez-vous une tasse de café, Madame ? C'est un très bon café. Il est préparé spécialement pour moi par le cuisinier de l'Athénée Palace... J'en prends toujours une bouteille thermos pleine à chaque voyage...

— Vous êtes allé à l'Athénée Palace ?

Hanna Tauler se lève sur un coude et devient subitement rêveuse. Elle est belle dans sa laideur. Car le rêve embellit tout ; il est semblable à une couche de belle peinture qui couvre ce qui est laid.

— J'habite l'Athénée Palace, dit Léopold Skripka. Il est content d'avoir trouvé un sujet qui intéresse Hanna Tauler.

— Vous habitez l'Athénée Palace ?

— Oui, madame... J'ai une chambre au mois...

— Et vous mangez aussi à l'Athénée Palace ?

— Très souvent. Quand je suis à Bucarest.

— C'est dans le grand restaurant que vous mangez ?

— Vous le connaissez ?

— Je suis passée devant l'Athénée Palace... J'ai vu de dehors le grand restaurant, avec de beaux fauteuils et des lustres... C'est celui-là, n'est-ce pas ?

C'est la femme qui parle, celle qui est passée devant le grand Palace en rêvant d'y entrer un jour. Elle est à côté de quelqu'un qui y est allé. Souvent. Qui y mange. Qui y habite...

— Voulez-vous un peu de café préparé par le chef du grand restaurant qui a des banquettes rouges et des lustres ?

— Non, dit-elle. L'air cruel. — Le jour de notre victoire, jour qui est proche, nous aurons pour nous tout l'Athénée Palace. Et son restaurant avec ses lustres. Et ses banquettes de velours... Tout. Entièrement. Uniquement pour nous, les camarades. Je suis une communiste. Et une véritable communiste ne se contente pas d'une tasse de café de l'Athénée Palace. Car, nous, les communistes nous l'aurons un jour en entier... Il appartiendra à la classe ouvrière. Je ne veux pas de votre café...

— Je m'excuse humblement de ne pouvoir vous offrir qu'une simple tasse de café de l'Athénée Palace... Si vous refusez la tasse, je boirai car j'adore le café...

— Buvez-le... dit Hanna Tauler. Je n'y toucherai pas.

Sa hargne ne rime à rien. Pour Léopold Skripka, qui manque peut-être de psychologie, le refus de Hanna Tauler est du mauvais théâtre. Mais, plus tard, il remarqua la même façon d'agir chez tous les dirigeants communistes. De tous les pays... Dans toutes les occasions.

— Voulez-vous, Madame, que je sorte du compartiment ou que je tourne le dos pour que vous puissiez faire un brin de toilette ?

— Je ne fais pas de toilette, répond-elle.

— Vous voulez peut-être encore un peu d'eau de Cologne ?

— Non !

Hanna Tauler se retourne dans son lit. Le dos au professeur. Elle refuse de lui répondre et de lui parler. Au moment précis où le train s'arrête dans la gare de Kichinev, elle saute du lit, ouvre la porte du compartiment et s'enfuit. Elle ne dit ni merci, ni au revoir, et ne jette même pas un regard d'adieu au professeur. Elle se couvre le visage de son châle et disparaît dans le corridor comme une ombre.

Léopold Skripka ouvre lentement la portière. Il regarde à gauche et à droite. Le couloir est encombré de passagers, mais Hanna Tauler n'est nulle part. Il sort de son compartiment avec sa belle mallette. Il cherche Hanna Tauler par curiosité. Elle s'est enfermée dans les toilettes. Elle sort et descend avant l'arrêt complet du train, devant tout le monde. Quatre femmes en uniforme de la Croix-Rouge l'attendent sur le quai. Elles la mettent sur un brancard et la font sortir de la gare par la porte réservée aux autorités. Sans passer par les guichets de contrôle. Le soir même, Radio-Moscou annonce l'arrivée de la valeureuse et vaillante camarade Hanna Tauler à Moscou. On

209

raconte les péripéties de son évasion d'un bagne. On affirme que sa cellule était creusée dans du sel, au troisième étage d'une saline, que les camarades du Secours Rouge International et elle-même ont plusieurs fois risqué d'être tués pendant leur fuite. On raconte aussi comment le Secours Rouge International a transporté Hanna Tauler de sa saline jusqu'à la frontière russe, en traîneau de paysans. Elle a ensuite traversé le Dniestr glacé sous le feu des mitrailleuses. Dans le territoire soviétique l'attendait l'avion personnel de Staline, qui a organisé lui-même cette évasion, une des plus aventureuses et des plus audacieuses qui ait jamais existé... Léopold Skripka écoute les nouvelles, le soir, chez lui, à Kichinev. Et le lendemain, il prend de nouveau le train pour Bucarest. Il y a une grande séance à l'Assemblée Nationale. Il ne raconte à personne, pas même à sa femme, l'aventure qui lui est arrivée dans le wagon-lit. Il préfère que personne, jamais, ne la connaisse. Mais deux jours plus tard, alors qu'il assiste à une réception donnée par le Ministre des Affaires Etrangères, Madame Paximade prend très amicalement Léopold Skripka par le bras :

— Venez avec moi serrer la main de notre génial Morouzov, le chef de la police secrète roumaine... Il le mérite : il nous a débarrassés de Hanna Tauler.

— Vraiment ? dit Léopold Skripka. J'ai appris la nouvelle par Radio-Moscou. De Kichinev, on entend très bien Radio-Moscou. Mais je me méfie toujours de la véracité des nouvelles qu'ils donnent. La moitié est fausse...

— Celle-ci est authentique... dit Madame Paximade. Maintenant nous sommes bel et bien débarrassés de cette sale fille... Elle est déjà à Moscou. Et non seulement nous avons débarrassé la Roumanie de sa présence, mais nous avons rendu aussi la liberté à trois jeunes officiers français qui étaient depuis plusieurs années enfermés en Russie pour espionnage. Staline les a libérés en échange de Hanna Tauler.

Ils arrivent devant Morouzov. C'est un petit homme trapu, presque chauve, semblable aux lithographies des bourreaux de l'Empire Ottoman. Madame Paximade lui serre la main. Le nom de Morouzov est sur toutes les lèvres, prononcé avec terreur. Mais personne ne le voit jamais. Léopold Skripka a ce privilège.

— Savez-vous comment notre cher Morouzov a transporté la bagnarde jusqu'à Kichinev ? demande Madame Paximade. Il a introduit Hanna Tauler tout simplement dans le compartiment spécial d'une haute personnalité politique. N'est-ce pas une idée géniale pour expulser clandestinement et sans aucun risque une prisonnière indésirable ?

— L'homme politique en question n'était pas du voyage ? dit Léopold Skripka. Son compartiment était vide ?

— Pas du tout... Il a voyagé avec Hanna Tauler.

— Sans protester ? demande Léopold Skripka.

Il se sent perdre son calme.

— Notre cher Morouzov sait que les Roumains sont des hommes galants. Très galants. Ils ne ferment pas la porte de leur compartiment à une femme, même si c'est une bagnarde. Et même si elle est laide. Certes, pour mettre en pratique un tel projet il faut avoir du courage et risquer gros...

— Je n'ai aucun mérite, dit Morouzov, sinon d'avoir choisi une personnalité politique qui soit en même temps un véritable gentleman. Galant avec les femmes. Et discret.

Ce fut toute la discussion. A son départ, Léopold Skripka eut l'impression que Morouzov, comme

Madame Paximade, lui serraient la main avec plus de force, et longuement, comme en remerciement... Il devina que c'est à la police secrète de Morouzov et au gouvernement qu'il avait rendu service en transportant Hanna Tauler, et non pas au Secours Rouge et à Staline. Mais il se dit, avec philosophie :

— Mon attitude aurait été la même envers Hanna Tauler. Il m'est donc indifférent que ce soit le Secours Rouge International ou Morouzov et Aristide Paximade qui se soient servis de moi comme convoyeur...

L'aventure de Léopold Skripka dans les wagons-lit fut oubliée ; comme sont oubliées toutes les aventures de wagons-lits...

XIV

PEUT-ON ETRE PLUS PAUVRE QUE LE CHRIST ?

Léopold Skripka continue à monter l'échelle sociale. Comme il l'a déclaré à Hanna Tauler, il fait de son mieux pour devenir un homme riche. Il cherche, sans négliger aucun moyen, le succès, la réussite, le pouvoir et l'argent. Sans arrêt, toujours, partout. Un jour, à Bucarest, il rencontre Virgil Gheorghiu sur la Caléa Victoria, près du Palais Royal. Que deviens-tu, mon cher ? demande Léopold Skripka. Il a sur les lèvres un grand sourire optimiste, il est plus élégant qu'auparavant. La richesse et le succès sont inscrits en grosses lettres sur son visage. Sa manière de regarder est plus sûre. Il prononce les mots et accentue les phrases comme des sentences, ce qui est le privilège des gens puissants de la terre, qui ont perdu l'habitude de converser et ne savent que donner des ordres. La peau de son visage a changé aussi : ses joues ont une autre teinte, sa peau est plus lisse. Car la peau des visages est comme une page sur laquelle sont écrits automatiquement les expériences intérieures, les échecs, le succès, et même les pensées les plus intimes. Toute la vie d'un homme ou d'une femme est écrite sur la peau de son visage. On connaît avec précision, d'après la poussière de ses chaussures et l'état de ses vêtements, l'itinéraire d'un voyageur, on sait d'où il vient selon la façon dont il est habillé. On sait même quels pays il a parcourus, quels étaient les moyens de transport et l'état des routes. De la même manière, on lit sur la peau du visage d'un homme s'il a été malade, s'il a eu des chagrins, des douleurs, des joies. Tout est inscrit. Comme avec des caractères d'imprimerie. Les lettres sont souvent profondes : ce sont des rides, comme des cicatrices au couteau.

Virgil Gheorghiu lit sur le visage de Léopold Skripka ses succès. Malheureusement, toutes les réussites de son « meilleur professeur » sont des succès terrestres, sociaux. La couleur de la peau d'un homme qui pense, cherche la vérité et reste en permanence assoiffé d'absolu et plongé dans l'esprit est totalement différente : la chair, la peau, les os même toute la matière dont est composée la personne humaine, sont *Théotheis*, spiritualisés. Le contraire est aussi vrai. Car l'esprit d'un homme peut être lui aussi, transformé en matière, terrestrifié, *géotheis*.

Virgil Gheorghiu lit sur le visage de Léopold Skripka que le professeur de philosophie a oublié tout ce qu'il a appris à Iéna. Le philosophe n'existe plus. Il s'est terrestrifié, transformé complètement en homme politique. En homme qui vit dans le présent, pour le présent. Car on ne peut vivre en même temps, ici-bas, dans le présent et dans l'éternité. Etre philosophe et politicien. Comme on ne peut naviguer en même temps dans deux barques. Les hommes à l'esprit « *terrestrifié* » sont innombrables. Ils sont pareils aux bêtes et les dépassent souvent en nombre. Quand Léopold Skripka arriva à Kichinev, avec sa science et son doctorat tout neufs, sa chair même était spiritualisée. Et c'est pour cela que Virgil Gheorghiu l'avait appelé « son meilleur professeur ». Maintenant il est déçu, ce n'est plus qu'un professeur comme les autres.

— Pourquoi ne me dis-tu pas ce que tu deviens ? demande Léopold Skripka.

Il prend son élève par l'épaule, amicalement, tendrement. Protecteur. Virgil Gheorghiu qui vient à peine de passer son baccalauréat porte l'uniforme d'Aigle du Roi, d'élève du lycée militaire de Kichinev, avec le pompon rouge, les épaulettes dorées et d'innombrables boutons bien astiqués.

— Je suis en train de faire une expérience passionnante, dit-il.

— Veux-tu prendre avec moi une tasse de café et tout me raconter ? Tu sais, tu es toujours mon meilleur élève.

Léopold Skripka et Virgil Gheorghiu entrent dans le café de l'Athénée Palace. Tout le monde salue le professeur. C'est le directeur lui-même qui vient prendre la commande.

— Dans quelques années vous allez saluer plus respectueusement mon élève que vous ne me saluez moi-même, car il sera le plus grand poète de la Roumanie.

Léopold Skripka se tourne vers Virgil Gheorghiu et lui demande ce qu'il veut boire :

— Un café crème avec des brioches.

Le café crème et ces brioches lui tiendront place de repas de midi et du soir. Depuis plusieurs semaines il ne mange que du pain et un peu de beurre. Rien d'autre.

— Parle-moi de ton expérience, dit Léopold Skripka. Tu dis que c'est une expérience passionnante.

— Je pense qu'elle l'est. Je joue mes dix-neuf ans et demi, comme un joueur de casino jette sur le tapis vert dix-neuf pièces d'or. Je perds ou je gagne. Je sais que d'habitude on perd. Et je suis disposé à perdre... C'est cette résignation à perdre tout mon capital, mes dix-neuf ans, qui a été la plus difficile à prendre. C'est

215

parce que je n'ai pas d'alternative que je les jette sur le tapis. J'ai une chance sur un million de gagner...

— Je reconnais ton goût du surréalisme, dit Léopold Skripka. Parle-moi plus concrètement. Quelle expérience es-tu en train de faire ?

— Gagner une chose impossible ou mourir. Vous savez, Monsieur le Professeur, que mon père est prêtre. Je devais l'être aussi, mais ma famille était trop pauvre pour me payer les frais du séminaire. Elle m'offrit à l'armée. Pendant huit ans, j'ai été nourri, habillé, éduqué, instruit avec les deniers du Roi, avec l'argent de l'Etat. J'avais une seule obligation à remplir : devenir officier. Moi, je voulais être prêtre. Mais puisque Dieu ne veut pas de moi comme prêtre, je me suis décidé à devenir le plus grand poète de la Roumanie. Un poète, même le plus grand, est moins qu'un prêtre, à mon avis. Mais il vient, sur l'échelle de la hiérarchie spirituelle, tout de suite après les saints et les prêtres. Pour devenir le plus grand poète de la Roumanie, je dois travailler jour et nuit, sans arrêt, et ensuite avoir de la chance et l'aide d'en haut. Des millions de gens qui partent vers les étoiles, un ou deux par siècle y arrivent. Je compte y arriver. En acceptant le risque de l'échec et de la mort honteuse... Pour commencer, j'ai décidé de ne pas être officier. Je me suis inscrit à la faculté de philosophie. Jusqu'ici, tout est normal. J'ai trois ans de délai pour me présenter à l'école des officiers. Si je ne me présente pas dans trois ans je dois rembourser à l'Etat et au Roi tout l'argent qu'ils ont dépensé pour moi durant huit ans au collège militaire. J'ai trois ans jusqu'à l'échéance. Je ne deviendrai pas le plus grand poète de Roumanie en trois ans, je n'aurai pas assez d'argent pour rembourser l'Etat. Mais je demanderai à la justice de transformer la somme que je dois en prison. Car mon père non plus ne pourra pas payer. Et j'acquitterai ma dette envers le Roi, en faisant quelques années de prison.

— Tu n'iras pas en prison tant que je serai en vie, dit Léopold Skripka. J'ai assez d'influence pour t'accorder une amnistie...

— Je ne la refuse pas... Mais, même si je dois aller en prison, je ne serai pas malheureux. Tout prisonnier est envoyé de force en prison, par une sentence. Entre les gendarmes. Contrairement à sa volonté. Moi, j'y vais de ma propre volonté... Et si on va de sa propre volonté en prison, cela cesse d'être une prison. Une cellule cesse d'être une cellule au moment même où elle est choisie en toute liberté, comme domicile, par un homme. Sans contrainte. Ma prison n'en sera donc pas une. Ce sera un choix : je ne serai pas captif. Car c'est moi qui irai de ma propre volonté derrière les murs. Je pense que je ne fais pas de faute de raisonnement et de logique...

— Théoriquement, c'est valable, dit Léopold Skripka, mais tu n'arriveras pas là. Je te sauverais de cette dette envers l'Etat. Tu auras l'amnistie...

On apporte le café crème. Le professeur, pour ménager sa ligne, boit de l'eau minérale.

— Avant cette épreuve de la prison, il y en a une autre à franchir... Incomparablement plus dure.

— Laquelle ? Je ne vois rien de pire que la captivité...

— Je dois vivre plus pauvrement que le Christ lui-même... Et voilà, Monsieur le Professeur, aucun homme n'a jamais atteint la perfection du Christ, dans aucun domaine, car il était Dieu, et ceux qui l'imitent sont des hommes... Et si parfois je ne doute pas de devenir un grand poète, je doute au contraire de pouvoir dépasser en pauvreté le Christ... Et je suis obligé de

217

faire mieux que lui dans ce domaine. C'est la société qui m'y force...

— C'est à nouveau du surréalisme, dit Léopold Skripka. Passe au concret.

— Depuis que j'ai quitté le lycée militaire de Kichinev après le baccalauréat, j'ai la permission de porter le pompon rouge, la tunique à épaulettes dorées de l'uniforme du Roi durant trois mois. Pas une heure de plus. Après quoi, je dois envoyer mon uniforme, mes brodequins, mes caleçons, ma chemise, mes chaussettes, mon mouchoir, mon col, mon pompon rouge, mon képi..., par colis recommandé au commandant du lycée militaire de Kichinev. Je n'aurai plus le droit de porter l'uniforme du Roi. Tout agent de la paix, tout policier, tout officier, pourront m'arrêter au milieu de la rue, m'envoyer au dépôt de la prison militaire, me juger pour port illégal d'uniforme, et me déshabiller, me laisser tout nu. Car durant les huit ans passés au collège militaire de Kichinev, mon père n'a pu m'acheter une paire de chaussettes ni un mouchoir ou un col blanc. Tout ce que je possède sur moi appartient à l'Etat. Et il le prendra dans trois mois. Plus de vingt jours se sont déjà écoulés. Dans soixante-dix jours je serai déshabillé. Et je serai plus nu que le Christ. Car bien qu'il fût le plus grand poète de tous les temps, et très pauvre, ne possédant ni maison, ni terre, ni barque de pêcheurs comme ses apôtres, le Christ possédait quelques morceaux de tissu qui lui servaient de vêtement dans le pays chaud où il vécut. Je n'aurai même pas cela. Je serai plus pauvre que les renards, les loups et les lapins : les bêtes sont plus riches, elles possèdent une fourrure... Malgré cette dure perspective je suis disposé à faire mon chemin, à être pour un temps plus pauvre que le Christ, que les lapins, les loups et les renards...

— Ne dis pas de bêtises, s'exclame Léopold Skripka...
Il met sa main protectrice sur l'épaule du jeune
homme. Ma garde-robe est à ta disposition à partir de
maintenant. Viens avec moi et choisis les costumes qui
te plairont. Nous avons à peu près la même taille. J'ai la
chance d'avoir plus de costumes que nécessaire, du
linge et des chaussures tant que tu en voudras ; et si
elles s'usent et que tu ne peux en acheter d'autres avec
l'argent que tu gagneras de tes poésies, ce qui est très
normal, tu viendras chercher chez moi d'autres costumes, et d'autre linge... Quand il te plaira. Comme
chez toi... Entendu ?...

Léopold Skripka regarde sa belle montre. Il jette un
billet sur la table et se sépare du poète avec le sourire
et la conscience tranquille. Car il a vraiment foi dans
l'avenir de son ancien élève. Mais Virgil Gheorghiu sait
qu'il n'est pas un moine. Il porte encore l'uniforme du
Roi et il a de l'orgueil. Il n'ira jamais chercher de
vêtement chez son professeur. Malgré l'approche fatale
du jour où il pourra, au sens propre du terme, devenir
plus pauvre que le Christ. Pour lui, le principal est de
s'occuper de l'essentiel, de la poésie. Et le reste, il sait
que cela lui sera accordé de surcroît. Et il ne se
trompe pas. Car Dieu, qui est sublime et superbe en
tout et même en plaisanteries, se charge de l'habiller
avant qu'il devienne plus pauvre que le Christ, et toujours avec l'argent de l'Etat ! Gratuitement ! Le grand
et terrible voisin de l'Est envahit la Roumanie. Les
blindés soviétiques et l'Armée Rouge occupent toute la
Bessarabie, Kichinev, la Bukovine et une bonne partie
de la Roumanie. Ces territoires occupés par l'Armée
Rouge sont annexés à l'Empire soviétique, conformément à un accord entre le Führer d'Allemagne, le chan-
celier Adolphe Hitler et le Généralissime Joseph Vis-
sarionovitch Staline. Virgil Gheorghiu, comme tous les

jeunes gens de vingt ans, est appelé sous les drapeaux. C'est la mobilisation générale. L'armée le déshabille de son uniforme d'élève du lycée militaire et l'habille aussitôt gratuitement, en soldat. L'Evangile a raison de recommander aux hommes de ne pas se soucier du lendemain : les peines de chaque jour suffisent. Et Virgil Gheorghiu ne resta pas une minute tout nu. Certes, les boutons n'étaient plus dorés. Il n'y avait plus de pompon, mais c'étaient, tout de même, des vêtements chauds. Dieu donna, par la main du ministre de la guerre, des vêtements à son poète et au poète de la Roumanie, des habits de soldat ! Il fut prouvé à nouveau qu'aucun homme ne peut être plus pauvre que le Christ, qu'on ne peut le dépasser dans aucun domaine...

XV

LA MISE A NU DU POETE

Bucarest, comme toutes les villes et les villages de Roumanie, était bondé de réfugiés qui arrivaient de Bessarabie et des autres territoires occupés par l'Armée Rouge. Les malheureux habitants de ces régions qui n'eurent pas le temps de fuir vers l'Ouest, furent déportés en masse, presque en totalité en Sibérie ; à leur place, les pays annexés par les blindés soviétiques furent peuplés d'Asiatiques. La guerre éclata aussi en Occident : c'était la seconde Guerre mondiale. La France, la Hollande, la Belgique, la Norvège, le Luxembourg, la Grèce, la Tchécoslovaquie, la Yougoslavie furent occupés non par les Rouges, mais par les Allemands.

Un jour, Virgil Gheorghiu fut apostrophé dans la rue par une voix autoritaire :

— On ne salue plus les officiers, soldat ?

Il est grave, pour un soldat, de ne pas saluer les officiers et Virgil Gheorghiu, en se retournant vers son supérieur, cherchait des mots d'excuse, bien qu'il sache par expérience qu'il n'y a aucun pardon pour les soldats en temps de guerre. L'officier qui l'apostrophait n'était autre que Léopold Skripka, « son meilleur professeur ». Il était en uniforme de capitaine d'Etat-Major. Un uniforme flamboyant, coupé dans le plus beau tissu kaki, avec toutes les décorations des officiers d'Etat-Major.

— Je suis officier à la section de propagande de l'Etat-Major explique-t-il. Quand les blindés soviétiques sont entrés à Kichinev, j'étais absent. J'ai tout perdu là-bas, maison, meubles, vêtements, bibliothèque... Je me suis réfugié ici avec ma femme et ma fille. Car j'ai maintenant une fille. Malheureusement ma femme est morte tout de suite après l'exode. Je vis avec ma fille. Elle est semblable à sa maman, la belle Héléna, ma femme, dont vous tous, mes élèves, étiez amoureux autrefois.

— La belle Héléna est morte ? demande le soldat.

— Pas tout à fait... Sa fille lui ressemble tant qu'en la regardant j'ai l'impression de voir les yeux en amande, les pommettes mongoles et le sourire de ma femme, de sa maman. Le destin m'a enlevé mon épouse, mais m'a laissé sa copie en miniature. Ma fille s'appelle Héléna, comme elle. Si vous la voyiez, vous tomberiez amoureux d'elle comme vous l'étiez autrefois de sa maman... J'ai été nommé à un collège de Bucarest comme professeur réfugié. Je suis en même temps conférencier à l'Université de Jassy. Mais je me suis enrôlé comme volontaire, car la Patrie est en danger. Je suis directeur du journal « Le Soldat ». C'est le journal de l'Etat-Major, pour toutes les troupes. Je m'emploie de mon mieux à monter l'esprit combatif de l'armée. Les idées, la justice et la liberté ne peuvent être assassinées ni exterminées par les blindés, les avions et l'infanterie Rouges. Ce sont elles qui détruisent les blindés, l'infanterie et les avions, si puissants soient-ils. Que reste-t-il des armées de Darius, de Cyrus, de Gengis Khan, de Tamerlan, de César, de

Napoléon et d'Alexandre le Grand ? Rien. Et rien ne reste non plus de leurs empires. Ce qui demeure des empires engloutis et réduits en poussière, ce sont les œuvres de l'esprit, Homère, Euripide, Pascal, Shakespeare, Tacite, Sénèque, Cicéron... Je combats avec l'esprit contre l'envahisseur. Veux-tu devenir mon collaborateur ? Je ferai le nécessaire pour ta mutation à l'Etat-Major, à la rédaction du journal « Le Soldat »... C'est très facile... Tu es Chasseur Alpin, n'est-ce pas ?

— Chasseur Alpin, service auxiliaire.

Léopold Skripka tend la photo de sa fille Héléna.

— Elle est exactement comme sa maman, la belle Héléna, la muse de tous les élèves... Que la terre soit légère sur le tombeau de notre bien-aimée et que la destinée veille sur le bonheur de votre fille...

Ils se séparèrent. Ce fut la dernière fois que Virgil Gheorghiu rencontra son « meilleur professeur ».

Le 23 août 1944, l'Armée Rouge, armée et habillée entièrement par les Américains, soutenue par les blindés soviétiques tous made in U.S.A. et par les avions offerts par l'Amérique conquirent tout le territoire de la Roumanie. Elle fut occupée par les Bolcheviques et annexée à l'Union Soviétique. Jusqu'alors, Virgil Gheorghiu n'avait aucune idée politique ; maintenant il en avait, de précises, mathématiques, irréfutables. Il savait que le communisme signifie occupation militaire, annexion des pays étrangers à l'Union Soviétique, massacres, déportations, arrestations...

Tous les Roumains savaient ce que le communisme signifie. Et ceux qui ne le savent pas encore le sauront un jour. Car chaque année, la force de conquête des Bolcheviques augmente, grâce à l'aide qu'ils reçoivent des Américains...

Virgil Gheorghiu ne réussit pas à devenir plus

pauvre que le Christ. Ce fut l'Etat qui l'habilla en uniforme de soldat. Mais le 23 août 1944, le poète connut une nudité plus profonde. Il ne fut pas dépouillé uniquement de ses vêtements, de sa chemise, de son képi et abandonné dans les rues. Son dépouillement fut pire : on lui arracha sa Patrie. C'est plus dur que de vous prendre la chemise, les caleçons, les chaussures. La patrie est pour un poète la prolongation, la continuation de son corps terrestre, de sa propre chair et de son âme. Prendre la patrie d'un poète, c'est exactement comme lui arracher la peau, avec des parties de chair et des morceaux d'os... C'est l'écorcher vif. Le bolchevisme, la Russie, le communisme étaient pour le poète ceux qui rendent nu, ceux qui mutilent, ceux qui écorchent, ceux qui prennent la patrie des autres et mettent aux fers les peuples...

Virgil Gheorghiu est-il maintenant plus pauvre que le Christ ? Sûrement pas. Car la patrie du Christ et de l'homme est mi-terrestre et mi-céleste. Le 23 août 1944, on lui a enlevé sa partie terrestre, il fut amputé de la Roumanie. Mais il était aussi le poète de la patrie d'en haut, la patrie céleste de tout homme, il était poète de l'autre roi, le Christ.

La patrie roumaine des Carpathes et du Danube peut être occupée par l'Armée Rouge et elle le fut. La patrie aux plaines bleues du ciel n'est pas accessibles aux Bolcheviques, elle est hors de portée des conquérants.

Le poète de la Roumanie et du Christ vit maintenant en exil, dépouillé de sa patrie d'en bas et espérant jouir de celle d'en haut. Il vit entre deux Patries. Une perdue et une à conquérir. Sans présent, le perdant pour gagner l'éternité. Le présent est confisqué par l'Armée Rouge, le passé est dans le souvenir, l'avenir dans la foi et dans le combat de jour et de nuit pour ne pas perdre le ciel. Car celui qui perd la patrie d'en haut après celle d'en bas n'est plus un homme, mais du néant. Le poète du Christ et de la Roumanie vit, amputé de sa patrie terrestre, mis à nu par sa perte...

XVI

MORT ET RESURRECTION DE LEOPOLD SKRIPKA

La lumière arrive de l'est. Pour les Roumains, toutes les invasions étrangères arrivent de l'Est avec leur cortège de malheurs : massacres, viols, pillages, larmes, sang, cendres, chaînes, prisons, captivité, esclavage...

Pendant ses deux millénaires d'existence, la Roumanie, à trois mille kilomètres à l'est de Paris, au nord du Danube, connut des milliers d'invasions étrangères. Toutes venues de l'Est. La dernière fut celle de l'Armée Rouge qui l'occupa le 23 août 1944. C'est le jour le plus noir de toute l'histoire roumaine. Plus noir que les invasions des Huns, des Tatars, des Mongols, des Goths, des Ostrogoths, des Turcs...

L'Armée Rouge pénétra dans Bucarest précédée d'une Milice de la Mort. C'était la brigade d'Hanna Tauler. Elle-même y est entrée debout sur un blindé, en uniforme de colonel soviétique. Elle était suivie de ses miliciens à brassards tricolores frappés de l'étoile de sang.

La Milice de la Mort, brigade d'Hanna Tauler, fut constituée dans les mois qui précédèrent l'occupation, d'individus recrutés parmi les déserteurs roumains, les criminels libérés dans les prison des Kichinev et des territoires occupés par les Bolcheviques auparavant. La Milice de la Mort était le fer de lance de l'occupation. La brigade de Hanna Tauler n'était pas une unité de combat, mais exclusivement d'extermination et de terreur. Elle fut suivie par des troupes bolcheviques de combat composées exclusivement de Mongols, de Chinois, de Coréens et autres peuples asiatiques. Il y avait un très grand nombre de femmes en uniforme parmi ces troupes.

Sur la Place Centrale de Bucarest — vide de tout habitant — Hanna Tauler proclama par *Radio-TociKa* que la ville était livrée aux valeureux conquérants qui pouvaient disposer d'elle à leur guise : tout ce qui existe à Bucarest, richesses, boissons, nourriture, femmes appartenaient aux combattants. Exactement comme on procéda plus tard à Berlin. Les habitants de Bucarest n'avaient pas le droit de fermer leur maison à clef, car leurs maisons, leurs boutiques, leurs dépôts et même leurs filles et leurs femmes ou leur propre personne ne leur appartenaient plus mais appartenaient aux conquérants. La proclamation d'Hanna Tauler fut diffusée sans arrêt, afin que tous en prennent connaissance. *Radio-TociKa*, signifie « Radio-Point ». C'étaient des appareils de T.S.F. sur lesquels on ne pouvait capter qu'une seule émission, un seul point. Tous les autres appareils devaient être immédiatement détruits sous peine de mort. *Dans toute l'Union soviétique il n'y a pas d'autres appareils*. On ne peut capter que l'émission officielle, sous peine de mort. Grâce à cela, un an après le débarquement des Américains dans la lune, les Chinois n'ont pas encore appris la nouvelle car *Radio-TociKa* ne l'a pas diffusée.

Il y a des peintures de guerre que les personnes sensibles ne peuvent regarder sans être prises de malaise. Jeronimus Bosch, Goya, Breughel ont peint des cauchemars. L'entrée de l'Armée Rouge dans la ville de Bucarest dépasse toute imagination et toutes ces peintures morbides. Les soldats envahisseurs étaient tous ivres. Ils tiraient avec leurs armes automatiques *made in* U.S.A., sur tout et sur tous. Même sur eux-mêmes. Ils étaient en crise de tuerie. Des soldats ivres étaient allongés sur les trottoirs, le long des routes. D'autres, qui ne pouvaient se lever pour tirer sur les passants ou sur les fenêtres, déchargeaient leurs mitrailleuses au hasard. Les soldats rouges entraient à n'importe quelle heure, dans n'importe quelle maison, y cherchaient des personnes de sexe féminin de n'importe quel âge et les violaient sur place, sur le plancher devant toute la famille. On violait les passantes en les allongeant sur les trottoirs, dans les rues. Ils hurlaient comme les chacals qui dévorent leur proie. Hanna Tauler livra officiellement Bucarest aux criminels. Et les criminels faisaient la loi.

Léopold Skripka se trouve à Bucarest. Il porte encore le deuil. Il n'y a pas très longtemps que sa femme est morte. Il est dans son bel appartement avec sa fille Héléna qui n'a pas encore cinq ans. Dans la nuit du 23 août, la plus sombre journée de toute l'histoire roumaine, alors que les troupes soviétiques envahissent Bucarest, Léopold Skripka dit à sa fille :

— On va partir, ma petite... On quitte tout. Et on s'en va. Vite. Le plus vite possible.

Il fait deux valises avec ses affaires et celles de sa fille. Il descend dans le garage et prend sa Lancia. Bucarest est complètement vide de ses habitants. La population s'est depuis plusieurs jours réfugiée dans les villages environnants, dans les forêts, dans les plaines, partout hors de la ville. Léopold Skripka a mis un vieux costume comme ceux des Anglais en week-end. Il n'a pas de cravate. Un simple foulard au col de sa chemise. Il a de grosses chaussures. Il veut passer inaperçu.

— Nous irons à la campagne nous y cacher jusqu'à ce que la vague de terreur cesse...

— Tu penses que ça va bientôt finir, Papa... ?

Héléna a peur, on tire de partout et partout et sur tout. Elle se bouche les oreilles et ferme les yeux.

— La première vague de conquérants est la plus dangereuse ; c'est elle qu'il faut éviter à tout prix. Les choses vont s'arranger par la suite...

— Regarde, Papa, regarde... crie Héléna en sortant du garage. Des femmes-soldats à longs cheveux noirs et au type asiatique, passent bras dessus bras dessous, les armes en bandoulière, et leurs casquettes à étoile de sang sur la tête. Elles viennent de piller un magasin de lingerie pour dames. Elles portent des soutiens-gorge roses, rouges, marines avec des dentelles, par-dessus leurs vestons militaires.

— Elles n'ont jamais vu de soutiens-gorge, s'exclame Léopold Skripka. Elles se demandent à quoi cela sert. On leur a expliqué que cela sert à couvrir les seins, ce qu'elles ont fait, sans se demander si les soutiens-gorge se portent sur la peau ou sur le veston et sur la vareuse. Elles ont compris uniquement que cela se porte sur la poitrine...

Subitement les femmes-soldats habillées de leurs soutiens-gorge sur leurs vestons et les décorations s'arrêtent. Elles regardent avec avidité la voiture blanche de Léopold Skripka.

— Superbe ! crie l'une d'elles. Superbe !

Elles apprécient la voiture sport élégante et blanche, exactement comme les soutiens-gorge rouges avec de la dentelle. Même soldats, ce sont des femmes ! Et toutes, sur l'injonction de l'une d'elle, braquent leurs carabines vers Léopold Skripka en lui intimant l'ordre de descendre immédiatement. Elles montent dans la voiture, toutes en même temps. Deux d'entre elles commencent à se battre pour prendre le volant ; c'est la plus mince, qui pèse plus de cent kilos, qui prend les commandes de la belle Lancia ! Elle fait un sourire à Léopold Skripka qui craint qu'elles n'aillent s'écraser dans le premier mur et le rassure en lui criant en russe :

— Je suis conductrice de tracteurs ; je sais diriger des engins plus gros encore...

Léopold Skripka et sa fille, dépouillés de leurs valises et de leur voiture partent à pied vers le nord. A peine ont-ils fait une centaine de mètres que des mitrailleuses installées sur les toits commencent à faucher une foule immense amassée à un carrefour.

— Couche-toi, Héléna ! Couche-toi ! crie Skripka.

Il s'étend sur le macadam du trottoir et rampe vers une porte cochère pour être plus à l'abri des balles. Il ordonne à sa fille de ramper en même temps que lui, à ses côtés.

En quelques minutes, le carrefour où était massée la foule est devenu une montagne de cadavres. Il y a cinq, six, dix corps les uns sur les autres. Car les vivants essaient de sauver leur vie en escaladant la barricade des cadavres chauds d'où coule le sang. Et les vivants sont fusillés dès qu'ils arrivent au sommet de la barricade. Et celle-ci grandit. D'autres essaient de passer sur leurs corps. Et ils tombent. Tous. C'est une véritable pyramide de cadavres, qui monte sans cesse, comme un édifice construit non pas de briques, mais de corps humains, qui viennent de s'écrouler au carrefour. Les cadavres sont superposés en désordre, en amas, les uns sur les autres par milliers. Comme les pierres et les plafonds d'une immense maison effondrée après un tremblement de terre. Le sang coule, si abondant que la petite Héléna en a jusqu'aux genoux.

— Je ne marche plus ! crie-t-elle...

Elle ne peut plus marcher, en trempant jusqu'aux genoux dans le sang chaud des hommes que les soldats rouges et la brigade d'Hanna Tauler viennent de tuer... On peut marcher avec de la neige, de l'eau, de la boue, du sable jusqu'aux genoux, mais il est incomparablement plus difficile de marcher dans le sang chaud qui se coagule sur votre peau comme une écorce rouge.

Léopold Skripka prend sa fille dans ses bras. Ils sont tous deux rouges de sang, comme des tueurs d'abattoirs.

— Pourquoi les a-t-on tués, Père ? demande Héléna.

— Parce qu'ils voulaient quitter la ville...

— C'est pour cela qu'on les a tués ?

— Oui...

— Nous voulons aussi quitter la ville, dit la fillette : on nous tuera aussi...

— Peut-être. Sois courageuse.

Léopold Skripka est docteur en philosophie. Mais il est incapable de dire à sa fille s'il vaut mieux pour eux mourir ou vivre, dans Bucarest occupé par l'Armée Rouge. Il est certes préférable de mourir comme sont morts les milliers de gens entassés aux carrefours que de voir ce carnage et patauger dans le sang. Mourir est plus digne. Mais il dit à Héléna des choses plus roses. Il est son père, son grand compagnon de fuite. Il doit l'encourager.

— Notre grande chance a été de rencontrer les femmes-soldats avec les soutiens-gorge sur les vestons, celles qui nous ont volé la voiture et les bagages...

— Tu trouves bien qu'on nous ait volé notre voiture ?

— C'est cela qui nous sauvera la vie ! Les gens qui sont sans voiture et sans bagages comme nous maintenant, ont mille fois plus de chance de se cacher...

232

— Halte ! crie un soldat russe.

Il tire sur Skripka. Mais il est trop ivre pour bien viser. Il tire en l'air. Il y a une foule de soldats soviétiques ivres morts dans ce quartier. Léopold Skripka ne peut plus porter sa fille. Il la pose par terre et la prend par la main. Il n'y a plus de rues inondées de sang, elle peut donc marcher. Il lui dit :

— On va aller vers Vatra Luminosa... C'est un quartier éloigné de la ville. Et on trouvera un endroit pour s'abriter... Ensuite on ira plus loin... Et tout finira bien. Nous vaincrons nous deux. N'est-ce pas ?

Héléna embrasse son papa. Après tant d'horreurs, avec ses jambes rouges de sang coagulé, comme chaussée de bottes de sang, elle goûte les douces paroles de son père comme on goûte un rayon de miel...

— Merci, Papa.

— Pourquoi dis-tu merci ?

— Je ne t'ai jamais autant aimé que maintenant, Papa ! dit-elle.

Jamais les gens ne s'aiment autant que lorsqu'ils sont en danger de mort ensemble. Des hommes qui se trouvent dans un sous-marin, au fond de la mer, sous le bombardement des mines anti-sous-marines et attendent leur mort, sont tous comme un seul homme. Avec un seul battement de cœur.

Léopold Skripka et sa fille, grâce à la terreur, à la peur, à l'espoir, sont devenus un seul être. Héléna a raison de dire à son père, en le baisant sur la joue, qu'elle l'aime plus que jamais. Car jamais ils n'ont été un, comme maintenant.

— Ce sont les femmes-soldats avec leurs soutiens-gorge qui nous ont sauvé la vie, Héléna, dit Skripka.

Ils avancent vers l'est de Bucarest vers le quartier de Vatra Luminosa. Tous les fuyards qui possèdent une valise, une charge quelconque sont fusillés pour être pillés. Ceux qui possédaient une voiture sont déjà morts, au bord de la route. Les gens qui ne possèdent rien comme Léopold Skripka et sa fille ont plus de chance de passer à travers les soldats ivres, assoiffés d'or et de carnage.

— On va s'abriter dans une cave, dit Léopold Skripka. Tu m'aideras à trouver une cave.

Vatra Luminosa était autrefois un village. Maintenant on a construit des immeubles neufs, mais il reste encore de vieilles maisons. A Vatra Luminosa, on est dans la ville et à la campagne. Chaque maison ancienne possède son vieux puits, son potager, son jardin à fleurs. Le professeur et sa fille ont mal aux pieds. Mais ils continuent à marcher. Le soir est proche, les passants sont de plus en plus rares. Aucun soldat rouge. Les coups de feu sont de plus en plus lointains. Derrière eux si on tourne la tête, on voit comme un feu d'artifice, au-dessus de la ville. On sent une odeur de brûlé. Car une partie de Bucarest est incendiée. La ville brûle avec des flammes plus hautes que les clochers. Heureusement, le vent est en sens contraire. On sent moins l'odeur de la chair qui brûle. En entrant dans le quartier de Vatra Luminosa, ils ne rencontrent aucun habitant. Toutes les maisons sont vides. Les anciennes maisons, avec leurs potagers, leurs fleurs, leurs puits, comme les maisons sans étage, avec des cours d'asphalte et de toits de briques rouges sont toutes vides ; les portes sont ouvertes.

Ils ouvrent la première maison. Elle est toute neuve ; les meubles sont à leur place ; dans la cuisine, tout est propre.

— Il n'y a personne ? crie le professeur...

Aucune réponse.

Ils passent dans les trois pièces. Ce sont de petits logements construits par le général Dombrowsky, l'ancien maire de Bucarest, pour les employés de la mairie. Il n'y a personne nulle part. Aucun habitant. Tous en fuite. Ils ont fui sans rien emporter. Les Occidentaux reprochent souvent aux gens d'Orient et à nous autres qui habitons la Roumanie, la Bulgarie, la Yougoslavie de ne pas avoir un art majeur, des cathédrales comme celles de Cologne, de Notre-Dame de Paris, de Chartres ou de Reims, de ne pas avoir de véritables peintures comme les tableaux de Rubens, de Goya, de Léonard de Vinci, du Tintoret... Ces reproches sont fondés, mais nous avons des Icônes en bois, grands comme les couvertures des cahiers d'écoliers. Certes c'est un art mineur. A Iéna, pendant ses études, le professeur Skripka a souvent été humilié du fait que son peuple roumain n'a pas donné au monde un Raphaël, un Michel-Ange, un Giotto, un Léonard de Vinci. Il a même craint que nous, les Roumains, nous n'appartenions à une race inférieure, sans grand souffle, privée de grands génies. Maintenant, dans cette maison de Vatra Luminosa, il remarque que les habitants qui ont fui n'ont emporté qu'une seule chose : l'Icône manque sur le mur. C'est un objet facile à emporter. Il ne manque qu'elle. Nous ne sommes pas une race inférieure, incapable de donner de grands chefs-d'œuvre. Mais nous sommes un peuple qui n'a subi que des malheurs dans l'histoire. Nous construisons, nous fabriquons, nous créons de nos mains des Icônes, des tapis, des broderies. Uniquement des choses portables. Qu'on peut prendre sous le bras à minuit pour fuir rapidement. Même nos églises sont portables : pour célébrer la Sainte et Divine Liturgie, le principal n'est pas l'édifice de granit, de marbre de bois, de pierre, mais un petit autel de soie d'une soixantaine de centimètres, pas plus grand qu'un mouchoir de poche. C'est l'antidimension, l'autel véritable qu'on peut prendre en une fraction de seconde et cacher dans sa poche pour l'utiliser comme église en exil, quand les envahisseurs arrivent, comme le 23 août 1944. On ne peut emporter Notre-Dame, ni la cathédrale de Chartres. C'est pour ces raisons que notre art est qualifié de mineur. Il est fait spécialement par et pour des gens qui s'attendent à chaque génération à être dévastés au moins une fois par les hordes de conquérants venues de l'Est.

— Il faut chercher ailleurs, dit le professeur... Ici, ce n'est pas bien pour nous.

— Elle est si gentille, cette maison, dit Héléna. Elle est fatiguée, épuisée. Elle veut s'arrêter, s'étendre, dormir.

— Il n'y a pas de cave, il faut nous cacher dans une cave.

— Dommage, dit la fillette.

Elle laisse son père la prendre par la main. Ils sortent dans la rue ; ils entrent dans la seconde maison. Conformément aux ordres de Hanna Tauler, les habitants ont laissé leurs portes ouvertes. Personne. Tout est à sa place, meubles, objets, de cuisine, provisions ; leur fuite a été précipitée. Mais là, comme dans la première maison, comme dans toutes les autres, il manque l'Icône, ce petit cadre de bois avec la peinture d'un saint ou d'un groupe de saints. Tous ont fui en la prenant avec eux. Car l'aide, pour les Roumains et tous les fuyards ne peut arriver de l'Est (d'où arrivent les envahisseurs) ni de l'Ouest (qui fournit les armes et les munitions) ; l'aide ne peut venir du Nord, ni du Sud, d'aucun point cardinal. Elle ne peut venir, comme toujours, que d'en haut. Et pour s'assurer la protection et l'aide du ciel depuis toujours, ceux qui fuient les envahisseurs emportent avec eux les Icônes du Christ des saints, des anges... Les Puissances d'en haut ont été, sont et resteront, maintenant et toujours, nos seuls alliés sûrs, nos seuls protecteurs et les seuls compagnons dont nous pouvons espérer recevoir une aide...

— Il faut chercher une autre maison. Ni les nouvelles ni les anciennes n'ont une cave... Et il nous en faut une.

Héléna oublie sa fatigue. Elle est redevenue l'enfant de cinq ans, elle se prend pour une fillette de contes de fées qui pourrait entrer dans chaque maison, visiter chaque pièce, loger où elle voudrait. Cela n'arrive que dans les histoires et les villes envahies par les conquérants...

— C'est beau de pouvoir choisir la maison qui vous plaît, d'y habiter, de la quitter quand on veut pour demeurer dans une autre et coucher dans un nouveau lit... Sans demander la permission... Sans payer de loyer... Sans rencontrer personne... Toutes les maisons sont à nous... N'est-ce pas, Papa ?

— Toutes sont à nous, à nous deux. Les gens les ont quittées pour nous les laisser, pour que nous choisissions celle qui nous plaira...

Léopold Skripka et sa fille visitent une dizaine de maisons. Ils ne portent leur choix sur aucune.

— Elles sont toutes belles, Papa, dit Héléna. Pourquoi continuer à chercher ?

Elle veut s'arrêter, elle est fatiguée.

— Oui, elles sont bien. Mais elles n'ont pas de caves...

— Pourquoi veux-tu absolument qu'on habite dans des caves, Papa, alors que nous avons toutes ces maisons, avec de bons lits, des couvertures, des coussins... Il faut s'arrêter !

— Je t'ai dit qu'il nous faut habiter dans une cave pour être à l'abri des balles...

A ce moment même on entend une nouvelle fusillade,

tout près. Un incendie éclate à deux maisons de distance. On entend des cris, des hurlements, des pleurs.
Et des crépitements de balles. Léopold Skripka entre
en courant dans une cour pleine de roses, de lilas, de
basilic et de grandes fleurs de tournesol. Ils s'abritent
en se couchant sur l'herbe, derrière un puits avec une
belle margelle de bois sculpté. Sous l'escalier, il y a
une porte ouverte, en vieilles planches de sapin.

— C'est une cave, dit Léopold Skripka. Rampe à
côté de moi.

— Non, Papa ! répond la fillette.

Devant la cave il y a de la boue, des débris de toutes
sortes.

Léopold Skripka tire sa fille, comme une bûche, en
gardant son corps tout près du sien. Les balles volent
au-dessus d'eux, elles touchent même la fontaine, la
margelle et trouent le seau de bois auprès duquel ils se
trouvaient quelques secondes auparavant. Léopold
Skripka prend sa fille dans ses bras. Il entre dans la
cave ; le plafond est en poutres pourries infestées de
toiles d'araignées, mais seulement autour de la porte.
Car elles ne tissent pas leurs toiles au fond des caves
sans air ni lumière. Ils sentent quelque chose qui
bouge et qui touche les petites jambes d'Héléna.

— Il y a des rats, Papa !

Elle s'accroche à son cou.

— Ce sont des petites souris, n'aie pas peur !

Les murs de la cave sont en torchis, soutenus par
des poutres de bois. Le sol de terre battue, surtout de
boue, de moisissure. Léopold Skripka sait que ces
caves sont désaffectées, elles ne servent plus qu'a
mettre en hiver les pommes de terre, après les avoir
couvertes pour qu'elles ne gèlent pas. Il doit y avoir
des vers de terre, des milles-pattes et au fond, dans les
flaques d'eau, des petites grenouilles. Les chauves-sou-

ris aussi se cachent parfois dans des caves ; une race spéciale qui les préfère aux toits. Le plus désagréable, c'est la puanteur de moisissure, d'humidité, et les petites bêtes rampantes, vers et escargots, qui affectionnent l'obscurité et l'humidité des sous-sols et de la boue.

— Je vais apporter de la paille, pour que l'on n'attrape pas froid car tout est humide... On va rester tant que la fusillade durera. Puis nous partirons...

Il n'y a pas de paille dehors ; Léopold Skripka n'ose pas aller chercher plus loin ; il revient et reprend sa fille dans ses bras pour la réchauffer...

— Il faut rester cachés ici pour le moment.

Les Bolcheviques et les tueurs de Hanna Tauler sont dans la rue, près de la maison. Il fait noir mais les bêtes bougent. On ne sait si ce sont des vers, des mollusques, des limaces d'égouts. Mais c'est horrible, dégoûtant.

A ce moment, le plafond est prêt à s'effondrer. Des avions passent tout près du sol et mitraillent le quartier de Vatra Luminosa. Il y a des dizaines d'avions, ils volent en cercle par vagues, en crachant du plomb et du feu sur les maisons...

— Si nous étions dehors en ce moment, nous aurions été tués, dit Léopold Skripka. C'est une chance que nous soyons ici !

Par le petit trou de la porte, on voit les grandes fleurs de tournesol, les roses et les dahlias, fauchés par les rafales de mitrailleuses ; la margelle du puits et le seau de bois sont transformés en tamis par les balles.

Héléna se met soudain à crier.

— Qu'as-tu, ma petite ?

— Il y a quelqu'un au fond de la cave...

Léopold Skripka allume son briquet. Il y a deux

ou trois personnes au fond de la cave. Peut-être des vieilles femmes, le visage couvert, immobiles.

— Ne craignez rien. Nous sommes aussi des réfugiés. Qui êtes-vous ?

Aucune réponse.

Léopold Skripka allume de nouveau son briquet. Deux femmes n'ont pas le temps de couvrir leurs visages ; il y a une troisième personne, un garçon, la tête sur les genoux de sa mère. Tous les trois sont couverts de matelas usagés d'où sort la laine... Les vieilles sont toujours effrayées. Elles attendent d'être fusillées. Elles gémissent. Elles pleurent et prient en même temps, car pleurer et prier, c'est souvent la même chose.

— Mon fils est paralysé, dit une des femmes.

Elle n'est pas très vieille. Mais son chagrin est immense.

— Pourquoi vous cachez-vous dans ce cas... On ne le tuera pas s'il est paralytique...

— Vous voulez que nous sortions et vous donnions notre bonne place ? C'est pour ça que vous dites qu'il ne court aucun risque ? D'où savez-vous que les paralytiques, ces malheureux qui sont cloués à leurs lits comme le Christ sur la Croix et ne peuvent même pas bouger la tête, ne courent pas de risque ? Menteur ! J'ai sauvé mon fils, il y a plusieurs heures, en me brûlant la moitié de la peau, de l'hôpital Panteilon. La Milice d'Hanna Tauler, la Milice de la Mort est entrée dans l'hôpital Saint-Panteilon, et ils ont fusillé tous les malades dans leurs lits, à la mitrailleuse. Ils s'esclaffaient comme on rit à la foire, en regardant les pauvres, sans jambes, sans bras, paralysés, essayer de courir. Ils les contemplaient comme une ménagerie. Et ils les fusillaient, pour avoir du spectacle, pour s'amuser. Ma cousine que voici a vu de ses yeux la Milice d'Hanna Tauler ouvrir toutes les cellules des fous furieux de l'Hospice de Bucarest. Ils se sont évadés et ont commencé à courir dans le parc, à escalader les murs et à grimper dans les arbres ou sur les gouttières, comme font les fous ; la Milice Rouge s'est mise à les chasser, comme des singes et des animaux sauvages, pour s'amuser aussi. Cette Milice de la Mort, ces miliciens d'Hanna Tauler, ne sont pas des créatures humaines. Ils sont pires que des chiens enragés, pires que des bêtes, ce sont des animaux apocalyptiques que les steppes d'Asie ont lancés sur nous... Et vous me dites à moi, que mon fils ne court aucun risque dehors parce qu'il est complètement paralysé ? Le danger est pire car c'est sur les infirmes, les paralysés, les fous, les malades, les enfants que les miliciens ont le plus de plaisir à tirer avec leurs maudites armes fournies par les Américains civilisés...

Sans un mot, comme des ombres, les deux malheureuses femmes cachées au fond de la cave, ont disparu, emportant avec elles l'adolescent infirme, le fils de l'une d'elles...

Léopold Skripka et sa fille restent seuls. Maintenant c'est encore plus dur. Ils ont un bagage d'horreur en plus. La marche d'Héléna sur la chaussée inondée de sang chaud, les montagnes de cadavres hautes de deux mètres qui grandissaient sans cesse, le vol de la voiture par les sinistres femmes aux corsets de putains ne sont plus rien en comparaison de la description du massacre des hôpitaux.

— J'ai soif, Papa, dit Héléna.

La fillette n'a plus peur des araignées ni des petites grenouilles froides, de la taille d'une noisette, qui peuplent la cave où elle est assise, ni des vers de terre, ni des rats, ni des souris, des chauves-souris, de toute la vermine qui croupit dans la moisissure... Elle est horrifiée. Elle dit qu'elle a soif, pour cacher qu'elle n'en peut plus. Les douleurs trop grandes donnent soif : le Christ lui-même eut soif dans son excès de souffrance. Il demanda à boire, comme Héléna. Son père n'a pas de vinaigre à lui offrir, pas même une éponge à lui apporter, imbibée de fiel pour humecter les lèvres brûlées de sa fille. Mais il sort la tête et regarde dans la cour, il n'y a personne. Il rampe sur l'herbe, comme sur le plus tendre tapis de la terre car rien n'est plus doux que l'herbe d'un jardin quand on sort d'une cave : il grimpe vers la fontaine. La corde est coupée. Il la noue plusieurs fois, et essaie de tirer de l'eau du puits, avec le seau de bois troué par les balles. Il réussit à apporter quelques gouttes. Tout brûle autour. Et on fusille. On tire maintenant aux mortiers, pas seulement au pistolet et à la mitraillette.

Léopold Skripka a un plaisir immense à voir sa fille boire de l'eau dans le seau de bois.

— Tu en veux encore, ma petite ?

— Oui, Papa...

Léopold Skripka rampe collé à la terre, comme un serpent, de la cave vers le puits, entre les roses, les fleurs de tournesol, les dahlias, et les autres plantes fusillées par les Bolcheviques. Pauvres fleurs ! Aucun poète de la terre n'a jamais rien écrit sur les fleurs fusillées, les fleurs mitraillées. Seul l'élève de Skripka a écrit dans un livre : « Les rivages de Dniestr sont en flammes », des chapitres entiers sur les champs de blés massacrés par les blindés, sur les coquelicots qui saignent dans les prairies blessées par les bombes...

— Haut les mains, et ne bouge pas... crient deux voix en même temps.

Des soldats ivres. Comme d'habitude, installés dans des jeeps américaines. Léopold laisse tomber le seau, lève les bras, et crie en roumain :

— Ne sors pas Héléna. Couche-toi par terre et fais la morte... Ne sors pas...

Il parle, le dos tourné aux soldats. Héléna est à la sortie de la cave. Elle entend les paroles de son père. Elle voit les hommes, les jeeps U.S.A. les canons des armes braqués sur le dos de son père. Il y a quatre miliciens d'Hanna Tauler ; tous portent des uniformes de l'Armée Rouge, avec le brassard tricolore frappé de l'étoile de sang, emblème de la milice de la Mort.

— Couche-toi, et fais la morte ; je viendrai te chercher plus tard. Obéis...

— Non, répond Héléna.

Elle sort de la cave, petite, barbouillée de sang jusqu'aux genoux, comme chaussée de bottes rouges. Haute d'un demi-mètre, mais verticale, droite. Son pas est précis, décidé comme militaire et cadencé.

Elle marche vers son père. Sans un regard pour les soldats. Elle s'approche de Léopold Skripka, de son papa. Elle s'aligne, en le touchant de son petit corps. Et elle lève les bras comme lui. Personne ne lui a ordonné de le faire mais elle agit d'elle-même. Le père et la fille sont maintenant debout, les mains en l'air, le dos tourné aux soldats. Ils attendent les coups de feu. Ils pensent être fusillés comme la montagne d'hommes, de femmes, comme les milliers de personnes abattues ces derniers jours.

— N'aie pas peur, Papa chéri, dit Héléna, sans bouger. Je veux mourir avec toi. Je n'ai pas peur, je suis contente...

D'un seul coup, comme traversé par un courant électrique, Léopold Skripka, courbé par la peur, se redresse. Il est droit ; l'homme est la seule créature verticale. C'est sa fille qui lui a donné du courage : il attend d'une seconde à l'autre la mort, et lui, professeur de philosophie, sait que rien n'est plus sublime qu'une belle mort, et il veut mourir en beauté. C'est plus difficile que de vivre en beauté. Des millions et des millions d'hommes ont mené une vie édifiante sur terre, mais il y en a extrêmement peu, une douzaine, peut-être deux douzaines, qui ont su mourir dignement. Léopold Skripka pense au Christ qui est mort en beauté, à Socrate aussi. C'est mourir en beauté qui fait la grandeur de l'homme. Tout d'un coup, il perçoit le parfum de la terre. Le jardin sent bon, l'herbe est parfumée. La cave était malodorante, moisie, infectée, inhospitalière et le sol y était sinistre, laid, sale, fétide. La terre, ici, à la surface, est chaque jour baisée par la lumière, embrassée par le soleil, chauffée par lui, parfumée par l'air, couverte, non par un plafond de poutres, mais par le toit bleu du Ciel. Et quand la terre et les hommes sont baignés de lumière, épanouis par le soleil, et qu'ils vivent sous la voûte d'azur du ciel, ils sont beaux, courageux, sublimes, fertiles, immortels.

Car même si les miliciens les tuent, ils renaîtront, à chaque printemps, dans chaque brin d'herbe, dans les roses, dans les tournesols, dans les dahlias. Ils renaîtront toujours, jusqu'au Jugement Dernier, où ils reprendront leur forme originelle et deviendront réellement immortels, comme Dieu. Et ils brilleront au firmament comme des étoiles. La lune, le soleil, les astres seront éteints, il n'y aura que la lumière de Dieu et des Hommes sur la plaine bleue du ciel... Cette lumière commence déjà à briller dans les yeux de Léopold Skripka et ceux de sa fille. Car au moment même où la peur de la mort est vaincue, l'homme dépasse toute créature animale, végétale, minérale... L'homme qui a vaincu la peur de la mort est plus lumineux que le soleil. Il est immortel. Le plus dur est de vaincre cette fièvre qu'on appelle vivre, mais dès qu'elle est dépassée, toute laideur et tout danger sont effacés. L'homme est véritablement lui-même, supérieur, roi de la création, égal aux anges, fils héritier de Dieu et maître du Cosmos...

Grâce au courage donné par sa petite fille, Léopold Skripka a pour la première fois de sa vie le sentiment de sa grandeur, car il n'y a pas de majesté humaine possible tant qu'il y a peur de la mort, incertitude sur l'immortalité!

Léopold Skripka sourit. Il se rappelle son œuvre d'art préférée. C'est « les Bourgeois de Calais » de Rodin. Ce groupe coulé en bronze représente les cinq citoyens de Calais allant volontairement à l'ennemi pour être pendus et sauver ainsi, par leur mort, leurs familles et leur cité. Afin de faciliter la tâche des Anglais, ils se sont mis eux-mêmes la corde au cou. La corde avec laquelle ils seront pendus. Et ils avancent vers le supplice avec une beauté que les pas d'aucune ballerine n'ont jamais réalisée. Ils posent leurs pieds par terre avec plus de majesté que tous les rois et empereurs. La véritable grandeur est celle de l'homme qui marche volontairement à la mort, pour sauver les autres, la tête haute, guéri de cette misérable fièvre que possèdent même les animaux, la soif de vivre, qui est une attitude basse, une maladie de l'instinct...

En pensant aux Bourgeois de Calais, Léopold Skripka sourit à sa fille, il se sent heureux. Héléna est contente aussi car elle sait que grâce à la mort, elle ne quittera plus jamais son père. Si elle restait en vie, elle serait un jour ou l'autre séparée de lui par le mariage, par la mort de l'un d'eux, par la distance ou d'autres accidents. Maintenant elle va tomber à son côté, trouée par les balles, et elle vivra éternellement auprès de lui, qu'elle n'a jamais aimé autant qu'aujourd'hui...

Léopold Skripka pense aussi à une phrase du saint martyr Ignace d'Antioche qui écrit à ses fidèles, en route vers le supplice : « Celui qui goûte la mort avec les yeux ouverts, et sans avoir peur d'elle n'oublie jamais cette volupté, car rien ne la dépasse, de toutes les sensations que peut éprouver un homme. » (Saint Ignace d'Antioche, Epître aux Romains VII, I).

Au moment où Léopold Skripka attend les coups de feu dans son dos, avec soif, comme on attend de tremper les lèvres dans un verre d'eau, on lui crie :

— Bas les mains !

Deux hommes l'empoignent de chaque côté. Ils lui fouillent les poches, cherchent son portefeuille, tirent ses papiers d'identité.

— C'est toi, Léopold Skripka ?

— C'est moi.

— C'est ta fille ?

— Oui !

— Montez dans la jeep...

Les miliciens sont heureux. Ils allaient avoir une récompense car ils avaient l'ordre formel de ramener Skripka vivant. Et ils l'ont trouvé par hasard. On ne bouscule pas ces prisonniers, on ne leur dit rien, on aide seulement Héléna à s'asseoir près du chauffeur, entre deux soldats. Son père monte derrière, entre deux autres soldats.

— Ça traîne... dit Léopold Skripka...

Il pense à sa mort. Il n'y a pas de beauté de longue durée, il n'y a pas d'intensité prolongée. Il a désiré la mort avec force, pensant qu'elle serait instantanée, rapide, intense. Et maintenant on lui a enlevé cette joie, on le fait retourner dans la vie avant de le tuer.

Et tout retour est un échec. Léopold Skripka au lieu de mourir, est embarqué dans la jeep ; pour repartir dans l'existence, un bref ou long voyage, à travers les prisons et les juges. A lui qui était prêt à mourir, on fait rebrousser chemin. Et partir, c'est toujours mourir un peu, même quand on part pour la vie... Cette sensation d'amertume est de courte durée. L'air de la capitale sent bon, il y a une odeur de feuilles, de fleurs, d'eau. C'est doux. Mais ce qui est encore plus beau, c'est que Léopold Skripka n'a plus peur. De rien.

Pendant qu'il était auprès de la margelle, au milieu des dahlias, à côté de sa fille, les mains en l'air dans l'attente des coups de feu, il a été guéri de la fièvre de vivre. Il était déjà mort. Maintenant il est à nouveau dans la jeep, vivant. Ce n'est plus sa vie ancienne, mais il naît à une nouvelle existence. Il a été une fois tué et maintenant lui et sa fille sont ressuscités. Ce qui est certain, c'est que personne ne pourra jamais plus les tuer. Ils sont déjà morts. Une fois, et on n'a qu'une seule vie et une seule mort. Il est hors de portée de toutes les balles. Il est mort une fois et ressuscité. Et personne ne peut tuer un homme deux fois...

XVII

SA MAJESTE LA CAMARADE HANNA TAULER

Léopold Skripka et sa fille sont maintenant prisonniers. Ils quittent le quartier de Vatra Luminosa encadrés par quatre miliciens de la Mort. La voiture démarre brutalement, comme si les pneus grinçaient des dents. Les assassins d'Hanna Tauler sont armés de grenades, de revolvers à répétition, de fusils, tous automatiques, tous neufs, tous made in U.S.A. et offerts par les Etats-Unis aux Bolcheviques et à la Milice de la Mort pour occuper les pays étrangers, enchaîner les peuples, les piller, les tuer. Léopold Skripka ne connaît pas très bien le plan de Bucarest, mais il se rend compte que la jeep ne prend pas la direction du sud, où se trouvent toutes les prisons de la capitale roumaine. La voiture, conduite par un tueur à l'étoile de sang se dirige vers le centre de la ville. Bucarest est en ruine. Les maisons brûlent. Ce sont les avions américains qui ont bombardé jour et nuit Bucarest pour faciliter l'avance des Bolcheviques et de la milice d'Hanna Tauler. Sur tous les trottoirs, sous les portes cochères, parmi les ruines et les murs calcinés, il y a d'innombrables soldats de l'Armée Rouge. Ils gisent ivres morts, sur l'asphalte, serrant contre leur poitrine des armes et des bouteilles d'alcool. La jeep arrive à deux cents mètres de l'Athénée Palace sur la Caléa Victoria. Au lieu de continuer, elle vire brutalement à gauche et entre dans la cour d'honneur du Palais Royal. Il est construit sur le modèle de Buckingham Palace. Ce sont les rois de Roumanie, de la famille de Hohenzollern, qui l'ont édifié. Même le dallage de la cour est pareil à celui de Buckingham.

Derrière les grilles aux pointes d'or et des deux côtés de la porte, il y a des soldats de l'Armée Rouge, aux visages mongols, accompagnés de Miliciens de la Mort habillés comme les Russes, avec en plus, un brassard tricolore frappé de l'Etoile de Sang, emblème des Bolcheviques du monde entier.

Les Mongols, ridiculement petits, et les Miliciens montent la garde en faisant les cent pas devant les portes du Palais Royal, comme les beaux soldats de la Garde Royale en Angleterre. La jeep traverse la cour et s'arrête devant l'escalier d'honneur. C'est l'entrée principale du Palais, une immense porte dorée, à double battant. L'escalier, large d'une centaine de mètres, qui y conduit, est en marbre blanc comme les neiges éternelles, d'une blancheur immaculée. On ne voit jamais cette porte d'honneur s'ouvrir. Personne n'entre et ne sort par cet escalier, sauf le roi, les jours de grandes fêtes. Les dalles de la cour d'honneur où s'est arrêtée la jeep sont d'un granit gris comme le poil des loups, comme les plumes des aigles royaux, et elles contrastent avec l'escalier immaculé, donnant une impression de grandeur. Le marbre rappelle la blancheur de l'hermine royale, et, le gris, la couleur des épées et des armures.

Léopold Skripka n'en croit pas ses yeux. Ils sont dans un décor de conte de fées. Amenés ici, lui et sa fille par une baguette magique. Ils sortent à peine de leur cave humide, pleine de flaques d'eau, d'araignées, de limaces, de rats, de chauves-souris, croupissant

dans la moisissure, la boue et la laideur souterraine
des tombeaux et les voici maintenant au pied de l'escalier de marbre blanc du Palais Royal !

— Entrez ! ordonne le milicien en poussant avec sa
carabine le dos de Léopold Skripka.

La porte d'or, la porte d'Honneur est ouverte à deux
battants, poussée par deux valets royaux. Ils ont des
longs bas blancs, des pantalons de velours noir, des
gilets rouges avec le monogramme du Roi. A l'intérieur, il y a un hall immense, très haut. Le sol est fait
de grandes dalles blanches ; des banquettes fines s'ali-
gnent le long des murs couverts de dorures et de
glaces. Le plafond est plus beau et plus haut que la
coupole du ciel.

A cause de ses vêtements froissés, couverts de sang et
de boue, de son visage non rasé et de ses chaussures
sales, Léopold Skripka s'arrête. Ils n'osent pas entrer,
souiller la blancheur des dalles. Au fond s'élance un
double escalier à spirale, couvert d'un immense tapis
rouge, frappé d'innombrables monogrammes d'or et de
couronnes. C'est un escalier si beau qu'il ne peut
mener qu'au ciel ou au pays des légendes.

Léopold Skripka et sa fille se sont arrêtés une seconde. Par peur, sur le seuil du Paradis qui est devant
eux. Entre les deux portiers en livrées noires et gilets
blancs, épaulettes et cols frappés des insignes royaux.
Les valets s'inclinent devant eux comme devant tous
ceux qui entrent par cette porte. Léopold Skripka,
l'homme le plus sûr de lui, est perdu. Il ne se retrouve
pas, il est comme un animal égaré dans un univers
étranger. Héléna, avec ses cinq ans, est supérieure à
son père ; ce n'est pas l'âge, ni l'expérience ni l'intelligence qui vous sauvent dans les moments difficiles.
Car tandis que son père est perdu, Héléna dont l'univers quotidien est les contes de fées, trouve ces choses

normales. Elle, pour qui le merveilleux et la logique ne sont pas des mondes séparés mais mêlés l'un à l'autre, tout naturellement, en regardant les deux beaux valets la saluer, pose aussi sa jambe tachée de sang et de boue, en arrière et répond par une petite révérence à celle des portiers. Elle dit à son père :

— Réponds aux saluts, Papa... Regarde comme ils sont beaux et polis !

— Venez par ici, ordonnent deux miliciens.

Car deux seulement accompagnent les prisonniers, les autres sont restés dans la jeep. Héléna ravie, prend la main de son père et monte avec lui l'escalier en double spirale, en admirant le tapis, les armures et les couronnes d'or. Au premier étage s'étend un couloir immense avec un long tapis or et bleu et d'innombrables portes, hautes de trois mètres, toutes blanches avec des dorures. Devant chacune se trouvent deux gardes royaux, avec des bottes vernies qui couvrent les genoux, des pantalons de soie et de longues vestes bleues avec des galons, des insignes et des couronnes. Tous portent des képis à plumes multicolores. Le spectacle est magnifique, aucun paon n'a de plumage plus beau que celui des képis.

Les soldats de la Garde, très grands, tiennent des sabres qui brillent comme des miroirs. Les sinistres miliciens marchent devant Léopold Skripka et sa fille qui admirent le décor. Les voilà devant la plus grande porte, au fond du couloir, et deux fois plus large que les autres. Elle est surmontée d'une peinture. Les gardiens frappent ; on leur crie d'entrer.

— Restez ici, ordonne l'un d'eux.

— Tu as trouvé Skripka ? demande une voix rauque de femme... Où ça ? Ferme la porte et explique-moi...

On n'entend plus ce qui se dit à l'intérieur. Subitement les portes s'ouvrent, les deux miliciens sortent. Ils se placent de chaque côté de la porte, dans le couloir.

— Entrez, dit l'un d'eux...

Léopold Skripka et sa fille pénètrent dans un salon grand comme plusieurs appartements. Tout est de couleur vert antique, bleu pâle, or et argent... De très beaux tapis...

— Entrez, entrez, vous deux... crie la voix de femme...

Skripka et sa fille traversent le salon sans avoir le loisir de l'admirer. Ils pénètrent dans une autre salle immense. Les murs sont tapissés entièrement de livres, très beaux, tous reliés en cuir, avec des lettres d'or, la couronne et le monogramme du roi. Au milieu de cette pièce qui est la bibliothèque privée du roi de Roumanie, se trouve un grand bureau, avec des pieds en or, et derrière, un fauteuil vaste comme un carrosse, en velours, avec une couronne. Une femme y est assise. Très grosse, très grasse, en uniforme de colonel. Elle a les cheveux noirs. Héléna ignorait auparavant qu'il existe un noir aussi foncé. Car les morceaux de charbons sont plus gris. L'encre est plus pâle... Les cheveux de la femme assise sur le fauteuil du roi sont d'un noir qui ne vient de nulle part sur la terre. Il ne peut venir que de l'enfer. C'est certainement la couleur du diable, des démons.

Il y a auprès des murs de hauts escabeaux d'acajou pour monter chercher des livres. Il y a des fauteuils brodés, des guéridons. La femme aux cheveux noirs, longs, avec une casquette de colonel à étoile de sang posée sur l'oreille droite, a le visage fardé. Il est couvert de poudre de riz blanche, exactement comme les murs des vieilles maisons badigeonnées à la chaux. Elle a les lèvres écarlates ; son rouge à lèvres est fort violent, comme des cerises anglaises trop mûres. Elle utilise un bâton de rouge très gras et la graisse s'écoule légèrement sur son menton. Elle a des traces de rouge dans les plis horizontaux de la bouche, là où les chevaux portent le mors. Le rouge de la femme colonel est mélangé à la salive, avec de petites boules d'écume, comme les chevaux fatigués... Léopold Skripka ne sait pas qui elle est. Il ne l'a jamais vue. Héléna la regarde avec de grands yeux.

La femme est assise sur le fauteuil royal, un fauteuil très large. Deux personnes peuvent s'y asseoir. Elle porte des pantalons larges comme des *shalvars*, et des bottes, comme tous les militaires asiatiques. Chez eux, elles sont moitié moins hautes que chez les Occidentaux. Celles de la femme colonel sont larges. Elle a des mollets énormes, enrobés de graisse épaisse, et elle a naturellement de très larges bottes. Ses pantalons sont pareils à ceux des femmes musulmanes, car elle a des hanches immenses, un derrière qui occupe tout le fauteuil du roi, semblable à l'arrière d'un camion citerne. Ses seins sont immenses, des mamelles qui se sont développées et sont noyées de chair et de graisse. A cause de cette poitrine immense, son veston de colonel soviétique de l'Armée Rouge ressemble à une robe de grossesse. Car le ventre de la colonelle est proportionné à sa poitrine, à ses jambes, à ses mollets et ses hanches... Sa figure, poudrée de blanc, est boursouflée. Elle est ivre. Cela se voit dès qu'on la regarde. Car un homme ivre a le visage comme une carrosserie disloquée où chaque muscle fait abstraction de l'autre. Les muscles d'un homme ivre échappent au commandement du cerveau et ne sont plus en harmonie.

Il n'y a plus d'unité, de discipline. L'homme qui pourra pousser son ivresse à l'extrême, sans mourir ou s'endormir, pourra facilement regarder d'un œil à droite et de l'autre à gauche, il pourra certainement rire avec l'œil droit et verser des larmes avec l'autre. L'ivresse, c'est l'anarchie totale, le nihilisme physique. La colonelle fume des cigarettes américaines avec un très long fume-cigarette d'or à couronne qu'elle a trouvé sur le bureau. Il y a de très beaux cendriers, mais elle jette sa cendre sur le tapis, conformément aux théories de Karl Marx mises en pratiques à l'Est, sur la Volga et la Neva.

La femme est trop grasse, trop ivre, trop vulgaire, dégoûtante. Bien qu'elle soit assise dans le fauteuil du roi, dans une salle splendide, on a envie de regarder ailleurs. Elle est semblable aux prostituées d'il y a cent ans, dans les grands ports internationaux. Dans des temps reculés, on leur demandait des qualités, qui, si étrange que cela puisse être, sont qualités d'hommes. Par exemple, de la force physique pour transporter un client ivre en haut de l'escalier, dans la chambre ou le jeter dans la rue. Une prostituée d'autrefois devait être comme un fort des halles. La femme colonel assise dans le fauteuil du roi peut certainement boire plus que des matelots suédois en escale et que les forts des halles. Elle est fardée, aussi, comme les prostituées d'autrefois. Dans ce temps-là, la clientèle ne s'embarrassait pas de nuances. Elle avait besoin de couleurs vives : la poudre du visage devait être blanche, les lèvres devaient être rouge-rouge, les hanches, les seins, les ventres, devaient être si voyants, que même le plus ivre pouvait les voir, les palper. Léopold Skripka s'imagine que les prostituées d'Emile Zola, de *l'Assommoir*, devaient avoir la même taille et la même allure.

Un valet en pantalon de velours noir, jaquette et bas blancs, épaulettes et galons dorés apporte un immense plateau en or massif, grand comme une table, garni de bouteilles de whisky et de vodka, avec leurs étiquettes vulgaires, stridentes et des verres d'or incrustés de

couronnes, à pieds fins comme des moineaux. Stylé, il
verse de la vodka à la femme. Puis il regarde Léopold
Skripka qui fait un signe :

— La même chose.

— Donnez-leur des chaises, saligaud ! crie la femme.
Le valet approche des fauteuils pour les prisonniers.

— Tu ne vas pas donner de vodka à cet embryon !
Apporte lui des paquets de chocolat et d'autres trucs
qui se trouvent dans les paquets américains pour les
gosses, mais vite ! Et du Kwass !

C'est une boisson russe non fermentée, sans alcool.
Le valet apporte du coca-cola à la place ! Toutes les
provisions sont d'origine américaine. Et les Américains
ont offert de la Vodka. Toutes les bouteilles à la disposition des conquérants de Bucarest, pour fêter leur victoire, sont de la Vodka. Made in U.S.A.

Après avoir vidé son verre, quand Léopold Skripka
et sa fille ont bu, la femme colonel qui règne sur la
Roumanie crie d'une voix rauque :

— Mon beau député, approche-toi de moi, afin que
je te renifle...

Léopold Skripka regarde sa fille, il a honte, mais il
se lève et s'approche de la femme. Il est prisonnier. Il
doit obéir.

— Plus près de moi, mon beau député, plus près !
As-tu honte de t'approcher d'une femme devant ton
embryon ? Il faut lui expliquer que c'est tout aussi
naturel que de manger et boire. Approche que je te
renifle... Je veux savoir si tu sens aussi bon aujour-
d'hui que dans le wagon-lit où nous avons passé une
nuit ensemble... Tu sais, que je n'ai jamais rencontré
d'homme qui sente aussi bon que toi... le matin quand
tu t'es lavé, avant de te frictionner avec de l'eau de
Cologne, tu sentais très bon. L'eau sentait bon sur ta

peau... J'ai beaucoup voyagé depuis, mais mon premier voyage en wagon-lit fut avec toi, dans ton comparti-ment... Je faisais semblant de dormir, mais je te sur-veillais tout le temps ; même quand tu faisais ta toi-lette, ta gymnastique, tu sentais bon... Approche-toi que je te renifle... Approche... — Elle pousse un cri et le repousse : — Tu sens mauvais comme une vache, maintenant... Eloigne-toi de moi.

En voyant la femme vulgaire parler si intimement à son papa, et lui affirmer qu'ils ont dormi ensemble dans un wagon-lit, Héléna laisse le chocolat américain fondre dans sa petite main. Elle pleure. Elle ne peut pas croire que son papa, son beau papa adoré a approché cette horrible femme et a couché à côté d'elle... Et les larmes coulent sur son visage maculé de sang, de boue, de chocolat... Les femmes sont jalouses, depuis toujours, pour les petites et les grandes choses. Mais personne n'est plus jaloux de la pureté de leur père que les fillettes.

— Tu dois être fusillé, dit subitement la grosse femme colonel. Elle boit deux verres de vodka améri-caine, l'un après l'autre. J'ai été victime d'une illusion. Quand on est un véritable communiste, il ne faut pas en avoir. Dans la tête d'un dirigeant, c'est une trahison. Je me suis fait des illusions sur toi. Je sortais du bagne, qui sent mauvais. Et tu venais de l'Athénée Palace, qui sent bon. Et moi, imbécile, j'ai cru que c'était toi qui avais une bonne odeur ! Alors que c'était l'endroit dont tu sortais qui était parfumé, grâce à la sueur du peuple. Maintenant tu sens mauvais. Eloigne-toi...

Léopold Skripka s'éloigne et s'approche de sa fille.

— Assieds-toi.

Il obéit.

— Tu sors d'une cave, d'après ce qu'on m'a dit. C'est

257

normal que tu sentes la terre, le moisi, la pourriture, le marécage, la saleté. Tu sais que plus de la moitié des hommes vivent depuis toujours sous terre, comme tu viens de le faire moins de vingt-quatre heures ? Nous allons y remédier. Nous allons les faire sortir des sous-sols, tous. Prends un verre. Comment s'appelle ton embryon ?

— Héléna... Elle a cinq ans, sa maman est morte.

— Je sais que ta femme est morte. Moi, Hanna Tauler, je sais tout.

Elle prend une clochette d'or sur le bureau, celle du roi, et sonne. Jamais Héléna n'a entendu de son aussi musical. Aucune musique de la terre n'est plus douce. Seuls, les anges, dans le ciel, doivent avoir des clochettes aussi sublimes.

— Apporte encore des bonbons, des biscottes, du chocolat et toutes sortes de trucs à la petite Héléna.

Le valet lui apporte encore d'autres choses, une autre bouteille de coca-cola. Hanna Tauler veut protester, mais elle sait qu'un communiste doit supporter aussi le coca-cola, s'il veut avoir la victoire grâce aux canons, aux avions et aux dollars américains. Mais elle est sûre qu'eux, les communistes, les obligeraient finalement tous à boire du kwass à la place du coca-cola... C'est une question de temps...

Héléna recommence à manger. Son papa est auprès d'elle. Plus à côté de la vieille vulgaire qui le sent comme une chienne renifle un chien... Elle reprend de l'appétit, elle a faim. Pendant qu'elle mange, elle jette des coups d'œils furtifs vers Hanna Tauler. Et, chose étrange et vraie, elle ne la trouve plus aussi vulgaire qu'auparavant. Parce qu'elle n'a plus peur, parce qu'elle ne lui a pas pris son papa, et parce qu'elle lui a donné à manger et à boire. Surtout à cause de cela...

Léopold Skripka qui était autrefois horrifié par cette

phrase répétée cent fois par jour, par les Allemands et les Allemandes : « Die Liebe geht durch die Magen » c'est-à-dire, approximativement « L'amour passe par l'estomac », se rend compte que c'est juste. Sa fille grâce aux sucreries, ne hait plus Hanna Tauler. Il boit un verre de Vodka. Il se sent mieux. La poudre de la colonelle fond sur son visage comme une pâte de boulanger. Pendant son séjour à Moscou, elle a fait disparaître ses poils noirs, sa barbe et sa moustache. Elle lui dit :

— J'ai ordonné qu'on fouille toute la Roumanie, et qu'on t'amène dans les vingt-quatre heures devant moi... L'ordre a été exécuté. Tous mes ordres sont exécutés, autrement... — Elle montre le pistolet qui est sur son bureau. Elle continue : — Moi, je ne fais pas de procès ni de chichis. Je tue celui qui me désobéit, sur place, ici. Tourne-toi et regarde les murs... Ce sont des balles qui les ont troués après avoir transpercé les corps des rebelles... Ma force, c'est la force. La deuxième personne que j'ai ordonné de trouver et d'amener devant moi, c'est mon père. Il n'a pas voulu venir. Il préférait être tué que de me voir. Il a dit c'était à moi d'aller à lui, et pas à lui de venir. Même si j'habite le palais du roi, même si je suis reine... Tu sais ce que j'ai fait ? J'ai ordonné qu'on l'embarque, avec toutes ses affaires et qu'on le transporte en Israël... Il a toujours été sioniste, pas seulement rabbin. Il a vu que je ne plaisante pas avec la Révolution, comme je ne plaisante pas avec son Talmud. Il n'y avait pas de place pour nous deux en Roumanie. C'était à lui de s'en aller. Et je l'ai fait partir, avec ménagement, mais en deux heures... J'ai besoin de place, de terrains propres pour bâtir la Roumanie.

Hanna Tauler boit encore deux verres l'un après l'autre. Elle est maintenant complètement ivre, molle comme la pâte du boulanger. Sa chair se liquéfie, son regard aussi. Elle raisonne lentement, et sa pensée et ses paroles deviennent colloïdales, liquides. Hanna Tauler, volumineuse, énorme, se dissout dans l'alcool comme du sucre dans un thé chaud...

— Alors mon cher compagnon d'une nuit, mon beau compagnon à pyjama de soie, qui sentait si bon, te voilà maintenant ici ! La roue tourne ! Tu es prisonnier, non fusillé, et moi je suis plus que la reine... Et nous nous retrouvons ! C'était beau dans les wagons-lits, n'est-ce pas ? Surtout pour moi qui y montais pour la première fois et qui sortais du bagne. Mais ici, qu'en dis-tu ? C'est encore plus beau... Incomparablement plus beau que l'Athénée Palace...

Léopold Skripka attend. Il essaie de voir où Hanna Tauler veut en venir. S'il s'agissait d'une femme non communiste, normale, européenne, il aurait utilisé les hypothèses psychologiques. Mais la psychologie n'est pas valable quand il s'agit d'un communiste. Veut-elle le remercier ? Ou veut-elle le tuer, comme elle le lui a promis ?

— Tu sais pourquoi je t'ai cherché, d'abord toi ?

— Non.

— Ce n'est pas parce que tu sentais bon, uniquement, n'est-ce pas ? Tu n'es pas bête à ce point !

— Je le pense...

— Tu penses ? ... — Ce mot fait horreur à Hanna Tauler. Elle dit : — Je t'ai demandé si tu connais ou si tu devines les raisons pour lesquelles je t'ai fait chercher et j'ai ordonné de ne pas te fusiller avant de t'amener devant moi...

— Non, répond Léopold Skripka.

Il est blême. Hanna Tauler est devenue subitement musclée, prête à bondir. L'alcool s'est évaporé en une fraction de seconde ; elle n'est plus ivre. Elle est tout simplement cruelle, en commandant de l'Armée Rouge, installée dans le fauteuil du roi. Elle parle au prisonnier qu'elle n'a pas encore fusillé... La nuance de ces mots qui désigne un court sursis, horrifie Léopold Skripka. Sa fille mange des bonbons et boit du cocacola. Elle est absente de la conversation.

— En dehors de ton odeur d'eau de Cologne, je garde de la nuit que j'ai passée avec toi un autre souvenir. Et c'est pour celui-ci surtout que je voulais te voir avant que tu sois fusillé par ma milice... Tu sais quel est ce motif ?

— Non, répond Léopold Skripka.

Il sait maintenant qu'il sera fusillé et que l'ordre était de ne pas le tuer avant de le faire comparaître, mais après. Il sera exécuté par la suite. Les paroles de Hanna Tauler sont claires et logiques. La logique ou la dialectique désignent en vocabulaire communiste quelque chose qui y est absolument opposé.

— En dehors de ton parfum, je me souviens que tu m'as couverte de la couverture, prise sur la banquette, entièrement. Rappelle-toi...

— C'était normal...

— Non. Normal ou pas normal, cela n'a pas d'importance pour moi. Ce qui compte, c'est que tu m'as couverte. D'abord tu m'as demandé : Madame, voulez-vous vous déshabiller et rentrer dans le lit pour vous reposer ? Quand j'ai dit non, tu as tiré la couverture sur laquelle j'étais étendue, de force.

— Vous vous étiez entêtée... Vous reteniez la couverture de tout le poids de votre corps, pour que je ne puisse pas la prendre.

— Tu as remarqué ça ? Et tu t'en souviens ? Cela me fait plaisir. C'est vrai. — Elle boit encore un verre. — De toute l'affaire, il y a un fait que je n'ai jamais pu oublier. Ecoute-moi. Tu m'as couvert les pieds, tu as roulé la couverture autour de mon corps, exactement comme un petit bébé ou un petit enfant. Mais plus que cela, tu as soulevé mes épaules et les as enveloppées dans la couverture afin que je ne prenne pas froid en me retournant dans la nuit... — Hanna Tauler se lève de son fauteuil avec son veston prénatal plein de décorations et elle se tape sur l'épaule gauche, une épaule immense, comme celle d'une vache, avec son épaulette à la russe. Elle dit : — C'est cette épaule-là que tu as couverte cette nuit-là... Tu m'as couverte exactement comme ma mère quand j'étais une petite frileuse et une petite malade. Maman venait chaque soir dans ma chambre et me couvrait. En tirant sur la couverture qui était sur moi. J'attendais toujours avec impatience sa venue. J'ai eu une pleurésie. Une caverne d'origine tuberculeuse à cette épaule. Et quand elle venait dans le noir, en laissant la porte entrouverte, je feignais de dormir. Car je voulais qu'elle me soulève. Qu'elle se penche sur moi, qu'elle pose ses doigts sous mon corps pour vérifier si la couverture était bien dépliée... Hé bien, dans le wagon-lit, j'ai fait la même chose que dans mon enfance. J'ai fait semblant de dormir. Et tu as fait, toi, la même chose que maman, tu m'as soulevée, puis tu as mis ta main sous mon corps, pour étendre la couverture... Ce sont des petites choses sentimentales. Une vraie communiste comme moi ne doit pas y être sensible. Mais nous ne sommes pas encore arrivés au communisme parfait, à l'homme rouge sans sentiment. Et j'ai été touchée par ton geste. Tu m'écoutes ou tu dors ?

— J'écoute, dit Léopold Skripka.

— J'ai aimé la façon dont tu m'as couvert l'épaule, plus tendrement que ma propre mère... Elle le faisait parce que j'étais malade et parce que j'étais son enfant. Mais toi, tu ne savais pas que j'ai une caverne dans le poumon, je n'étais pas ta fille... Et tu l'as fait... Je voulais te dire cela avant de te fusiller... Maintenant tu es laid. Tu es presque mort. Tu es vaincu. Et tu sens mauvais... J'aurais voulu t'offrir avant de te fusiller, quelques flacons d'eau de Cologne, comme celle que tu avais dans le train. J'ai fait chercher dans les salles de bains du roi, il y a des centaines de bouteilles mais aucune de la marque que tu avais. J'aurais voulu que tu meures parfumé comme à notre première rencontre... Mais tu mourras sans eau de Cologne... En sentant mauvais... Car tu as une odeur d'écurie... A propos, d'où venait l'eau de Cologne que tu utilisais dans le train ?

— D'Allemagne C'est une marque très connue... Mais ils n'en fabriquent plus, l'usine est détruite...

— Tu sais que j'ai raconté cette histoire au Généralissime Staline ?

— Vous avez dit ça à Staline ?

— Il connaît ton nom aussi bien que moi. Je lui ai parlé très souvent de toi. Je lui parlais de tout, cela l'amusait. Et souvent c'est lui qui me demandait de lui raconter l'histoire de l'eau de Cologne, de tes caleçons de ballerine, de ta gymnastique et du café de l'Athénée Palace... Il riait à se tordre de rire...

Tu sais que j'étais sa collaboratrice préférée. Il en avait certes beaucoup, mais il m'a choisie parmi des milliers de candidats, hommes et femmes, pour organiser le Parti Communiste Roumain. Il m'a donné le grade de colonel de l'Armée Rouge, les pouvoirs et l'argent pour organiser une armée. C'est ma Milice qui a eu l'honneur d'entrer à Bucarest en premier. Le Généralissime Staline m'a dit un jour : « A la fin de la guerre, quand la Roumanie sera complètement occu-

263

pée, c'est toi qui seras la Reine. » C'est une femme qui fait le mieux le nettoyage, qui sait meubler une baraque. J'ai reçu l'ordre de procéder ici comme une ménagère dans sa maison, de la rendre propre, de jeter tout ce qui est inutile. Puis de construire un *pays* nouveau, bolchevique. Je suis la reine de la Roumanie, je réside au Palais Royal, à la place du roi, je couche dans son lit... J'extirperai les fascistes, les capitalistes, les bourgeois, les anciens combattants communistes car rien n'est pire qu'un meuble pourri, les membres de l'ancienne garde bolchevique. Les vieux. Ils ne veulent que recevoir les honneurs. Ils prétendent avoir tout donné. Nous voulons l'avenir. C'est pourquoi je ne choisirai aucun de mes hommes parmi les anciens qui ont combattu pour la révolution. Ils ne veulent que des banquets. En eux, c'est le jour de la victoire. Je veux des gens qui commencent la lutte, pas des hommes finis. Maintenant, une question : ai-je beaucoup changé ?

— Non.

— Ne mens pas... Tu m'aurais reconnue en me rencontrant dans la rue, sans garde ?... Je sais que j'ai beaucoup grossi. Trop. J'ai engraissé. Mais est-ce que j'ai beaucoup vieilli ?...

— Pas trop !... Vous avez changé de coiffure, et de couleur de cheveux...

— Tu sais mentir... Tous les capitalistes mentent, c'est pourquoi nous les fusillons. Mais ton mensonge me fait plaisir. Un communiste m'aurait dit, la vérité : personne ne t'aurait reconnue pauvre Hanna ! Pas ton propre père... Mais tu as joliment menti. Je t'ai dit que j'ai souvent parlé de toi, de ton eau de Cologne et de ta couverture au Généralissime Staline... C'est un homme de génie. Aucun ne le vaut. Nulle part sur la terre. Et on n'en aura pas de pareil avant mille ans... Un jour, il m'a dit : « Camarade Hanna Tauler, dans la première phase de la révolution, tu dois prendre comme Premier Ministre de Roumanie, ton homme à l'eau de Cologne... Léopold Skripka. Fais comme je te dis, tu n'en trouveras pas de mieux.

« Il n'est pas communiste, ai-je répondu.

« C'est justement parce qu'il n'est pas communiste que tu dois en faire ton Premier Ministre dans la première phase de lutte révolutionnaire... Les non-communistes sont les meilleurs serviteurs. Et puis, ils n'effraient pas les gens, qui se mettent alors à marcher avec le Parti Communiste et avec la Révolution en se disant que rien n'est changé, avec confiance, parce qu'ils voient à la tête du gouvernement d'anciennes figures... »

Léopold Skripka est prêt à tomber de sa chaise royale. Il ne peut en croire ses oreilles. Il comprend maintenant pourquoi Hanna Tauler a donné l'ordre de le chercher, et pourquoi les Miliciens de la Mort à l'étoile de sang ne l'ont pas fusillé en apprenant son identité. Il comprend pourquoi, au lieu de le cribler de balles, on l'a amené au Palais Royal...

— Tu as vu construire des autoroutes ? demande Hanna Tauler.

— Non.

Il ne sait comment l'appeler. S'il faut lui dire madame, majesté, haute camarade, votre haute camaraderie, votre royale camaraderie... Il est toujours difficile de deviner les désirs des Bolcheviques.

— Tu n'as donc pas vu comment on construit des autoroutes pendant ton séjour en Occident ? Je t'explique : on utilise de l'eau et des débris. C'est tout ce qu'il faut. Nous, les communistes, nous bâtissons notre société de la même façon, avec du

Treck, c'est-à-dire des résidus, de la terre improductive, de la saleté et de l'eau. Tu es un résidu. Staline avait raison. On doit les utiliser. Mais toi, Léopold Skripka, tu es difficile à utiliser, même pour ceux qui tirent parti du *Treck*... J'ai répondu franchement que pour toi, il n'y a que les balles et la fosse commune... Tu es pire qu'un *Treck*, pire qu'un résidu, pire qu'une ordure...

— Vous allez donc me fusiller ? veut demander Léopold Skripka.

— Staline a insisté pour que je fasse de toi mon Premier Ministre. Et que je te fusille par la suite. C'est un génie. Il ne se trompait jamais. Je lui ai montré tes articles contre l'Union Soviétique dans le journal de propagande fasciste de l'armée roumaine, « Le Soldat ». Tu en étais directeur et le plus acharné contre les communistes.

« C'est une raison de plus d'utiliser ce Treck, comme tu dis, comme chef de ton gouvernement. Et nomme ministres plusieurs autres rédacteurs de ce journal militaro-fasciste.

Il a aimé les noms qui signaient des articles fascito-anticommunistes dans la première page du « Soldat ». Il m'a conseillé d'en faire des ministres, des chefs de journaux, de hauts fonctionnaires...

J'ai exécuté ses conseils. J'ai obéi aux ordres de Staline, l'homme qui ne se trompait jamais.

Léopold Skripka n'aurait jamais imaginé que Staline connaissait son nom et qu'il avait donné l'ordre à Hanna Tauler de le faire Premier Ministre. Il y a, en Kremlinologie, des choses plus inattendues que le soleil à minuit et la lune en plein midi. Le communisme est incompréhensible pour ceux qui ont habitué leur cerveau à raisonner logiquement car tout y est contraire à la logique. Et le pire, c'est qu'ils appellent cela de la dialectique !

— Léopold, je tiens à t'avertir d'une chose. Légalement, conformément à la Constitution Soviétique et aux programmes de l'Internationale ouvrière, toute personne qui, à un moment de sa vie, a combattu par les armes un mouvement ouvrier, brisé une grève ou lutté contre une république communiste, est automatiquement condamné à mort. Pendant toute la guerre, tu as combattu par tes articles, les communistes, la révolution mondiale, l'Union Soviétique, le Parti Communiste en général... Tu es légalement un homme mort. Bien que tu sois devant moi. Et même si tu es vivant. Tu as compris cela ? Même si je fais de toi mon Premier Ministre, tu ne cesses pas, et tu ne cesseras jamais d'être un condamné à mort, un homme qu'on doit fusiller... Jamais et personne ne pourra t'amnistier ni te grâcier. Tu dois le savoir. Tu as eu raison de te cacher sous terre à mon arrivée à Bucarest, car tu étais sur la liste de ceux qui doivent mourir. Compris ?

— Compris, répond Léopold Skripka.

— Tu vas me demander pourquoi je te nomme Premier Ministre alors que tu es condamné à mort sans recours ? D'abord pour suivre les conseils de Staline sur l'utilisation des résidus pendant la première phase de notre révolution. Ensuite parce que tu es intelligent et que tu m'es utile. Tu penses que c'est parce que tu m'as donné de l'eau de Cologne, que tu as été aimable, parce que je garde un bon souvenir de toi et que tu m'es sympathique ? Non, tu te trompes. Les sentiments ne jouent aucun rôle dans ma décision de te prendre comme Premier Ministre. Je t'ai déjà nommé. J'attendais seulement de te trouver. Je n'ai pas besoin de ton consentement. On ne le demande jamais aux morts...

Nous sommes une société communiste, scientifique, progressiste, aseptique ; nous t'avons choisi pour des raisons pratiques, logiques de propagande... Mais tu es mort. Certes, tu connais mieux que moi la doctrine de Karl Marx, d'Engels et de Lénine, mais moi je connais la pratique. Et ce que nous ferons en Roumanie, c'est de la pratique, pas de la théorie. Donc c'est à toi d'apprendre de moi les applications du communisme, et pas à moi qui les sais, de le tirer des livres.

Pendant qu'elle parle, Hanna Tauler continue à boire. Elle est ivre ! A nouveau, elle n'a même pas l'énergie de tendre la main et de sonner. Elle se verse elle-même de la vodka dans le verre d'or à pied de moineau. Les rois peuvent avoir mauvais goût et c'est le roi qui a commandé ces verres très laids. Les yeux de Hanna Tauler sont troubles. Elle se rend compte de son état d'ivresse et dit :

— L'affaire est réglée. A partir de maintenant tu es Premier Ministre de Roumanie. On te donnera un palais, celui des Paximade. Nous vivrons en voisins. Une très importante tâche t'attend : tu ne demandes pas laquelle ?

— La tâche de Premier Ministre...

Hanna Tauler éclate de rire. Avec sa grande bouche aux lèvres peintes de graisse rouge... Car ce n'est pas du rouge à lèvres qu'elle utilise, mais une sorte de graisse écarlate qui fond et coule sur son menton et dans les plis de sa bouche...

— Tu n'as rien compris, mon pauvre docteur en philosophie... Tu n'auras absolument rien à faire comme Premier Ministre. Si tu agis en quoi que ce soit, tu es immédiatement fusillé. Tu as été enfanté par une mère, comme tout le monde. A partir de mainte- nant, c'est moi ta mère, car c'est moi qui t'ai donné la vie. Ta mère était peut-être ivre quand elle t'a conçu, comme tant de femmes la nuit de leur mariage. Mais je t'ai donné la vie, depuis longtemps, en accord avec le camarade Staline, en toute lucidité. Tu es mort légalement, d'après les règles, et tu vis grâce à moi. C'est moi et le Parti Communiste qui t'avons donné l'existence, le droit de bouger, de respirer, de boire, d'agir comme tous les vivants. Mais ta vie, tu la tiens de nous. Et en échange, tu dois nous obéir sans jamais oublier d'exécuter. Ce que nous demandons est tout simple. Tu seras Premier Ministre, tu l'es déjà. Et tu dois agir comme les enfants de trois ans au jardin d'enfants : ils regardent leur maîtresse et exécutent ce qu'elle leur demande, sans rien ajouter, sans rien supprimer. Mécaniquement. C'est un poste enfantin. Tu seras payé comme Premier Ministre, tu mangeras du caviar à la louche, tu boiras du champagne au seau, tu coucheras avec toutes les ballerines, tu rouleras en limousine de milliardaire, et, tu auras un travail d'enfant de *Kindergarten* : ne rien faire, obéir. C'est tout. Maintenant, on va te conduire au Palais Paximade. Après le Palais Royal, c'est le plus beau et le mieux installé de Bucarest. Tu auras une armée de serviteurs, plus que les Rothschild, et tout le monde veillera à ce que tes désirs soient réalisés avant que tu ne les exprimes... Ce n'est pas le Paradis que je t'offre ? Pars maintenant, car je suis fatiguée... Et ne t'imagine pas que tu as rêvé ! Ce que je t'ai dit est la réalité : les communistes ne rêvent pas...

Léopold Skripka est debout. Il prend sa fille par la main. Il s'incline.

— Tu sais quel est le plus grand crime pour un Premier Ministre ? C'est de penser. Fais tout ce que tu veux, absolument tout. Mais ne pense jamais. A rien. Tu n'as qu'à lire les instructions, les apprendre par cœur et les réciter. C'est ta mission. Un communiste reçoit les ordres, les répète et les exécute. C'est tout simple. « Le pensoir » est au Kremlin, c'est le bureau du comité central du Parti communiste mondial. Ne commets jamais le crime de penser même sur les sujets les plus insignifiants. Les textes à réciter ne te manqueront pas. J'aurais voulu t'embrasser avant de partir, mais tu sens mauvais et ta fille aussi. Je ne t'embrasse pas. Je garde l'image que j'ai de toi : tu es l'homme qui sent bon. — Hanna Tauler appelle Héléna auprès d'elle.

— Tu entends les coups de fusils, les mitrailleuses et les explosions ?

— Oui, Madame. J'ai très peur.

— Tu as vu des soldats tuer des gens dans la rue et du sang couler sur le macadam, comme l'eau des gouttières quand il pleut ?

— Oui, Madame... J'ai vu beaucoup, beaucoup de gens tués... Il y avait du sang plein les rues, j'ai marché dedans jusqu'aux genoux. Du sang chaud...

— Et tu as eu peur, en voyant les gens fusillés et en marchant dans leur sang...

— Oui, Madame... J'ai eu terriblement peur, j'avais tellement peur que je voulais mourir pour ne pas voir. C'était terrible...

— Et dans la cave, avec ton père, tu as eu peur ?

— Oui, Madame... On entendait dehors des coups de fusil, des mitrailleuses, des cris, des hurlements, des pleurs, des appels au secours... J'ai eu très peur dans la cave... Et puis, il y avait la saleté ; il y avait de la boue, des araignées, des vers de terre, des mouches qui piquaient comme des seringues ; il y avait des bêtes rampantes, des rats, des chauves-souris et de la moisissure...

— Tu as donc été très malheureuse dans la cave et tu as eu peur de toute cette vermine souterraine, ma petite, n'est-ce pas ?

— Oui, Madame. Très peur...

— Tu es habituée à dormir dans des endroits sans vers, sans mouches, sans parasites, sans bêtes rampantes... Tu es en bref, une fille et tu aimes la propreté, n'est-ce pas ? En ce moment, tu souffres d'être sale, tachée de boue, de sang... N'est-ce pas ?

— Oui, Madame.

— Si tu aimes vraiment la propreté, l'hygiène, et si tu veux vivre dans la salubrité, alors il ne faut jamais avoir peur quand tu entends des coups de fusil, des rafales de mitraillettes, des bombes d'avions ou des tirs de canon... Tu ne dois pas non plus avoir peur quand tu vois la milice et les soldats tirer sur les gens dans la rue ou dans les maisons et le sang couler comme du vin rouge sur le macadam. Promis ?

Héléna Skripka dit :

— J'aurai toujours peur quand je verrai tirer sur les gens...

— Alors tu es une fille sale, qui aime vivre dans les ordures et dans les caves.

— Non, Madame... Mais j'ai peur quand on tue les gens.

— Tu sais quels gens les soldats tuent, dans la rue ?

— Ils tuent ceux qui essaient de fuir...

— Et qui donc essaie de fuir ? La vermine sociale, les parasites du peuple, les sangsues de la classe ouvrière, les vipères, les chacals... Chaque fois que la police tire, c'est pour exterminer la vermine sociale, pire que celle que tu as connue dans la boue. La Milice et l'Armée Rouge veulent supprimer les parasites qui infestent la Roumanie comme les bêtes de la cave malodorante où tu étais réfugiée. En fusillant les passants, ils ne fusillent pas des hommes mais des fascistes, de la vermine sociale qui n'a que le visage humain. Tu comprends ? Pour vivre dans la propreté il faut exterminer cette vermine. C'est toi qui l'as dit. Puisque tu aimes l'hygiène, tu dois te réjouir chaque fois que tu vois la milice tuer des gens. Ce sont des parasites. Il faut supprimer tous les parasites et les bêtes nuisibles du beau pays roumain. Tu as compris ?

— Oui, Madame.

— Tu n'auras plus peur, dorénavant, en voyant des gens tués et en entendant des coups de fusils ?

— Jamais, Madame. Au contraire ! Je me réjouirai car je saurai que c'est la vermine qu'on tue.

— Tu auras des bonbons, des chocolats et tout ce que tu veux. Je te donne cette clochette, j'ai remarqué que tu en aimes le son. C'est la clochette du roi. Maintenant elle est à toi. Quand tu auras envie de quelque chose, sonne. Et on t'apportera ce que tu veux, comme une reine, tu auras de beaux valets, comme ici, au Palais Royal, car ton palais sera aussi beau.

— J'aurai un palais moi ?

— Dans deux minutes, tu seras dans ton palais. Offert par Hanna Tauler et par le Parti communiste roumain.

— Je peux vous embrasser pour vous remercier ?

— Oui.

Héléna Skripka baise la joue molle et poudrée de Hanna Tauler. Heureuse. Elle ne sent même pas que celle-ci pue comme une latrine. Elle sent la vodka et transpire comme une vache.

Héléna Skripka est contente. Elle a dans la main la clochette au son angélique. Elle aura dans deux minutes un palais. Elle vient de recevoir sa première leçon de communisme. Elle ne l'oubliera jamais. Elle n'éprouvera jamais de pitié, pour personne. Elle mar-

chera dans le sang avec volupté. Elle n'aura jamais de
compassion pour ceux qui sont tués ou torturés. Elle
sait dorénavant que ce sont des parasites qu'on
détruit. Tout homme, toute femme, tout enfant qu'on
tue, qu'on torture, qu'on enchaîne est, aux yeux
d'Héléna Skripka, de la vermine à exterminer, un
fasciste, un réactionnaire, un capitaliste. Tout massacre est pour elle, dorénavant, un acte de salubrité,
d'hygiène. Supprimer des hommes, c'est rendre la
société propre. A partir de l'âge de cinq ans, Héléna n'a
jamais versé une larme de pitié pour les veuves, les
hommes qu'on assassine, les gens qu'on torture, qu'on
enchaîne, qu'on déporte, qu'on emprisonne. Elle est
dès l'âge de cinq ans une meilleure communiste que
Hanna Tauler elle-même.

En matière de communisme, c'est comme en matière
de ballet : il faut recruter les ballerines avant l'âge de
cinq ans. Ainsi on a toutes les chances...

Toute l'enfance et la jeunesse d'Héléna Skripka
furent une suite de jours heureux car elle assistait sans
cesse à des actes de salubrité : massacres, emprisonne-
ments, déportations, tortures, perquisitions, interrogatoires, mises à la question... Plus on est femme, plus on
aime la propreté. Et Héléna Skripka en avait la passion. Elle fut toute sa jeunesse très heureuse, car elle
voyait des fascistes et des bêtes nuisibles à visages
humains mis à mort, massacrés. Qui pouvait être plus
heureux qu'elle ?...

XVIII

UN ITALIEN DANS LE PARADIS

Le poète du Christ et de la Roumanie voit ces événements dans son souvenir comme sur un écran de cinéma. Tout est exact. C'est comme ça que les faits se sont passés pour Léopold Skripka et sa fille. Mais l'histoire s'arrête. Brusquement : c'est la sonnette. C'est Giovanni Rota le tailleur de marbre qui fait à Paris de petits travaux de maçonnerie et de peinture.

— Je suis venu pendant votre absence, Don Virgilio, explique l'Italien. J'ai apporté mes outils. Ils sont en bas, dans la camionnette. Puis-je aller les chercher et commencer le travail tout de suite ?

— D'accord, répond le prêtre. Mais à deux heures j'ai une visite. Cela ne vous dérangera pas dans votre travail ?

— Certainement pas ! Ce sont plutôt vos visiteurs qui seront dérangés par ma présence... Ce sont des amis à vous ?

— Non. Des âmes en peine...

— Dans ce cas, avant qu'ils arrivent, je descendrai au bistrot boire un café et faire une pause. Les gens en peine qui viennent chez un padre désirent toujours lui confier des choses qu'ils préfèrent que personne n'entende, Don Virgilio : ... Je reviendrai après leur départ... C'est mieux ainsi.

Giovanni Rota, tailleur de marbre hautement qualifié, maçon et peintre en bâtiment, parle le français comme les Italiens : en l'écoutant, on a l'impression de se trouver dans une chambre avec toutes les fenêtres ouvertes... Car l'Italien ouvre largement les mots, en poussant sur les voyelles, en les accentuant. Comme quand on chante à l'opéra. Giovanni est petit, brun, les tempes grisonnantes. Il est beau comme les profils d'empereurs romains sur les monnaies anciennes.

Au lieu d'aller chercher ses outils de travail, il reste dans l'entrée. Il regarde les photos accrochées sur les murs entre les rayonnages de livres. Ce sont des photos de la vie littéraire du père Gheorghiu.

— Quelle belle fille, cette Virna Lisi ! s'exclame-t-il. — Il dévore de ses yeux noirs, brûlants, une photo de Virna Lisi tirée d'un film fait d'après « La Vingt-cinquième heure ». Il ajoute : — Non seulement elle est belle, mais elle joue bien, n'est-ce pas, Don Virgilio ?

— C'est exact ! répond le prêtre.

Giovanni Rota attache son regard sur la photo de Virna Lisi à la cathédrale grecque de Paris, rue Georges Bizet. Sur ce cliché, la vedette est en train de baiser une belle croix byzantine que lui tend le prêtre :

— Nous avons de très belles filles en Italie, n'est-ce pas, Don Virgilio ?

— En effet. Dieu y a créé de grandes beautés féminines.

— Ne me parlez pas en jargon de sermons, Don Virgilio... Moi, pour vous dire franchement, je ne pense jamais à Dieu quand je vois une belle fille. Je pense seulement au moyen de la conquérir... C'est un blas-

276

phème, ce que je viens de dire ? Vous n'êtes pas fâché Don Virgilio ?

— Admirer la beauté des femmes n'est pas un blasphème... Et ne pas penser à Dieu en regardant une belle fille, n'est pas un blasphème non plus.

On ne pense jamais au Créateur quand on admire une belle œuvre. Qui pense à la mère en regardant une fille dans la rue ? Personne. On pense à elle..., à la fille. C'est humain ! C'est à nous les prêtres, les poètes, les moines, les moniales, d'y penser, puisque le monde n'a pas le temps de le faire... En regardant les belles filles, les hommes, troublés par leur beauté, ne peuvent songer à autre chose qu'à les conquérir... C'est pour cela qu'existent les prêtres et les religieux : ils ont la mission d'accomplir ce que vous n'avez pas le temps de faire : rendre grâce à Dieu pour les belles choses qu'il a créées. C'est le même problème pour la prière. Le matin, vous et les autres gens, vous avez à peine le temps de prendre en vitesse votre café et de courir au travail. La mission des prêtres est de prier à votre place et pour tous ceux qui n'ont pas le temps de le faire, et d'implorer Dieu que vous ayez une bonne journée et que les anges vous protègent des malheurs... Le soir, vous rentrez chez vous mort de fatigue. Je suis certain que vous n'avez pas envie de prier avant d'aller vous coucher...

— Jamais, répond Giovanni...

— Moi, les autres prêtres et les moines de toute la terre, nous prions chaque soir pour vous, Giovanni, et pour tous ceux qui ne savent pas prier, qui ne peuvent pas ou ne veulent pas le faire. Sans vous connaître. De la même manière, sachant qu'en rencontrant une belle fille, vous n'avez en tête que l'idée de la conquérir, nous nous chargeons de rendre grâce à Dieu pour toutes les beautés qu'Il a créées. Les belles filles, les fleurs, les forêts, les champs...

— Tous les *padres*, m'ont toujours affirmé que la femme est le péché, l'instrument du diable, la cause de la chute... C'est la première fois que je vois un prêtre louer la beauté féminine, et même avoir sur ses murs des photos de belles femmes comme Virna Lisi... Une actrice de cinéma.

— J'ai sa photo ici, parce qu'elle interprète au cinéma une de mes œuvres. Mais aussi comme belle image. Car la femme, Giovanni, est une créature supérieure, plus belle que l'homme. Je l'affirme d'après l'Ecriture Sainte qui nous dit que les hommes furent créés par les mains de Dieu à partir de la poussière, de la terre ordinaire. Vous qui êtes ouvrier hautement qualifié, vous savez que pour faire quelque chose de très beau, un palais par exemple, il vous faut d'abord des matériaux de haute qualité. Un joaillier, un orfèvre, un architecte, pour réaliser une grande œuvre, choisissent d'abord des matériaux de première qualité : de l'or pur, de l'argent, du granit, du marbre. Eh bien, Dieu a fait l'homme avec le moins cher et le plus ordinaire des matériaux : la terre. Le Créateur a réussi à en faire la plus belle créature de l'univers, l'homme. Cela montre qu'il n'est pas de plus grand artiste que lui. Lui seul peut faire de la poussière un chef-d'œuvre. Mais quand Il créa la femme, Il voulut faire mieux : Il prit donc une matière supérieure à la terre : Il la modela à partir de la côte de l'homme, un matériau déjà façonné par ses mains d'artiste : c'est pourquoi la femme est supérieure en beauté et en beaucoup de choses à l'homme ; c'est pourquoi tous les peintres, les poètes, les musiciens, les sculpteurs n'en finissent plus, depuis la Création du monde, de louer, de chanter et de peindre la beauté féminine... L'Eglise a placé la femme dans le Ciel plus haut que les anges, les archanges, les séraphins et les chérubins... La Sainte Mère de Dieu est au-dessus de tous les Cieux... Vois-tu, Giovanni, tu es loin de blasphémer en louant la beauté féminine. Au contraire. Tu fais l'éloge du Seigneur...

— Je suis content d'entendre un padre dire du bien des femmes... dit Giovanni. Il ajoute : — En passant à la maison chercher mes outils, je vous ai apporté une chose qui, j'en suis certain, vous fera plaisir, Don Virgilio...

— Qu'est-ce que c'est ?

— J'ai décroché du mur de ma chambre et je vous ai apporté la photo d'une Roumaine plus belle encore que les Italiennes...

— Là, tu fais erreur, Giovanni, en me prenant pour un collectionneur de photos de belles femmes... Ce n'est pas le cas.

— Je vous l'ai apporté, Don Virgilio, parce que vous vivez en exil comme moi, et que la photo de cette fille arrive de votre patrie, de la Casa Vostra.

— Là, tu te trompes à nouveau, Giovanni. Merci de tes bonnes intentions. Mais garde toutes tes photos de Roumanie...

— Vous êtes roumain, Don Virgilio... Comment pouvez-vous parler ainsi ?

— C'est justement parce que je suis roumain que je dis cela... Je refuse de regarder les photos qui arrivent maintenant de Roumanie. Ma patrie est occupée par les Bolcheviques depuis un quart de siècle. Mon peuple est enchaîné. Les frontières sont transformées en murs de prisons. Ma patrie est transformée en une République Pénitenciaire. Et mon peuple est prisonnier des occupants... Je n'aime pas regarder les photos de mon pays occupé par l'Armée Rouge ni celles de mes compatriotes enchaînés et captifs... Mon peuple est privé depuis vingt-cinq ans du seul Capital que l'homme possède sur terre. Car le véritable Capital de l'homme n'est pas celui dont parlent Karl Marx, Lénine, Staline et Mao Tsé-toung. Le Capital de l'homme : ce n'est pas ses meubles, ses immeubles, ses trésors en coffre-forts, ni son chéquier ou les billets de son portefeuille... Son véritable, son unique Capital, c'est la LIBERTÉ. C'est par la Liberté que l'homme est le Roi de la Création, Fils de Dieu, égal aux anges, et supérieur à tout ce qui existe dans le Cosmos... Or mon peuple est privé de son véritable Capital. Il est encagé. Il est captif. Il n'a pas la Liberté...

— La photo que je vous ai apportée est différente... dit Giovanni Rota. — Il sort une photo grand format, comme celles de vedettes qu'on affiche à l'entrée des salles de cinéma. — C'est une Roumaine, Don Virgilio, une beauté comme on en voit rarement, n'est-ce pas ? Moi, pour une femme pareille, je risquerais de passer toute l'éternité en enfer...

La photo que le tailleur de marbre Giovanni Rota étale avec fierté devant le père Virgil Gheorghiu est une photo récente de l'actuelle Madame Max Hublot : tout à fait semblable à celle de sa mère, « la belle Héléna », que tous les élèves du collège militaire de Kichinev gardaient avec piété dans leurs cahiers et dans leurs manuels.

— Qu'est-ce que vous en dites, Don Virgilio ?

Le prêtre vient de voir cette femme à la clinique, il y a moins d'une heure : Madame Hublot. Il est consterné de la coïncidence. Madame Max Hublot le poursuit. Car il s'attendait à tout, mais pas à ce que l'ouvrier maçon lui montre une photo de la fille de Léopold Skripka, celle qui vit en France sous le nom de Madame Hublot...

— Vous savez, Don Virgilio, que cette fille devrait être ma femme aujourd'hui... Mia moglia.

Le prêtre regarde la photo. Attentivement. Héléna Skripka porte une robe de printemps, très décolletée ; elle est au bras de Giovanni Rota... Elle le serre auprès d'elle et lui sourit... Amoureusement...

— Vous me croyez quand je vous dis que seul un hasard fait que cette belle fille roumaine n'est pas aujourd'hui *mia moglia,* ma femme, mon épouse ?

— Je vous crois, Giovanni, je vous crois... répond le prêtre.

Il pense à autre chose.

— *Mama mia,* si vous, un padre, vous ne me croyez pas, qui me croira, alors ? Regardez la photo ! Est-elle amoureuse de moi, oui ou non ? Vous êtes poète et romancier. Vous savez mieux que les autres si une femme est amoureuse ou non !

— Elle est très amoureuse de vous... Cela se voit clairement sur la photo... Et j'en sais davantage, Giovanni. Je sais pourquoi elle n'est pas devenue *vostra moglia,* votre épouse, et pourquoi vous êtes à Paris, tout seul.

— Lisez la dédicace maintenant, Don Virgilio... Elle voulait m'épouser. C'est à cause d'un accident que notre mariage n'a pas eu lieu. Un accident.

— Ce n'est pas vrai, Giovanni, répond sèchement le prêtre. Héléna Skripka n'est pas devenue votre épouse, parce que vous êtes un tailleur de marbre, un maçon, un peintre en bâtiment, un ouvrier manuel et elle, est plus qu'une marquise, une comtesse, une princesse... Si elle était princesse ou vicomtesse, elle vous aurait épousé, cela se passe souvent de nos jours, le mariage est possible avec des roturiers ou des roturières. Mais elle, votre Héléna, n'appartient pas à une noblesse internationale, son nom n'est pas inscrit dans le Gotha.

Non, elle est plus que cela, elle appartient à une caste. Et c'est plus qu'appartenir à la noblesse, plus qu'avoir du sang bleu : elle appartient à la caste des Membres du Comité central du Parti communiste. La fille d'un membre du Comité central du Parti communiste, dans un pays où les communistes sont au pouvoir ne se marie qu'avec le fils d'un autre membre du Comité central du Parti. Il y a des bals, des fêtes, des garden-parties, des soirées dansantes chez eux comme chez tous les jeunes du monde. Mais on n'est invité à un cocktail ou une réception donnée dans la maison d'un membre du Comité central du Parti communiste que si on en fait partie soi-même. C'est une caste dont les membres ne se marient qu'entre eux, comme aux Indes autrefois il y avait les castes des Intouchables et des Parias : on n'y touchait jamais, pour ne pas se salir. Ce n'est pas de la propagande ce que je te dis. Ceux qui appartiennent à la Caste des familles des membres du Comité central du Parti communiste de Roumanie, de Russie ou des autres Républiques Pénitenciaires n'entrent jamais dans les mêmes magasins que les citoyens ordinaires. Ils ont leurs boutiques à eux, construites spécialement pour eux, fréquentées exclusivement par eux. Si vous osez y pénétrer, on vous tue, car il y a des sentinelles tout autour. Ils ont des marchandises importées d'Occident spécialement pour eux. Ils fument tous uniquement des cigarettes américaines, ils s'habillent de tissus anglais, ils ont des chaussures italiennes. Même les plages où ils vont se dorer au soleil et se baigner, au bord de la mer Noire, sont entourées de murs hauts comme ceux de la prison de la Santé à Paris. Afin que les citoyens ordinaires ne salissent pas leurs corps en les regardant, afin que ces citoyens ne salissent pas l'eau de mer dans laquelle ils mouillent leurs augustes pieds. Héléna Skripka et toutes ses copines, toute la bande des « blousons de Sang », vont en avion spécial chez le coiffeur en Occident. Elles ont ainsi leurs manucures, leurs pédicures, et leurs séances de maquillage dans les Beauty-Parlors de Rome, de Vienne et de Paris... C'est une caste où jamais un ouvrier manuel comme vous n'aurait pu entrer... Savez-vous que si la voiture de Léopold Skripka veut traverser un village pour des affaires personnelles, les routes sont, toute la journée, interdites à la circulation ? Qu'aucun passant n'a le droit d'emprunter les trottoirs ? C'est la caste des Membres du Comité central du Parti communiste au Pouvoir, leurs Précieuses Camaraderies, plus précieuses que tous les diamants de Perse, du Katanga et d'Asie. Aucun membre de cette caste ne circule jamais en une seule voiture : il en faut au moins trois. Une au milieu transporte Sa Précieuse Camaraderie, et celles qui sont devant et derrière sont découvertes, avec des mitrailleuses, pour la police... Et tu viens me dire, à moi qui souffre à cause de toutes ces injustices, que tu étais sur le point de te marier avec Héléna Skripka ? Même si tu étais le fils légitime de Luigi Longo ou de Togliati, les chefs du Parti communiste italien, tu n'aurais pas eu plus de chances. Car ceux qui appartiennent à la caste de la belle Héléna n'épousent que des membres du Comité central du Parti communiste qui sont au Pouvoir. Et ils savent que tous les chefs qui sont à l'étranger, aucun ne sera au pouvoir le jour où la révolution éclatera. Au jour de la prise de pouvoir par les Soviets, tous les anciens combattants communistes seront liquidés, tués avant les ennemis de la classe ouvrière. Si le Parti communiste français arrive un jour au pouvoir, vous n'y trouverez aucun nom des dirigeants du Parti communiste français actuel. Aucun. Cela ne s'est jamais passé dans aucun pays. Les vieux communistes sont, le jour de la victoire, habillés en pardessus de sapin et enterrés sous des chrysanthèmes ou dans des cellules souterraines de béton en Russie... Ton histoire avec Héléna Skripka ne tient pas debout.

— Vous connaissez mon amour pour la belle Héléna ?

— Certainement. Un poète sait tout ce qui arrive à son peuple, comme tout homme connaît la moindre égratignure qui arrive à son corps...

— Lisez la dédicace écrite en roumain par ma belle Héléna et vous changerez d'opinion...

Le prêtre lit : « A mon bien-aimé, à l'homme de ma vie, éternellement. Signé : « Camaradissima ». Il dit à Giovanni :

— C'est dans la signature même qu'elle attire ton attention sur la différence de caste car ils ont aboli les classes sociales, mais ils ont introduit quelque chose c'est-à-dire la Super-Camarade, Sa Haute Camaraderie, comme à un prêtre ordinaire on dit « Révérend » et à un évêque « Révérendissime ». C'est elle qui t'indique qu'elle est Camaradissima, supérieure à toi.

— Ça c'est un jeu d'amour entre nous, Don Virgil. C'est moi qui lui ai dit qu'elle était non pas la camarade, mais la Camaradissima ; comme parmi les champions, Fausto Copi est Championissime ; comme parmi les généraux, Staline est Généralissime. C'est en ce sens que je l'ai appelée Camaradissima...

— Je te crois, Giovanni. Mais pour elle, le sens de Camaradissima n'est pas celui auquel tu as pensé. En écrivant Camaradissima, elle montre qu'elle n'est pas une vulgaire camarade, comme n'importe quel membre du Parti.

— Son père était d'accord, Don Virgil... Léopold Skripka, le Président du gouvernement Roumain, était

284

d'accord pour que sa fille deviennent *mia moglia*, ma femme... Il me l'a dit...

— Je ne doute pas que Léopold Skripka t'ait donné son accord... Car il savait que chaque semaine sa fille, comme toutes celles de sa caste, toutes les Camaradissimes, changeait de mâle. Tous les trois ou quatre jours, elles trouvent un autre homme qu'elles veulent épouser et qu'elles présentent à leur père pour avoir son acocrd. Mais elles ne se marient pas car entretemps elles tombent amoureuse d'un autre. Elles sont semblables à la jeunesse occidentale atteinte du mal américain, qui échange mâles et femelles, publiquement même, devant leurs parents. A condition que cela se passe exclusivement dans le cercle ferme des Camaradissimes, des familles des membres du Comité central du Parti communiste... Encore une chose : quand un membre du Comité central du Parti communiste perd son poste, personne ne le reçoit plus. Les autres lui ferment immédiatement leur porte. Il est exclu de sa caste et personne ne répond plus à son salut dans la rue. Comme cela s'est passé pour Roger Garaudy en France. Quoique ici, les choses se passent sur du velours...

— Don Virgilio, vous m'écoutez ?

— Je t'écoute.

— Mon père était communiste. Il est mort dans les prisons fascistes, parce qu'il était communiste. Mon grand-père est mort sur les barricades, pendant une grève, tué par des carabiniers, car il était communiste. Toute ma famille est communiste. Tous les habitants de mon village de Calabre sont communistes... Moi-même, j'ai fait trois ans de prison comme communiste.

— Vous avez, vous Giovanni, les habitants de votre

village, votre père, votre grand-père, et tous les communistes, mon admiration.

— Mais vous avez parlé comme un fasciste contre les communistes... dit Giovanni...

— J'admire, je respecte, j'aide les communistes, qui luttent pour la justice, mais je suis contre les tyrans qui s'enrichissent, massacrent et oppriment les peuples au nom du communisme en formant la caste des Dirigeants communistes. Ils sont pires que les Tyrans du Moyen Age.

Je viens seulement de faire votre connaissance, mais je connais votre amour pour la Camaradissima Héléna Skripka, depuis longtemps, dans tous les détails.

— Mieux que moi, Don Virgilio ? demande ironiquement Giovanni Rota.

Son anticléricalisme fait surface. Il est légèrement agressif.

— Je connais plus de détails que vous-même, Giovanni, sur votre amour avec la Camaradissima ! Je suis le poète du Christ et de la Roumanie. Et je sais sur la Roumanie et ce qui s'y passe plus de choses que si j'avais assisté à leur déroulement comme témoin oculaire.

— Avez-vous le don de voir les choses à distance ?

— Pas du tout. Il n'y a aucun miracle là-dedans. Absolument aucun. Seulement « Dieu ne fait rien qu'il n'ait révélé son dessein à ses serviteurs les poètes » (Amos II, 3-7). De plus, ce qui se passe en Roumanie, c'est dans mon corps que cela se passe. La Roumanie est le corps de chaque poète roumain. Je vais vous dire ce qui s'est passé pour vous. Je connaissais depuis longtemps les déboires de la Camaradissima avec un tailleur de marbre italien. Mais je ne savais pas que c'était vous. Prenez place. Je vais vous raconter votre histoire de A à Z. Et si je me trompe

286

d'un pouce, vous m'arrêterez, vous me corrigerez. Si je fais une erreur en quoi que ce soit, dans le moindre détail, j'ai la preuve que je ne suis pas le poète du Christ et de la Roumanie. Vous êtes bien placé pour me démontrer cela, car cette histoire, c'est vous qui l'avez vécue.

— D'accord, Don Virgilio...

L'Italien est ironique. On est habitué depuis longtemps aux prêtres qui parlent sans rien dire, qui disent une chose et en font une autre. Virgil Gheorghiu a eu la chance d'être privé de tout ce qui l'aurait retenu dans sa route vers la vérité. L'histoire l'a dépossédé de sa patrie, de sa famille, de ses parents, des richesses, de la vaine gloire, des droits civils, de tout. Il est comme une balle que les douaniers et les policiers peuvent se jeter, à leur gré, d'une frontière à l'autre. Comme ils veulent.

Il dit à Giovanni :

— Après vingt ans de pouvoir ininterrompu, les collaborateurs de l'occupant russe de Roumanie sont devenus si riches qu'ils pouvaient rivaliser avec n'importe quel milliardaire américain. Chaque membre du Comité central du Parti communiste roumain vivait dans cinq ou six palais. Chacun possédait une douzaine de limousines, des dizaines de serviteurs qui les suivaient partout. Leurs demeures étaient ornées de tableaux, de tapis et de meubles pris dans les musées, car ceux-ci leur appartenaient. Quand ils ont vu qu'ils étaient si riches et qu'ils possédaient tout le pays, ils ont introduit le droit de propriété privée afin de pouvoir laisser leurs innombrables palais et richesses en héritage à leurs enfants, à leurs petits-enfants, à leur famille ou à leurs maîtresses... La loi fut promulguée. Vingt millions de Roumains ne possédaient rien, cette loi ne leur faisait ni chaud ni froid, elle ne les concernait pas. Les membres du Comité central du Parti communiste roumain, immédiatement après l'adoption de la loi sur la propriété privée, ont commencé à construire des palais, pour eux et leur famille, semblables à ceux des Condottières, des Borgia, des Sforza et autres magnats de la Renaissance en Italie... Le ministre de l'Agriculture et du Commerce extérieur, Imre Mogyrow, qui avait fait pendant de longues années un trafic sans honte en vendant les prisonniers et les citoyens roumains à leurs familles établies à l'étranger ou à des institutions de charité, pour dix mille dollars la tête d'homme (comme je l'ai décrit dans mon livre « La Condottiera ») et qui avait amassé par ce commerce une fortune colossale, décida de se faire construire un palais sur les bords du lac Floresca, près de Bucarest. Le palais Imre Mogyrow. Tout en marbre, avec des piscines intérieures au lieu de baignoires, avec un toit en mosaïque. Il demanda d'abord les services de Palmiro Togliatti et, après la mort de celui-ci, de Giovanni Longo. Un jour tu as été convoqué par le secrétaire de ta cellule et on t'a demandé si tu voulais aller dans une République communiste travailler à la construction d'un palais. Tu as tout de suite dit oui. Un ouvrier qui travaille toute sa vie pour les capitalistes, les fascistes, les réactionnaires, les sangsues du peuple, les oppresseurs, avait l'occasion de travailler pour ses camarades. Dans une république de rêve, dans une république communiste... Les conditions étaient exceptionnelles. Billet d'avion, logement dans un appartement avec salle de bains, paie d'un ouvrier hautement spécialisé... Tu es allé en Roumanie avec une trentaine de camarades communistes italiens ; heureux comme si l'avion nous avait emmenés au paradis. Et votre joie ne fut pas une illusion. Vous n'avez pas été accueillis à l'aéroport comme on reçoit les ouvriers italiens à Paris, à New York, à Londres ou à Genève, c'est-à-dire comme des êtres d'une espèce inférieure, comme un mal nécessaire. On vous a reçus comme représentants du Parti communiste ! Des filles en costume national vous ont offert des bouquets de fleurs, comme aux chefs d'Etats en visite officielle. On a porté vos valises, comme pour de hautes personnalités. On vous a conduits en limousines, on vous a applaudis tout au long du parcours. Vous avez été logés dans un des meilleurs hôtels, réquisitionné pour vous. Vous étiez les camarades spécialistes de l'Italie dans une république où les camarades communistes sont au pouvoir. Le soir même, on a donné une réception en votre honneur comme pour des diplomates, dans les salons du ministère de Imre Mogyrow. Le président du Conseil, Léopold Skripka, est venu vous serrer la main avec d'autres ministres. Après cette réception, toutes les filles des membres du Comité central du Parti communiste roumain vous ont invités dans leurs voitures de sport importées d'Italie, pour faire la tournée des boîtes de nuit réservées aux « Blousons de Sang ». Dès le premier soir vous êtes devenu l'amant d'Héléna Skripka. Toutes les filles de la haute société communiste sont allées coucher chacune avec un Italien. « Dolce Vita », ce n'était plus un film italien, c'était une réalité... Est-ce vrai ? Vous étiez au paradis, pas en Roumanie !

— C'est vrai Don Virgilio...

— Le lendemain, Héléna vous a proposé de l'épouser.

— C'est vrai. Nous avons écrit une lettre à *la Mama*, à ma mère. Je lui ai annoncé mes fiançailles.

— Vous avez projeté de faire un voyage en Italie pour présenter Héléna à votre maman, comme c'est l'habitude. En Italie, bien que vous soyez communiste, il faut présenter d'abord sa fiancée à la mama.

— Exact.

— Vous avez fixé le mariage au jour où les travaux seraient finis...

— Exact.

— Vous avez voulu vous marier avant... Mais dans ce cas vous deviez rester en Roumanie, comme fonctionnaire supérieur dans la branche bâtiment, ou retourner en Italie.

— C'est la mama, ma mère, qui ne voulait pas que je reste en Roumanie. Mais elle a montré à toute la Calabre la lettre dans laquelle j'annonçais que j'allais me marier avec la fille du Premier Ministre de Roumanie. Même les curés, et les propriétaires réactionnaires ont commencé à croire que le communisme est réellement le paradis. Car on n'avait jamais imaginé que moi, le pauvre des pauvres, Giovanni Rota, je puisse me marier avec la fille d'un Premier Ministre. Et cela devenait possible parce que ce Premier Ministre était chef d'un gouvernement communiste. A toutes les élections qui ont suivi cette lettre sur mes fiançailles, on a voté exclusivement communiste, même le curé. Car le communisme était plus que tous les miracles, mon mariage était un prodige, même pour l'Eglise. N'était-ce pas un miracle que moi, pauvre ouvrier italien qui n'avais logé que dans des chambres de bonnes, qui n'avais mangé que dans des gamelles sur le chantier, moi un Italien prolétaire, un Rota, je puisse devenir gendre d'un Premier Ministre parce que j'étais communiste... ?

— C'est juste... Mais ne sont comptés comme miracles que ceux qui durent... Et votre miracle n'a pas duré, ce n'en était pas un ! Vous n'étiez pas au paradis, malgré les apparences, mais dans une République Pénitenciaire. Vos camarades n'étaient pas des camarades, mais des Camaradissimes, des Altesses.

L'ESPIONNE

Les yeux de Giovanni Rota sont pleins de larmes...
Car il n'a même pas effectué le travail pour lequel il
était allé en Roumanie. Le prêtre a pitié de lui. Il dit :
— Giovanni, mon frère, Giovanni, mon fils, ce n'est
pas la peine de pleurer. Tu es un Italien qui es allé au
paradis, tu peux être fier, car ils ne sont pas nombreux
ceux qui peuvent, de nos jours, aller au paradis comme
Dante et son guide Virgile... Mais toi, tu y es allé en
avion spécial. Tu as fait une seule erreur. Tu as oublié
qu'on ne peut y aller ni en avion ni en spoutnik. Et
surtout, si on prend la direction de Moscou, de Bucarest, de Prague, de Sofia, de Varsovie, de Kiev, on a
toutes les chances de tomber dans une République
Pénitenciaire. Tous les Italiens pauvres rêvent d'aller au
paradis, ceux du Vatican, comme ceux qui émigrent
vers New York. Tu as fait comme la majorité d'entre
eux, tu t'es embarqué vers cet espoir ; c'est normal. De
mon point de vue, je suis certain que tu as le droit
d'aller au paradis, au véritable, car tu es pauvre, parfait ouvrier et vous les Rota, vous souffrez et vous
espérez depuis des siècles... Tu n'as fait qu'une faute
de direction, c'est tout. Il est humain de se tromper.
Tu es tombé dans une République-Cage, une République Pénitenciaire, dont seule l'étiquette prétend que
c'est le Paradis. Mais tu sais, les étiquettes collées sur
les flacons sont trompeuses, et souvent à dessein. Je
suis navré pour toi. Et je prie pour qu'à ton second
voyage, — car un Italien pauvre ne renonce jamais au
voyage au paradis — tu ne te trompes pas d'itinéraire... de direction...
— Vous savez pourquoi je suis rentré quelques jours
après en Italie ? demande Giovanni Rota.
— Certes, je le sais. C'est à cause de l'horrible crime
sexuel que la fille de Imre Mogyrow a commis presque
sous tes yeux, à quelques mètres de toi... Je sais cela. Tu

as bien fait de rompre tout de suite avec Héléna et de rentrer dans ton village de Calabre. Je pense qu'il y a plus de paradis en Calabre, malgré son immense pauvreté, que dans les républiques paradisiaques... Maintenant je te prie de me laisser seul. Mes visiteurs vont arriver. Et je ne veux pas que tu les rencontres.

Giovanni Rota se lève.

— Puis-je garder la photo de la Camaradissima Héléna Skripka ? demande le prêtre. Tu sais, son père fut mon professeur de Philosophie au lycée militaire de Kichinev. Nous autres, ses élèves étions tous amoureux de la mère d'Héléna Skripka. Elle lui ressemble comme deux gouttes d'eau. C'est presque la même photo. Mais je te demande ce cliché pour d'autres raisons, non parce qu'elle ressemble à sa mère qui fut notre premier amour d'adolescent ; c'est pour d'autres motifs que je te la demande...

— Pour quelle raison voulez-vous la garder ?

Giovanni Rota est méfiant.

— Quand tu reviendras, après avoir pris ton café, je te le dirai. Entre-temps tu peux la reprendre si tu veux. Tu me la donneras si tu trouves que ma raison de te la réclamer est valable...

Giovanni Rota laisse la photo. Le prêtre la cache. Et il regarde par la fenêtre du troisième étage si Max Hublot ne rencontre pas Giovanni Rota, l'ex-amant de sa femme, celui qui devait être, à sa place, le mari d'Héléna Skripka...

XIX

LES TRESORS ENGLOUTIS EN SUISSE

Le père Virgil décide de réclamer à Giovanni Rota toutes les photos d'Héléna Skripka afin qu'elles ne tombent pas entre les mains de la police. Elles sont une preuve irréfutable contre Madame Max Hublot. Dans un quart d'heure arrivera son mari. L'histoire du pauvre tailleur de marbre italien et de son voyage au paradis du Danube a endolori le cœur du prêtre.

Etre poète et prêtre, ce n'est pas seulement un métier, une vocation, une mission, c'est d'abord souffrir sans interruption ; vivre suspendu à la Croix, sans jamais descendre au sépulcre, toute sa vie, comme un écorché vif. Car un poète et un prêtre doivent subir et partager les peines de tous leurs contemporains, de toute la société dans laquelle ils vivent. Les souffrances personnelles du père Virgil furent, sont et seront toujours innombrables. Maintenant s'y sont ajoutées celles de Max Hublot, d'Héléna Skripka et de leur enfant. La visite de Giovanni Rota a aggravé cette douleur. Elle la rend plus grande. Peut-être sans issue. Le prêtre connaît depuis deux ans l'histoire de l'Italien. Mais il ignorait son nom. Et, surtout il ignorait le fait, très grave, que Giovanni Rota habite ICI, tout près de lui, dans une chambre de bonne, qu'il risque donc à chaque instant de se trouver face à face avec Héléna Skripka dans la rue. Il y a en plus la coïncidence, qui veut que l'Italien soit chez le prêtre juste le jour où vient le mari d'Héléna Skripka. Et un seul mot échangé par hasard entre les deux hommes peut faire éclater la vérité sur la fausse identité de la malheureuse.

Cette vérité doit être à tout prix cachée à Max Hublot et à la police. L'expulsion de Rota du paradis pénitenciaire des Carpathes est due à un horrible crime sexuel commis par un jeune « Blouson de Sang », nommé Marika.

C'est le prince X... qui l'a raconté au père Virgil, il y a deux ans. Le prince était venu chez le prêtre lui demander de l'aider à acheter un billet d'avion pour l'Espagne. Il était à la place où l'Italien se trouvait tout à l'heure. Il raconta l'histoire de Giovanni Rota en Roumanie, ayant été témoin oculaire, du crime comme Héléna Skripka.

Le prince X... avait une quarantaine d'années. Il sonna à la porte du prêtre, rue de Siam. Impossible de situer ce visiteur dans une catégorie. Et pour cause. Il dit au prêtre, dans un excellent français, mais laissant voir qu'il était étranger :

— Je suis le prince X... Vous connaissez mon nom, n'est-ce pas ?

— En effet, répondit le père Virgil. Toute la Roumanie connaît votre nom.

Le prince descend en ligne directe d'une des familles impériales de Byzance. Ses ancêtres régnèrent sur la Roumanie pendant l'occupation turque, nommés princes de Moldavie par le sultan. Son renom est dû, en outre, à ce qu'il était un as de l'aviation roumaine. Il abattit une vingtaine d'avions soviétiques pendant la Seconde Guerre mondiale. Il était aviateur de chasse mais sa spécialité était les acrobaties aériennes qui

294

passionnaient autrefois les foules. C'était un vrai casse-
cou. Un cascadeur du ciel.

Le 23 août 1944, quand l'Armée Rouge occupa la
Roumanie, le prince fut arrêté parmi les premiers. Avec
les ministres, les généraux, les officiers supérieurs et
les industriels. Il fut incarcéré par la milice dans le
fort de Jilava, au sud de Bucarest. C'est une prison
souterraine située dans une forêt. Une véritable Maison
de la Mort.

— Qu'est-ce qui me vaut l'honneur de votre visite,
Prince, demanda le prêtre.

Le prince explique en très peu de mots, très dignement, l'objet de sa visite : il venait de s'évader de la
République Pénitenciaire de Roumanie et arrivant à
Paris, il manquait d'argent pour payer son billet
d'avion jusqu'à Madrid. Il affirma qu'il rendrait la
somme qu'il demandait.

— J'ai projeté une série de meetings et d'acrobaties
aériennes en Espagne. J'aurai les moyens de vous rembourser.

C'était tout sur l'objet de sa visite. Il raconta ensuite
son histoire, depuis le jour de l'occupation de la Roumanie jusqu'à son évasion.

— Vous étiez le secrétaire privé et le pilote personnel d'Hanna Tauler, dit le prêtre. Comment un prince
dont les ancêtres régnèrent sur l'Empire byzantin et sur
la Roumanie, est-il devenu secrétaire de celle qui massacra, avec son Premier Ministre Léopold Skripka,
d'autres collaborateurs et les occupants, un tiers de la
population roumaine ? Pendant plus de vingt ans, vous
avez collaboré à l'extermination du peuple roumain
dont le pays était envahi par l'Armée Rouge. Aujour-
d'hui, il n'y a pas un seul Roumain ou une seule Roumaine qui n'ait fait de la prison, qui n'ait subi la
torture, la déportation et qui n'ait eu au moins un

parent proche tué par la Milice d'Hanna Tauler... Vous avez collaboré avec la reine ivrogne de la Roumanie pénitenciaire à tous ces massacres et à tous ces crimes. Votre histoire, tout le monde la connaît. J'aimerais l'écouter de votre bouche. Si cela est possible. Car c'est grâce aux poètes plus qu'aux historiens que les générations à venir connaîtront la vérité sur l'époque la plus sombre de notre cher pays...

— Je fus arrêté dans mon château aussitôt après l'occupation. Le 23 août 1944. Je fus conduit au fort de Jilava, enfermé dans une cellule de condamné à mort.

— Avec qui étiez-vous à Jilava ?

— Tous les ministres, les généraux, les as de l'aviation...

— Quand avez-vous été séparé de vos codétenus et pour quelles raisons ?

— Tous furent fusillés. Par lots de trente, quarante. Jour et nuit. Nous étions les derniers à exécuter, moins d'une dizaine...

— Et ensuite ?

— Ensuite on nous amena, tous les dix ou douze, je ne sais pas exactement le nombre car, avant de nous faire sortir des cellules, on nous banda les yeux. On nous conduisit dans la cour de la prison, où avaient lieu les exécutions. On nous lia les mains, pas sur des poteaux, mais à des anneaux de fer comme ceux qu'on voit encore à l'entrée des vieilles auberges pour attacher les chevaux. Ils avaient été fixés récemment dans le mur devant lequel nous étions alignés pour être fusillés. J'ai entendu les pas du peloton d'exécution. Il ne faisait pas encore jour. C'était l'aube. J'ai entendu les ordres qu'on leur donnait. Tous étaient des miliciens, pas un seul militaire. La majorité ne savait pas manier les armes. Il n'y avait pas de prêtre ni de représentant de la justice, ni de tambour. Je l'ai appris ultérieurement. A vrai dire, ce n'était pas des exécutions, c'était des assassinats.

J'ai fait ma prière et j'entendis le chef des miliciens commander « feu ». Et à ce moment j'ai entendu quelqu'un courir à toutes jambes vers le commandant et crier :

— *Cecatti, cecatti, cecatti...*

Le prince avoue qu'il ne connaissait pas le russe mais que dans le slavon et les langues serbes, *cecatti* signifie : Patience, attends, ne te dépêche pas...

— Ensuite ? demanda le prêtre.

— On a retiré le peloton d'exécution. Nous avons été reconduits dans nos cellules. A moi et à moi seul, on n'a pas bandé les yeux. J'ai pu voir la cour, les miliciens qui partaient. Le messager qui avait crié *cecatti*. Les murs. Les anneaux dans le mur. Les arbres de la forêt qui étaient plus hauts que le mur... On m'a conduit au bureau de la prison, on m'a mis des menottes et on m'a ordonné :

« Avance, Prince ! »

On me poussait par-derrière, avec des armes, vers un fourgon. J'y montai seul. J'ignore le chemin parcouru. Cela a duré environ une heure. Les routes étaient mauvaises et on roulait lentement. Le fourgon était vieux. Le chauffeur ne savait pas bien conduire : personne ne savait rien faire correctement. Quand on m'a ordonné de descendre, toujours menottes aux mains, j'ai vu tout blanc autour de moi. J'étais au Palais Royal. On m'y poussa à coups de pistolets. Après un quart d'heure d'attente je me trouvais devant Hanna Tauler, dans la bibliothèque royale. Je connais bien le palais. Elle était sur le fauteuil du roi, en uniforme russe, la casquette sur la tête. Ivre. J'étais toujours encadré par deux miliciens. Elle me regarda avec une certaine admiration et me demanda :

« C'est toi le célèbre cascadeur, le fameux casse-cou, le voltigeur aérien, l'acrobate de l'air ?

« Oui.

« Tu es aussi un as de l'aviation de chasse... Tu as détruit, d'après les communiqués, une vingtaine d'appareils soviétiques. Tu es beau garçon et plus jeune que je ne l'imaginais. Sais-tu pourquoi je t'ai fait appeler devant moi ?

« Non.

« Tu sais, pourquoi on ne t'a pas encore fusillé ?

« Non.

« Tu sais où et devant qui tu te trouves maintenant ?

« Je me trouve au Palais Royal devant vous, Madame Hanna Tauler...

« Et, où devrais-tu te trouver, logiquement, en cet instant ?

« Dans la fosse commune...

« Non seulement tu n'y es pas, mais tu es même vivant. Et puis, tu te trouves devant moi, Hanna Tauler. Je suis, pour m'exprimer dans le langage bourgeois et aristocratique que tu comprends mieux, la reine de la Roumanie. Une reine plus puissante que celles qui portent des couronnes. Je suis la Reine Ivrogne, comme on m'appelle depuis que je suis au Palais Royal. J'aime bien ce titre. La Reine Ivrogne. Le peuple n'a jamais aimé les rois sobres. Les masses ont toujours préféré les rois et les reines alcooliques. Sais-tu pourquoi j'ai ordonné qu'on t'amène devant moi ?

« Je l'ignore.

« Aucune supposition ?

« Aucune.

« Menteur, crie Hanna Tauler. Tu sais très bien pourquoi tu es ici. Je viens de te le dire. Pourquoi ?

« Parce que vous l'avez ordonné.

« C'est cela. Tout ce que j'ordonne se réalise. Pourquoi n'as-tu pas répondu puisque tu connaissais la raison de ta présence ici ? Passons outre. Tu sais, comme tout le monde, que moi aussi je suis passée par le bagne. Et de là, je me suis trouvée transportée comme sur un tapis volant au Kremlin, à table avec Staline. C'était un prodige du communisme. Ils font incomparablement plus de miracles que tous les saints du calendrier mais on n'aime pas en parler. J'en ai fait avec toi, pour te montrer que cela m'est facile. Tu ne trouves pas cela amusant ? Hanna Tauler, la thaumaturge... Tu ne peux nier que c'est par un miracle que tu te trouves ici maintenant au lieu d'être raide, dans la fosse commune du fort de Jilava. Aucun saint n'aurait pu le faire, comme moi Hanna Tauler. »

— Elle était complètement ivre. Et très fardée. Elle raconta l'histoire de son arrivée au Kremlin. Elle dit : « J'étais beaucoup plus jeune en ce temps-là, et plus maigre. Je n'ai jamais été belle. Je ne savais pas parler aux hommes. Mais Staline m'a aimée tout de suite. Il y a des hommes qui aiment, par perversité peut-être, des femmes laides. Certes, Staline avait d'innombrables maîtresses. Mais moi, il ne m'abandonnait pas, comme les autres, au lit. Il m'amenait dans son bureau et je travaillais à côté de lui. J'étais la seule à avoir ce privilège. J'ai vécu dans son ombre, jour et nuit. Il ne s'est jamais ennuyé avec moi, lui qui se lassait très vite de toutes les femmes. Il les envoyait en Sibérie. Il s'est séparé de moi les larmes aux yeux. Il m'a donné le commandement de la Roumanie. Lui, qui ne s'est jamais fié à personne, il a eu dès le début une

299

confiance aveugle en moi. C'est la première et la dernière fois qu'il eut confiance. C'est de lui que j'ai appris qu'un chef de République, comme je suis maintenant en Roumanie, ne doit jamais choisir ses collaborateurs parmi ses enfants ou parmi ses parents. C'est ce qui a perdu Napoléon et d'autres. Il faut les chercher parmi les morts : on choisit dans la fosse commune ceux qui conviennent, on les ressuscite, et on fait d'eux ses proches collaborateurs. Ils sont vos enfants car c'est vous qui leur avez donné la vie en les ressuscitant. C'est le seul moyen d'avoir des enfants de bonne qualité : ceux qu'on fait la nuit avec une femme ne sont jamais à la hauteur. Ils ne vous causent que des soucis dans la vie. C'est pour te faire mon enfant et mon collaborateur que je t'ai donné la vie. Comme tu es un garçon cultivé, polyglotte, comme tu connais les bonnes manières et que tu sais commander aux domestiques, je te fais à partir de maintenant mon secrétaire particulier : ôtez-lui les menottes. »

Pendant que les miliciens les enlevaient, Hanna Tauler dit :   « Comme tu es l'as de l'aviation roumaine, tu seras aussi mon pilote personnel... Le conte de fées est terminé... Tu auras tout ce que tu désires, la richesse, le confort et autres. Une seule chose te manquera que tu n'auras jamais : ta vie. C'est moi ta vie. Tu m'appartiens. Ne pense jamais, que si je te l'ordonne. Tu n'es qu'un outil entre mes mains... C'est pour ces raisons que j'ai nommé aujourd'hui Léopold Skripka Premier Ministre. Je ne l'ai pas tiré de la fosse commune de Jilava, mais d'une cave infecte où il était caché... maintenant pars. Et sois prêt à toute heure du jour et de la nuit à exécuter, sans jamais penser, tout ce que je t'ordonnerai. Sors... » Subitement elle me rappela.

« Tu dois changer de nom, puisque tu as perdu ta

vie ancienne... Pour ta nouvelle existence, il t'en faut un nouveau. Comment veux-tu que je t'appelle ?

« Cecatti... C'est par ce mot que j'ai été sauvé de la mort, au fort de Jilava ; le messager criait en arrêtant le peloton d'exécution : cecatti, cecatti...

« Sors, Cecatti... Je vais me reposer. »

— Quelles furent vos attributions auprès de Hanna Tauler, Prince ?

— Appelez-moi Cecatti, Père si vous voulez bien. Je ne changerai jamais ce nom grâce auquel je suis en vie... Et qui n'est pas vraiment un nom mais un ordre : Attendez !

— Quelles furent vos attributions ?

— Un peu de tout. Je l'ai promenée en avion dans le pays, puis à l'étranger. Je l'aidais à se soulever du fauteuil quand elle était trop ivre et avec le secours des miliciens, je la menais à son lit. Elle était trop lourde pour que je la porte tout seul. A l'étranger, en découvrant que je m'y connaissais en matière de restaurants, d'hôtels, de coiffeurs et de maison de couture, elle me prit pour guide mondain... Elle changeait avec la rapidité de l'éclair. A un moment donné elle voulait aller chaque jour à l'étranger. En Occident. Elle avait pris le goût des belles choses, de tout ce que les communistes veulent détruire. Elle voulait de jolies robes, de bons restaurants, des endroits chics, des bijoux... Et comme la caisse de la Roumanie était entre les mains des Russes, elle me demanda comment se procurer des dollars, des francs et des lires pour acheter en Occident ce qu'elle voulait... Je lui ai proposé de transporter en Suisse des objets d'art, des valeurs, et même des pièces de musées... J'étais son pilote, nous étions sous l'immunité diplomatique.

Elle transporta avec mon avion d'immenses trésors

en Suisse. Elle avait son compte en banque, ses coffres-forts ; elle était devenue milliardaire. Grâce à mes conseils. Mais les Russes étaient là. Et malgré ses pouvoirs absolus, Hanna Tauler n'était qu'un outil entre les mains de l'occupant. Un jour, Stanislas Krizza, le grand maître des tortures du Kremlin, le Caïd de Königsberg, me convoqua pour me demander des renseignements précis sur les endroits où se trouvaient cachés les trésors d'Hanna Tauler... Je les donnai. Krizza alla lui-même chez elle et lui demanda une procuration générale pour retirer tous ses trésors cachés en Suisse et les transporter à Moscou... Elle dut la donner et elle resta sans un sou, pauvre. Tous les trésors qu'elle avait amassés en Suisse furent transportés à Moscou. Puis on empoisonna Hanna Tauler. Moi, je suis resté en vie car Stanislas Krizza, le Caïd de Königsberg, avait besoin de mes services.

De nombreux membres du Comité central du Parti communiste roumain mis en place par l'occupant, avec des pouvoirs presque sans limites, étaient milliardaires. Et tous désiraient transférer leur fortune en Occident, surtout en Suisse, et la conserver en or, dollars, francs. Je fus chargé par de nombreux hauts camarades de transporter avec mon avion leurs trésors en Suisse. Je le faisais. Les envoyeurs étaient nombreux. Les destinataires toujours les mêmes : les Russes. Le Caïd de Königsberg tenait grâce à moi la comptabilité de tout ce qu'ils déposaient à leurs noms : quand le montant était considéré comme assez important, il rendait visite au Haut Communiste et lui demandait une procuration pour transférer sa fortune à Moscou. Aucun n'a jamais pu refuser. Tous ont fini par offrir au Kremlin leurs trésors cachés aux bords du lac Léman. Une semaine ou deux après cette opération, le donateur forcé était porté mort, toujours après quelques jours. Comme pour Hanna Tauler. Après que les trésors volés aux Roumains furent donnés à qui les méritaient, aux occupants Russes.

Après la mort — « pour cause de maladie » — de la grande Camarade Hanna Tauler qui, bien qu'empoisonnée, eut droit à des funérailles nationales, avec la participation de délégations de tous les partis communistes de la terre et du gouvernement de Moscou au complet, je suis devenu l'homme de Stanislas Krizza, le Caïd. C'était lui mon véritable patron. Il me fit entrer comme secrétaire particulier, aviateur personnel, chef du protocole et autres fonctions auprès des communistes milliardaires qui transportaient leurs fortunes à l'étranger. Un jour, j'ai décidé de revenir à mon métier de casse-cou, de cascadeur, de voltigeur, d'acrobate aérien. Je n'étais plus un jeune homme. Mais je courais moins de risques ainsi que les membres millionnaires et milliardaires du Comité central. Car je devais automatiquement être liquidé un jour ou l'autre. C'est le Caïd qui me l'a dit, pendant un long voyage en avion. Je savais trop de secrets pour ne pas être liquidé, comme ils disent à l'Est au lieu de dire assassiné. Il me dit aussi que lui-même le serait un jour : c'est la loi de la dialectique matérialiste. Mais lui, il était depuis longtemps préparé à être condamné à mort. Il connaissait trop bien l'appareil du Parti et ses rouages ; il n'avait aucune illusion sur son avenir. Ni sur le mien. Par peur, à la première occasion, au premier vol que j'ai fait en Occident, je me suis enfui et j'ai demandé le droit d'asile d'abord aux Allemands, ensuite aux Français et maintenant je vais en Espagne. Travailler. Comme acrobate aviateur. Comme cascadeur. Et j'aurai une mort, si ce n'est moins rapide, du moins plus glorieuse... C'est tout.

— Que savez-vous sur Héléna Skripka ? demande le

prêtre. Vous avez été son amant. Comme de toutes les filles de la caste des dirigeants communistes. Et vous avez été aussi le secrétaire de son père, le Premier Ministre Léopold Skripka... Que savez-vous sur sa fille ?

— Elle a quitté la Roumanie à la mort de son père... Elle est en fuite.

— Où ? demande le prêtre.

— Quelque part en Occident. Sous un faux nom.

— Quand l'avez-vous vue pour la dernière fois ?

— Peu de temps avant sa disparition. Mais pourquoi me demandez-vous ces choses-là, Père ?

— Je voulais savoir dans quelle mesure Héléna avait contribué à l'assassinat de Madame Imre Mogyrow, dans le chalet de montagne des princes Hohenzollern.

— Vous connaissez l'histoire de l'assassinat de madame Mogyrow par sa fille ? Vous connaissez tout, mieux que moi.

— Vous étiez, Prince Cecatti, dans la même maison, au moment du meurtre. Vous étiez dans une chambre voisine. Héléna contribua-t-elle, oui ou non, à ce monstrueux assassinat ?

— Non, Père. C'était un odieux crime sexuel... La meurtrière est Marika. C'est Marika, la meilleure amie d'Héléna, qui a tué sa mère. Mais Héléna n'a pas participé au meurtre. Elle était à côté de moi. Je vous le jure... Elle n'est pas coupable.

— Ce n'était donc qu'un crime sexuel dites-vous ?

— Un crime sexuel. Rien de plus, répond le prince Cecatti.

Le prêtre pense aux crimes sexuels qui se commettent chaque jour, aux Etats-Unis. En Allemagne. Dans les pays Scandinaves. Crimes commis par les jeunes malades du mal américain. Il savait que le virus est passé au-dessus du rideau de fer. Il a fait des ravages, d'abord à Moscou, puis à Belgrade, à Kiev. Il y a maintenant des jeunes atteints de ce fléau à Bucarest.

Le mal américain fait des ravages dans la caste des dirigeants communistes, dans les pays occupés par l'Armée Rouge. Mais personne n'en parle. La presse est muette. C'est comme par le passé : ceux qui avaient un membre de leur famille contaminé par le choléra le cachaient, pour que la police ne le découvre pas. On le cache, mais tous les fils et les filles des Hauts Fonctionnaires de la caste du Parti communiste au pouvoir sont atteints. Ils vivent exactement comme les malades du mal américain des U.S.A. et des autres pays. Les enfants des milliardaires de la caste des dirigeants communistes s'habillent exactement comme les jeunes contaminés d'ailleurs. Ils vivent la vie grégaire ensemble et sans lois, s'accouplant publiquement, en échangeant les femelles et les mâles. En refusant de couper leurs cheveux. En prenant des stupéfiants. En hurlant, quand ils ont envie de chanter. En sautant, se contorsionnant et tremblant comme des épileptiques ou comme des alcooliques en crise de délirium tremens quand ils ont envie de danser. En haïssant leurs parents, en les fuyant. En évitant tous les hommes. Comme les bêtes sauvages fuient les villes et les villages pour se cacher dans le désert. Dans la jungle. Dans les forêts. « Les Blousons de Sang « — les fils et les filles de la caste des dirigeants du Parti communiste — sont tous atteints du mal américain. Ils ont aboli le passé et l'avenir. Ils ont les mêmes slogans qu'en U.S.A. : le paradis maintenant. Tout de suite. Sans effort. L'amour maintenant. Le sexe maintenant. La masturbation maintenant. Tout maintenant. Il n'y a pas de passé, pas d'avenir. Il n'y a que le présent. Et le paradis est dans le présent. Les malades des pays de l'Est n'ont pas besoin d'aller aux Indes, au Népal, ou dans le désert. Leurs parents ont mis à leur disposition des châteaux entourés de barbelés. Ils peuvent y commettre tous les crimes, les folies, les anomalies que la fièvre leur inspire. Ils peuvent tuer leurs parents, leurs voisins, se tuer entre eux, sans que la Presse en parle. Sans que les masses et l'étranger en prennent connaissance ; sans que la police s'en mêle. Ils peuvent entrer dans n'importe quel restaurant et consommer sans rien payer : ils sont les fils et les filles de la caste des Chefs communistes. Ils peuvent commander des avions, des voitures, et aller où ils veulent. La police est à leur disposition. Ils peuvent obtenir de la drogue en quantité. Sans fraude. Personne ne leur en tient jamais rigueur. La douane est à leur service...

— C'est donc Marika qui a tué sa mère de sa propre main ? demande le prêtre. Héléna Skripka n'a pas été complice de ce crime odieux ?

— Non, Père. C'est Marika seule qui a tué sa mère... Mais c'était un simple crime sexuel. Les médecins l'ont trouvée normale. Car il faut respecter le sexe. La mère de Marika a contrarié les lois de la nature, les lois du sexe de sa fille.

Le prêtre pense à cette maladie : l'abolition du mal et du bien et tous les crimes qui s'ensuivent...

C'est cela le meurtre de Madame Imre Mogyrow par sa fille Marika. Cette fille malade, comme Chantal, du mal américain...

XX

UN CRIME SEXUEL CHEZ LES CAMARADES

Le prince Cecatti n'arriva pas à décider Léopold Skripka à cacher de l'or en Suisse, comme Hanna Tauler. Léopold Skripka était un Roumain de Moldavie. Il avait tous les défauts et toutes les qualités des Moldaves. Ce sont des rêveurs, des philosophes, des poètes et des croyants. Ils ne conçoivent pas l'usage de l'argent comme un instrument de travail. A leurs yeux, l'argent est fait pour être dépensé. Ils ne conçoivent pas que l'argent puisse assurer l'avenir. Ils sont certains que l'argent épargné tombera toujours dans les mains des voleurs, des conquérants, et des héritiers indignes. Certains diront que c'est un défaut de juger ainsi. C'est peut-être vrai, mais déposer de l'argent en banque est synonyme, pour un Moldave, de le jeter dans la rivière. Léopold Skripka étant Moldave, malgré sa culture occidentale, malgré son expérience politique, malgré ses études de sociologie, il n'arriva jamais à croire à la valeur des économies. Il coupa net aux propositions du prince Cecatti de déposer ses valeurs dans les banques suisses.

Si un Moldave possède une somme d'argent, il construit un palais, une église, des puits ; il achète des terres, où il rassemble ses amis pour les combler de cadeaux. Jamais l'idée ne lui vient d'économiser. C'est un cas très rare parmi les hommes. C'est pourquoi les communistes, qui jugent les humains en série, comme les Américains, ont beaucoup de mal à décider Léopold Skripka à transférer une toute petite somme d'argent en Suisse.

Le prince Cecatti, à qui aucune femme ne résistait, n'eut pourtant aucun succès véritable auprès de Héléna Skripka. C'était la seule fille de la caste de la haute société communiste qui ne lui trouvait pas de charme. Cet homme, comme tous nos ancêtres les empereurs de Byzance et les princes de Moldavie, avait acquis un raffinement sans pareil dans l'art de séduire les femmes. Le prince Cecatti était un as. Mais avec Héléna Skripka, il n'essuyait que des échecs. Elle n'avait aucune attirance physique pour lui. Aucune. Mais la mission du prince Cecatti, reçue de Moscou, par l'intermédiaire de Stanislas Krizza, l'homme de Königsberg, était une affaire de vie ou de mort pour lui : il devait rendre la Camaradissima, la fille de Léopold Skripka, la belle Héléna, amoureuse de lui. C'est un des problèmes qui, depuis que le monde existe, a torturé des millions d'hommes et de femmes. On a émis le proverbe : « On ne peut pas commander l'amour. » « Il n'y a pas d'amour avec violence. » Pour être aimé, il faut séduire l'homme ou la femme qu'on a choisi. Et la Camaradissima ne se laissait pas séduire par le prince Cecatti. Toutes les autres filles de la haute société communiste roumaine, celles dont les pères étaient les maîtres sanglants du pays occupé, désiraient toutes être séduites par le prince. Il était débordé. Une seule femme, celle qu'il avait reçu l'ordre de séduire, lui résistait. Elle restait indifférente à ses avances.

Dans les romans, les amants non aimés se suicident, se mettent à genoux et pleurent, utilisent des philtres d'amour. Le prince Cecatti faisait partie de la famille des nobles byzantins, qui ont hérité tous les moyens de séduction, un arsenal que jamais aucun Don Juan n'a possédé. Et il était chaque fois vaincu par Héléna Skripka. Mais il persévérait. Car s'il ne réussissait pas, c'était la mort. C'était dans ce but qu'on l'avait gardé en vie. Il était impossible de décider Léopold Skripka à déposer de l'argent en Suisse, afin que les Russes le récoltent. Restait Héléna.

Le 23 août, Fête Nationale roumaine, le groupe des Italiens-marbriers participa à la réception officielle de Léopold Skripka. Tout Occidental, même un simple ouvrier de chez Renault, dans une réception des Républiques de l'Est, derrière les barbelés, est reçu comme un véritable prince. Les Italiens furent les vedettes de la Fête Nationale.

Giovanni Rota était l'amant d'Héléna Skripka. De même que les victimes du mal américain en Occident changent de mâle et de femelle à la façon des animaux, ainsi « Les Blousons de Sang » se permettent tout sur tout. A douze ans, les filles sont déjà des femmes averties et en savent plus sur l'amour et les hommes que leur grand-mères. Le prince Cecatti, pour approcher Héléna Skripka, utilisa l'Italien Giovanni Rota. Pendant la réception du 23 août à Bucarest dans le Palais, Giovanni Rota, après quelques coupes de champagne, demanda au prince Cecatti :

— Le 23 août, c'est la Fête Nationale roumaine ?

— Exact, répondit le prince.

— C'est comme le 14 Juillet chez les Français...

— C'est juste.

— Le 14 Juillet, les Français fêtent la prise de la Bastille. Mais les Roumains, que fêtent-ils le 23 août ?

— Tu es mon ami, Giovanni, dit le prince Cecatti.

— Il parle parfaitement l'italien. Il sert souvent de

guide aux Italiens. — Si tu es mon ami et si tu veux que je te dise la vérité, promets-moi de ne le dire jamais à personne, car il y va de nos têtes : les Roumains, le 23 août, fêtent, tiens-toi bien, l'occupation de leur pays, de la Roumanie, par les troupes soviétiques. C'est cela leur Fête Nationale : le jour de leur occupation par les étrangers !

— Pas possible, dit Rota.

— C'est justement impossible, mais c'est vrai. C'est cela le 23 août.

— Le jour de l'occupation d'un pays par un conquérant étranger est jour de deuil. Ce n'est pas une Fête Nationale, protesta Giovanni Rota.

— Logiquement, oui. Les Roumains sont le seul peuple de la terre à avoir décrété Fête Nationale le jour de leur occupation, le 23 août.

— Mais les gens se réjouissent, dit Giovanni. Regarde : il y a des bals, des festivités populaires, des défilés ; on ne se réjouit pas pour fêter l'Occupation ?

— Les Fêtes Nationales, mon cher Giovanni, signifient pour les peuples, un jour férié, des feux d'artifice, des bals et de la musique. On oublie toujours et partout pourquoi on danse, pourquoi on se réjouit, pourquoi on chante et on reçoit une ration double d'alcool... C'est la fête. Personne ne pense à son origine depuis vingt ans. Personne ne sait que le 23 août est le jour de l'occupation de la Roumanie, un jour de deuil. On sait uniquement que c'est la Fête Nationale. Combien de Français savent que le 14 Juillet commémore la prise de la Bastille ? Ils savent qu'il y a des bals dans la rue, de la musique et des feux d'artifice... C'est le destin des Fêtes Nationales. Les Roumains fêtent la perte de leur liberté, leur annexion à l'U.R.S.S... C'est cela la Fête Nationale roumaine... comme si la France fêtait le jour où elle fut occupée par les Allemands !

310

— Tu es vraiment un ami, Prince, de m'avoir dit cela... car cette confidence, si on l'apprend, te coûtera la vie... Moi, je suis communiste, et fils de communiste. Je ne fêterais jamais l'occupation de l'Italie par l'Armée Rouge. Je fêterais la révolution communiste italienne. Cela oui. Mais, l'occupation de l'Italie, même par un pays communiste, non. Car un conquérant est pareil à un autre conquérant. Merci de ta franchise. Que fais-tu ce soir, Prince ?

— Après la fête, je vais dans un chalet de montagne. C'est un ancien château du roi de Roumanie. A trois heures de voiture de Bucarest. Un château superbe. Comme les chalets de la Forêt-Noire.

— Je connais bien les chalets de la Forêt-Noire, dit Giovanni Rota... J'y ai travaillé.

— Les rois de Roumanie étaient des Hohenzollern... Ils avaient leur château à Sigmaringen en Forêt-Noire. Ici, en Roumanie, ils se construisirent un chalet de montagne, comme dans leur pays natal... C'est très beau. Le chalet appartient maintenant à Imre Mogyrow, le père de Marika. J'y vais avec elle... On fait mieux l'amour en haute montagne, dans un beau château médiéval, comme dans les contes de fées...

Après un court silence, le prince Cecatti dit :

— Pourquoi ne viens-tu pas, toi aussi, avec Héléna ? Je sais que vous êtes les plus grands amoureux de Bucarest... Venez passer tous les deux la nuit dans le château des Hohenzollern ; il y a de la place pour une centaine de personnes. Le château est chauffé : bonne cave, bonne cuisine. Viens avec Héléna. J'ai de la place dans ma voiture.

Héléna Skripka avait, elle aussi, bu un peu trop de champagne. Car le 23 août, le jour de l'occupation de la Roumanie par les troupes étrangères, on ne faisait aucune économie. Rota lui transmit la proposition du prince. Elle accepta de passer avec son Italien la nuit dans le château des Hohenzollern, sur les sommets, parmi les sapins...

Avant la fin de la journée, ils y partirent. Marika Imre, la fille du ministre de l'Agriculture et du Commerce extérieur, voyageait sur la banquette arrière, dans les bras du prince Cecatti, et Giovanni Rota était à côté d'Héléna Skripka qui conduisait une Lancia blanche, voiture à laquelle son père était toujours resté fidèle.

La Camaradissima, la belle Héléna, conduisait à merveille. Avec volupté. Comme son père et surtout comme sa mère. On arriva au château. Il y avait, sur des dizaines de kilomètres, autour du château, des barbelés, des chicanes, des murs, des miradors. Toute maison d'un haut fonctionnaire du Parti communiste est gardée par une compagnie de miliciens.

Les jeunes montrèrent leurs cartes et entrèrent. Pendant le banquet, Marika qui était extrêmement amoureuse du prince Cecatti, refusa de rester sur une chaise ou sur un fauteuil. Elle voulait s'asseoir uniquement sur les genoux du prince. Et cela agaçait ce dernier. Car il était venu pour tenter encore une fois de conquérir la Camaradissima, la belle Héléna Skripka. C'était sa mission. Mais Héléna était froide. Même avec Giovanni. Elle était de mauvaise humeur.

On servit le dîner dans la grande salle à manger des anciens rois de Roumanie. Avec des valets en livrée. Tout le faste d'autrefois était gardé. Pendant le repas, éclata une discussion, comme cela arrive souvent entre des amoureux grisés de champagne. Marika, qui avait du sang hongrois, semblable à des flammes et des étincelles incarnées, et qui bougeait sans arrêt, comme si son corps avait été non de chair et de muscles, mais d'argent vif, ne supporta pas que le prince Cecatti

312

regardât de temps en temps Héléna Skripka. Le prince avec ses cheveux grisonnants, était depuis longtemps l'amant de Marika. Ils avaient passé de nombreuses nuits ensemble, dans ce château royal. Il avait appris de ses ancêtres des raffinements d'amant, d'alcôve, qu'aucun livre n'a jamais décrits. Quelquefois, Marika criait de plaisir dans les bras du prince, au point que les gardes s'approchaient, croyant à un crime et à des appels au secours.

— Jusqu'à ma mort, Cecatti, mon Prince charmant, je jure de ne me laisser embrasser par aucun autre homme, dit Marika.

Elle était ivre. Elle embrassa le prince Cecatti, leva le bras droit et déclama :

— Prince Cecatti, si un jour tu approches une autre femme, je te tuerai de ma main...

— Ce sont des paroles réactionnaires, dit le prince Cecatti. La fidélité sentimentale est une superstition bourgeoise. Tu n'as pas lu les livres de Madame Kolontay sur l'amour libre. Dans la société scientifique, il n'y aura pas de propriété sexuelle. Si on apprend tes paroles, non seulement toi, mais aussi ton père aurez des difficultés. Il y a des oreilles partout. Les communistes ont droit à l'amour. Mais sans les préjugés bourgeois.

— Que la terre s'effondre, Prince, mais je ne veux pas te perdre. Pas même pour cinq minutes. Tu seras mon homme. Le seul. Pour toujours. Autrement, je te tue...

— Que la terre s'effondre n'est pas un drame, dit le prince. Cynique. Pour qu'il y ait un drame, il faut qu'il y ait des spectateurs... A l'effondrement de la terre, il n'y aura pas de spectateurs. Donc pas de drame. Personne pour verser des larmes. Car les morts ne pleurent pas. Et tous les hommes seront morts quand la terre s'effondrera... Ce qui m'étonne, c'est que tu parles à nouveau comme un réactionnaire.

— Pourquoi réactionnaire ? Parler de l'effondrement de la terre est réactionnaire ?

— Plus que tu ne l'imagines. Car le Parti communiste est sans mort. Or, en affirmant que la terre s'effondrera, tu affirmes implicitement que le Parti communiste s'effondrera aussi. Les Chrétiens, si la terre s'effondre, vivront au Ciel. Mais dans la doctrine matérialiste, tout est sur terre. Rien au ciel. Fais attention à tes paroles... La terre est nécessaire au Parti.

— Le Parti communiste ne s'effondrera pas avec la terre... C'est la seule chose qui ne s'effondrera pas, répliqua Marika.

Le prince Cecatti remarqua, encore une fois ce qu'il remarqua toujours. Les crânes des pauvres filles, des « Blousons de Sang » déclament les slogans du Parti communiste même en dormant. Même ivres, même dans les crises d'hystérie amoureuse. Les slogans du Parti communiste ont pénétré non seulement dans le conscient et dans le subconscient de ceux qui vivent dans les Républiques communistes, mais même dans l'inconscient. Comme les instincts. C'est par la peur et par la terreur qu'on a réussi à enfoncer dans la personne humaine les slogans du Parti, au plus profond de sous-sol humain, à l'étage où sont les instincts.

— Tu es un amant si admirable qu'il n'en existe pas d'autres sur terre, dit Marika.

Elle change de ton. Elle devient tendre.

— Il est normal que je sois ainsi... dit le prince. Mais je t'affirme que ce n'est pas par mon mérite personnel. Il y a des siècles, et même des millénaires, que des hommes et des femmes, mes ancêtres, ont cherché sans interruption le raffinement qu'ils m'ont

314

transmis en même temps que la vie. Je suis un amant comme tous les autres. Seulement, à la différence des autres, j'ai reçu un héritage millénaire de raffinement. De culture. De savoir-vivre. Depuis des millénaires, mes ancêtres prennent deux et même plusieurs bains par jour, dans de l'eau parfumée. Afin que ma peau soit douce. Comment veux-tu, ma chère Marika, que la peau d'un homme dont les ancêtres plongent dans des baignoires chaque jour pendant des millénaires, soit pareille à celle d'un homme ordinaire ? — Par ces mots, le prince Cecatti veut humilier Giovanni Rota, aux yeux de Héléna Skripka. Il ajoute : — Toutes les bêtes mangent, boivent et font l'amour. Et tous les hommes. Et toutes les femmes. Mais ceux qui diffèrent des bêtes ont travaillé des millénaires pour mettre du raffinement dans la cuisine, dans les boissons, dans l'amour... Et leurs descendants ne mangent plus, ne boivent plus et ne font plus l'amour comme les animaux, mais avec une finesse et un art inconnu des autres.

— Tu as été l'amant d'Hanna Tauler et tu parles de raffinement ; brute que tu es, dit Marika.

— J'ai été l'amant d'Hanna Tauler, c'est vrai, dit le prince Cecatti.

— Comment peux-tu avoir couché avec cette sinistre vieille femme, et dire en même temps que tu es un amant raffiné ?

— J'ai aimé Hanna Tauler, aussi sincèrement que les plus chéries de mes maîtresses. Malgré sa vieillesse, sa laideur et son ivrognerie.

Marika Mogyrow se leva et gifla le prince Cecatti. Une gifle très violente. Il ne broncha pas.

— C'est la vérité. J'ai aimé Hanna Tauler. Aussi fort que toi, Marika. D'un amour sincère et profond.

— Mais, moi, je suis jeune et jolie. Elle était vieille,

sale, ivrogne. Moi, je t'aime. Elle n'aimait personne.
Pourquoi dis-tu que tu l'as aimée comme tu m'aimes ?
C'est pour me faire enrager ?

— Non, dit le prince. C'est parce que c'est vrai.

— Que t'a-t-elle donné, cette vieille ?

— Elle m'a donné la vie, Marika. Plus que ma mère.
Car comme elle l'a affirmé elle-même, ma mère m'a
conçu, inconsciemment, peut-être sans le vouloir, dans
un instant de faiblesse, dans le noir. Mais Hanna Tauler m'a donné la vie en toute conscience. Lucidement.
En me sauvant de la mort. Quand j'étais devant le
peloton d'exécution. Les yeux bandés. Tu ne trouves
pas que je lui dois la vie et que j'ai le droit de
l'aimer ?

— Je peux te donner aussi ma vie. Mourir pour toi.
En veux-tu la preuve ?

— C'est différent... Tu me donnes ta vie, à toi. Et il y
a beaucoup de femmes qui l'ont dit et qui l'ont fait.
Qui ont donné leur vie pour moi. Mais Hanna Tauler,
elle, m'a donné ma vie à moi, qui m'est plus chère que
celle des autres... Hanna Tauler m'a ressuscité des
morts. Je l'ai aimée plus que ma mère et que toute
autre femme.

— Elle ne l'a pas fait par amour pour toi, dit
Marika... Elle l'a fait par intérêt.

— Je sais qu'elle ne l'a pas fait par amour, mais par
intérêt. Mais elle l'a fait. Et c'est suffisant pour moi,
répliqua le prince. Elle méritait mon amour.

Vers dix heures, les deux couples se retirèrent. Des
feux brûlaient, avec de grosses bûches, dans les
immenses cheminées. Giovanni Rota et Héléna Skripka
montèrent dans un appartement à l'étage, tandis que
Marika et le prince Cecatti se couchaient dans la
chambre de leurs parents. Marika dit au Prince :

— On dormira dans le lit du roi et de la reine...

Mais entre minuit et une heure, Giovanni Rota et Héléna furent réveillés par de grands coups dans la porte. Le prince hurlait en italien et demandait à Giovanni de lui ouvrir. Quand celui-ci eut ouvert la porte, le prince lui tomba dans les bras en sanglotant. Il ne pouvait plus parler :

— Marika a assassiné sa mère. Elle est morte !

Le prince traîna Giovanni par les bras en bas de l'escalier ; au premier étage, se trouvait la chambre du roi Ferdinand et de la reine Maria. C'est là que s'étaient couchés Marika et son prince. Dans le corridor, sur le seuil de la chambre, allongée en travers du tapis, une femme gisait dans un véritable bain de sang. C'était la mère de Marika. La femme d'Imre Mogyrow, ministre de l'Agriculture et du Commerce extérieur et membre du Bureau Politique du Parti communiste roumain. Giovanni Rota ne pouvait pas regarder le cadavre de la femme. Le pauvre Italien de Calabre avait enfoncé son visage dans le pyjama du prince Cecatti. Il tremblait. Par peur de voir la morte. Et il sanglotait. De temps en temps, on entendait : « Maman, Maman. »

Giovanni Rota et le prince entrèrent dans la chambre royale. Le lit était complètement défait. Toutes les lampes allumées. Marika était en peignoir, sur un fauteuil, la tête appuyée sur le dossier, elle fumait. Elle était nerveuse, mais sa nervosité ne se voyait que dans le fait qu'elle bougeait sans arrêt son pied droit, chaussé d'une pantoufle de soie.

Le peignoir rouge de Marika était ouvert. Elle n'avait pas de ceinture ; on voyait son corps nu, ses seins, son nombril. Elle était absente. Elle se taisait.

— Qui l'a tuée, demanda Giovanni Rota ?

— Marika, dit le prince. Calme. Il montra Marika de la main droite.

— C'est la maman de Marika ?

— Oui, c'est sa mère.

— Elle a tué sa mère ?

Chose inconcevable pour un Calabrais. Pour tout Italien du Sud.

— Tué sa mère, Marika ?

— Oui, Marika a tué sa mère. Tu n'as pas compris ?

— Comment cela s'est-il passé ? demanda l'Italien, toujours accroché au prince, toujours le dos tourné au cadavre qui gisait sur le seuil, moitié dans le corridor, moitié dans la chambre.

— Tout simplement. Le 23 août, après la Fête Nationale, les femmes des ministres, comme les ministres eux-mêmes, sont fatiguées. Madame Mogyrow, la mère de Marika, avait la migraine. Elle a demandé un hélicoptère, comme le font très souvent les épouses des Hauts Camarades. (Il leur est plus facile de commander un avion, qu'à un Parisien de commander par téléphone un taxi.) Elle fit sa petite valise et vint dormir ici, dans son château de montagne. Cela lui faisait toujours du bien quand elle avait la migraine, mieux qu'un cachet d'aspirine. L'hélicoptère est dehors, sur la pelouse. Madame Imre Mogyrow devait rentrer à Bucarest aujourd'hui, après avoir pris son petit déjeuner. Cela fait partie des mœurs quotidiennes de la caste des dirigeants de la Classe ouvrière. On va chez le coiffeur à Vienne, à Budapest, à Paris. On va se détendre une demi-heure au bord du Danube, de la Mer Noire, ou en Bulgarie... Cueillir les roses. Les milliardaires américains ne sont pas si bien servis. Car c'est l'Etat qui paye tout cela. Madame Mogyrow arriva hier soir avec sa migraine. Elle descendit d'hélicoptère et rentra se coucher dans sa chambre. A sa grande surprise, elle trouva son lit occupé. Les personnes qui y dormaient étaient nues sur la couverture. L'homme, elle le connaissait, car il fut aussi son amant. La femme nue, c'était Marika, sa fille, qui a quinze ans. Ils étaient nus et enlacés.

« Debout ! Espèce de putain ! cria Madame Mogyrow à sa fille.

« Marika se tourna et regarda sa mère.

« Tu peux aller ailleurs faire la putain. Pas dans le lit de ta mère et de ton père... dit Madame Mogyrow.

« C'est le lit du roi et de la reine, répondit Marika...

« Elle m'embrassa sur la bouche. Pour narguer sa mère et la faire enrager. J'ai sauté du lit, tout nu, cherchant un peignoir pour me couvrir. Marika, en contrepartie, prit une position lascive, au milieu du lit. C'était une provocation à sa mère.

« Je n'ai pas le droit d'avoir un amant ? demanda-t-elle ou c'est de la jalousie ?

« Debout, espèce de putain !

« Madame Mogyrow s'approcha du lit et tira sa fille par les pieds. Marika se laissa tomber sur la peau d'ours blanc qui servait de descente de lit. Elle continua à rester dans la position de Maya Desnuda. Provocante.

« Lève-toi et habille-toi ! Je suis ta mère.

« Marika refusa.

« Sa mère la prit par la main, avec violence, en la soulevant. C'était facile. Car Marika avait un corps de fillette. A peine adolescente. Quand Marika fut debout, sa mère la gifla. Marika se mordit les lèvres sans riposter. Suivit une deuxième gifle. Cette fois, c'en était trop. Marika décrocha une sorte de hache et de hallebarde, une arme du Moyen Age, accrochée parmi d'autres trophées sur le mur, par les Hohenzollern. Elle resta tranquille, l'arme à la main. C'est seulement quand sa mère la gifla pour la troisième fois en lui criant d'aller s'habiller que Marika leva l'arme médiévale, de ses deux mains et lui frappa la tête. Un seul coup. Et la tête de sa mère se fendit comme une pastèque. Madame Mogyrow tomba sur le seuil, là où elle gît. Moi, je cherchais mon peignoir.

« Marika s'est assise dans un fauteuil et elle a allumé une cigarette. Elle n'a pas bougé depuis lors.

« Elle attend. J'ai cherché à secourir la victime. Mais Madame Imre Mogyrow était déjà morte. Tout son sang était répandu sur les tapis, sur le parquet, et s'écoulait lentement, du corridor, dans l'escalier. Le sang rouge atteignait la peau de l'ours blanc qui servait de descente de lit. Il y avait du sang partout. Après avoir vu que la victime était morte, je suis allé te réveiller, ainsi qu'Héléna. »

— Il faut avertir la police, dit Giovanni Rota...

Héléna Skripka descendit aussi lentement. Elle vérifia la mort de Madame Imre Mogyrow. Elle jeta un coup d'œil à Marika, puis demanda au prince :

— C'est elle qui l'a tuée ?

— Oui.

— Avec ça ?

Elle levait l'arme du meurtre. Une arme très lourde, une hache de musée.

— Avec ça, oui.

— Pourquoi est-elle venue ici sans s'annoncer ? demanda Héléna en montrant du doigt la morte.

— Je ne sais pas ; elle venait souvent. Mais elle s'annonçait toujours.

— Elle vous a surpris dans le lit ?

— Oui.

— Elle a eu ce qu'elle méritait, dans ce cas ! dit froidement Héléna Skripka.

320

L'ESPIONNE

Elle marchait, pieds nus, dans le sang de Madame Imre Mogyrow.
— Quoi ? cria Giovanni Rota ; qu'as-tu dit ?
— Toi, la ferme, tonna Héléna. Ce n'est pas ton affaire. La vieille a eu ce qu'elle méritait. Un point, c'est tout !
— Héléna, Camaradissima... cria Giovanni Rota.
Il ne pouvait croire ce qu'il entendait, Héléna défendant la meurtrière. Et surtout, surtout, le sang-froid de sa bien-aimée. Son flegme. Comme si elle était auprès d'une chaise renversée. Pas auprès d'une mère tuée par sa fille. Et elle marchait dans le sang... sans que cela la gêne...
Après avoir constaté elle-même la mort de la mère de Marika et entendu le témoignage, Héléna prit l'arme médiévale de ses deux mains. C'était une hache très lourde. Elle la soulevait à peine. Elle dit :
— Elle n'a frappé qu'une seule fois, n'est-ce pas ?
— Une seule fois, répondit le prince. C'est tout ce que j'ai vu !
Héléna contempla l'arme avec admiration. C'était ce qu'on appelle une arme de guerre. Véritable. Les anciens rois de Roumanie possédaient d'innombrables armes semblables. Toutes d'époque, qui avaient servi à leurs ancêtres pour combattre dans les croisades. Avec une arme comme celle utilisée par Marika pour tuer sa mère, on pouvait couper en deux, d'un seul coup, plus que la tête de l'ennemi, on pouvait lui couper tout le corps. On raconte qu'un croisé fut frappé au milieu de la tête par une telle hache et qu'il eut le corps séparé en deux morceaux. Mais, quand il fut coupé en deux par l'adversaire, la fièvre au combat était telle que le croisé découpé (peut-être un ancêtre des Hohenzollern) ne remarqua pas qu'il y avait d'un côté une partie de sa personne avec le pied gauche, la main gauche, la

hanche gauche, l'oreille gauche et la partie gauche du visage et du nez, et de l'autre côté, la partie droite de son corps symétrique. Car il avait été frappé au milieu du crâne, comme au milieu d'une pomme. Et la légende dit que le croisé allemand continua à combattre, avec les deux morceaux symétriques de son corps. Il combattit ainsi comme deux guerriers. Ce n'est qu'à la fin du combat, à la minute de la victoire, qu'il vit lui-même, de son œil gauche et de son œil droit, que son corps était séparé en deux. Et c'est seulement à ce moment-là qu'il est tombé mort... La mère de Marika n'avait que le crâne fendu. Pas tout le corps, comme le croisé de la légende...

— Prévenons la police, cria Giovanni Rota... La police !

Héléna Skripka lui jeta un regard plus dur que l'arme médiévale qui avait fendu la tête de la mère de Marika :

— Je t'ai ordonné de te taire... Pas de police. Tu as compris ?

— Non, dit Giovanni Rota. Camaradissima, mon amour, il faut prévenir la police...

— Ici, tu n'es pas en Italie, pour appeler la police... D'abord, ça ne la regarde pas. Quand il s'agit de la famille d'un membre du Comité central du Parti, la police et la justice n'ont pas le droit de s'en mêler.

Le prince Cecatti s'habillait. En toute hâte. Avec peur. En tremblant.

— La mère de Marika est entrée au moment où vous étiez ?... Tu comprends ce que je veux dire ?... demande Héléna au prince.

— Pas tout à fait...

— Ecoute-moi, Cecatti, tu déclareras qu'elle est entrée juste au moment où toi et Marika étiez enlacés. Tu as compris ? Elle est entrée juste à ce moment-là.

Et elle ordonna à sa fille de se lever et de s'habiller. Tu comprends ce que je te dis ?

— Pas tout à fait...

— C'est le seul fait important... Le moment où la mère de Marika est entrée. Si elle est entrée au moment dont je parle, elle a eu ce qu'elle méritait. Car si on veut séparer une lionne de son lion, une vache de son taureau, n'importe quelle femelle de son mâle au moment où ils font l'amour, c'est la mort pour l'importun. Cela explique que Marika ait pris l'arme et tué sa mère. La mère n'avait pas le droit d'entrer juste à ce moment-là. Ne te trompe pas dans tes dépositions, compris ? C'est juste au moment de l'accouplement que la mère est entrée et a essayé de vous séparer par force.

Giovanni Rota ne pouvait en croire ses yeux. Sa maîtresse, qu'il adorait, était pire que les gangsters des films américains. Elle était plus forte que le célèbre Al-Capone. Elle pensait, sans voir jamais le sang. Sans cœur. Héléna était un monstre. Pas une femme mais un outil qui tue. Un robot. Sans faire attention à l'Italien, elle prit le téléphone qui était sur la table de chevet. Elle demanda Bucarest et l'obtint en quelques secondes car les appareils de la caste des dirigeants possèdent des lignes directes. Le père de Marika répondit. Elle lui dit sur un ton indifférent :

— Ecoute, camarade Imre, nous sommes au château. Il est arrivé un malheur. Ta femme est morte. Elle est arrivée au château, après minuit. En hélicoptère. L'hélicoptère est toujours ici sur la pelouse, devant le château. Ta femme est entrée dans la chambre où Marika et son prince faisaient justement l'amour. Ils étaient tout nus, enlacés sur la couverture en fourrure. Ta femme s'est jetée sur eux comme une folle et a essayé de les séparer. Je te répète, camarade Imre. Ils étaient enlacés et elle s'est acharnée à les séparer. Comme il fallait s'y attendre, il s'ensuivit une bagarre. Ta femme a toujours été un peu folle. Tu l'as reconnu toi-même, camarade Imre. Mais cette nuit, elle a dépassé toute mesure, en essayant de faire ce qu'elle a fait. Et elle a eu ce qu'elle méritait. Ce qu'elle a cherché. Marika, en voyant que sa maman était en pleine crise de folie furieuse, a décroché une hache de sa panoplie. Elle a frappé ta femme à la tête. Avec cette arme atroce du Moyen Age que les rois de Roumanie aimaient garder accrochée sur les murs parce qu'ils étaient des nobles morbides et dégénérés. Je me demande, camarade Imre, pour quelle raison, toi et ta folle de femme, vous vous êtes entêtés à garder suspendues sur les murs de votre chambre ces armes de l'âge des ténèbres. Bref, maintenant ta femme gît, raide, dans une mare de sang qui a sali le corridor, la chambre et qui est entrée, sous les portes dans les pièces voisines. Prends un hélicoptère ou un avion de tourisme, ce que tu as sous la main, et viens ici, avec un commissaire du Comité central et un toubib du Comité, pour constater le décès. Bien sûr, on écrira que la mort de ta femme a été provoquée par une crise cardiaque. Sinon, on ferait le jeu des ennemis de la classe ouvrière. Ferme-la, camarade Imre. Autrement, tu deviens, toi-même, sans t'en rendre compte, un ennemi du Parti. Compris ? N'en parle à personne. Sauf à mon père. Il te donnera de bons conseils. Choisissez-bien le milicien et le toubib et dites-leur de la fermer. Eux aussi. Il y va de l'avenir de la classe ouvrière. Et de la Révolution. Papa te dira le reste. Ciao !...

Héléna Skripka raccrocha. Elle alluma une cigarette. Elle s'assit dans un fauteuil. Elle dit au prince :

— Toi, Cecatti, va chercher le petit déjeuner. Pour

moi, seulement du café... J'ai la gueule de bois... Ces Italiens, quand ils font l'amour, vous mettent hors circuit pour vingt-quatre heures. Je suis très fatiguée. Ne laisse aucun domestique monter ici pour le moment.

Giovanni Rota est debout. Lui, le pauvre tailleur de marbre, est devenu de marbre lui-même :

— Qu'as-tu à rester planté là ? Prends un whisky, si tu as le cœur faible.

— Camaradissima, dit l'Italien. Camaradissima !

Il tombe à ses pieds. Héléna est nu-pieds. Ses pieds sont tachés de sang. Depuis l'âge de cinq ans, depuis qu'elle a reçu sa première leçon de communisme de la bouche même de la grande Hanna Tauler, cela lui fait même plaisir de marcher pieds nus dans le sang chaud. Elle ne connaît pas de pitié pour ceux qui sont assassinés. Certes, la camarade Imre Mogyrow n'était pas une vermine fasciste et réactionnaire. Mais, marcher dans son sang est pour Héléna une satisfaction. Elle a agi comme une réactionnaire, car la camarade Mogyrow devait mourir ; elle a mérité la mort ; elle a essayé d'empêcher sa fille d'accomplir un acte naturel. Pour des raisons sentimentales. Affectives. Elle s'est montrée sous son véritable visage ; elle n'était pas une véritable matérialiste. La loi naturelle est sans pudeur. Et Marika effectuait un acte naturel. Sa mère a procédé en réactionnaire. En bourgeoise. Héléna ne regrette pas sa mort. Au contraire.

— Camaradissima, ma bien-aimée, supplie l'Italien, comment peux-tu être calme ? Marika a tué sa maman... La mama. La mama... Et toi, tu ne sens rien ?

— J'aurais tué sans aucun remords ma propre mère, si elle avait procédé aussi idiotement que la mère de Marika... Ce n'est pas un comportement digne d'une mère communiste.

— Tu aurais tué ta mama ? Camaradissima, ne dis pas cela...

— Je l'aurais tuée... Plus vite que ne l'a fait Marika... Une telle mère dans une société matérialiste mérite la mort. C'est elle qui l'a cherchée. Elle a bien fait de la trouver. De mourir.

L'Italien pleure. Son idole, la fille avec qui il rêvait de se marier, marche dans le sang d'une maman tuée par sa propre fille. Et sa bien-aimée est indifférente. Elle lui affirme qu'elle l'aurait tuée, comme Marika, sa mama. Que Marika a eu raison de la tuer. Giovanni Rota s'enfuit dans sa chambre de l'étage. Le Paradis communiste est trop lourd pour lui ! Insupportable. Bien que les Rota meurent depuis trois générations pour l'arrivée au pouvoir du communisme.

Moins d'une heure plus tard, un colonel de police, un médecin et Imre Mogyrow arrivèrent au château. Marika était en robe de chambre. Fumant cigarette sur cigarette. Et jetant les mégots sur le parquet. On enleva le corps, sans beaucoup de formalités. Comme on enlève une valise. On le porta à l'hélicoptère. Puis ils partirent. On ne prit aucune photo. On n'interrogea personne. On ne fit aucune enquête. On ordonna aux domestiques de nettoyer, de laver le sang. C'est fait. Giovanni Rota n'arriva à échanger aucune parole avec Héléna Skripka, avant son départ. Le plus troublé était le prince Cecatti :

— On va nous arrêter tous ? demande Giovanni Rota.

— Ne t'en fais pas, répond le prince. Ici, on n'est pas en Italie. Pour les affaires concernant les dirigeants du Parti communiste, les policiers et les juges ordinaires ne sont pas compétents. C'est un membre du Parti, égal en grade avec Mogyrow qui fera l'enquête. Il établira que c'était une mort subite. Une crise cardiaque. Il n'y aura pas de procès. Pas d'enquête. Rien. Mais, tu dois la boucler. Pas un mot. Tu n'as rien vu. Rien !

Le prince Cecatti connaissait la marche de l'appareil du Parti. Un jour après le meurtre, on publia dans tous les journaux et on annonça à la radio et à la télévision que la camarade Imre Mogyrow avait succombé à une crise cardiaque. On lui fit des obsèques nationales. Avec tous les membres du Parti derrière le catafalque voilé de rouge. Juste après le cercueil venait, en noir, Marika. La matricide. Elle ne pleurait même pas. A côté d'elle, en noir, aussi et sans une larme, marchait Héléna Skripka. Tenant par le bras son amie devenue orpheline...

Personne n'a jamais connu sur la mort de la camarade Imre Mogyrow d'autre vérité que celle publiée officiellement par les journaux et diffusée à la radio et à la télévision.

Certes, la bande rivale d'Imre Mogyrow (car le Comité central du Parti communiste est divisé en diverses bandes qui se livrent une lutte à mort pour le pouvoir exclusif), ses ennemis tâchèrent de discuter l'horrible crime. Mais ils furent en minorité. Le Comité central du Parti décida que le comportement sexuel de Marika Mogyrow était normal. Toute femelle, de quelque espèce qu'elle soit, ne permet pas qu'on la sépare de son mâle au moment de l'accouplement. Scientifiquement, tout est valable. Marika n'était coupable de rien et en rien. Si on voulait absolument trouver une coupable, cela ne pouvait être que la camarade Imre Mogyrow qui s'était comportée en mère bourgeoise. Dans une société scientifique, comme celle édifiée en Roumanie, depuis l'occupation, il n'y a de place que pour les raisonnements scientifiques. On ne tient compte que des lois de la nature, de la matière et de la science. Une République moderne doit être en premier lieu aseptique. Or, la pudeur, le sentimentalisme, les larmes sont des microbes. Il faut les tuer. Afin que la Société reste propre. L'affaire fut donc close. On n'en parla plus.

Toutes ces choses, le Père Virgil les a apprises, il y a deux ans de la bouche du prince Cecatti. Et aussi de personnes, qui en ont entendu parler. Mais qui ne furent pas des témoins oculaires directs, qui ne connaissaient l'affaire que par ouï-dire. Au moment où le Père Virgil se remémore cette histoire de crime sexuel chez les camarades de l'Est, le téléphone sonne. Il est deux heures cinq. Au bout du fil, le professeur Max Hublot :

— Père, je vous demande une faveur : remettez ma visite à cinq heures et permettez-moi de venir accompagné...

— Accompagné de qui ?

— Pas de la police, rassurez-vous... je viendrai, si vous me le permettez, en compagnie de mon avocat qui vous aidera à rédiger dans des termes juridiques votre attestation que ma femme n'est pas née Héléna Skripka. Que c'est une calomnie. Je viendrai aussi avec ma cousine, Madame de Savine, qui veut profiter de ma visite, pour vous dire sa gratitude...

— Je vous attends à cinq heures, dit le prêtre.

Il pose le téléphone et recommence à penser à l'odieux crime des Carpathes. Il sait que pour couper court à toute rumeur publique, le camarade Imre Mogyrow reçut une distinction officielle. Sa fille se maria quelques mois plus tard avec le fils d'un membre du Comité central du Parti communiste roumain, qui fut envoyé comme ambassadeur en Amérique du Sud. Marika, meurtrière de sa maman, est maintenant l'épouse d'un ambassadeur...

L'ESPIONNE

La porte d'entrée s'ouvre. C'est le marbrier Giovanni Rota qui entre. Le prêtre lui a donné une clef pour qu'il puisse entrer quand il veut pendant les travaux.

— Giovanni, prends place une minute... Les visiteurs que j'attendais à quatorze heures viendront dans la soirée... Je voulais te demander avant de commencer le travail, une petite chose : tu n'es plus le fiancé d'Héléna Skripka. Ton beau-père ne sera pas un Premier Ministre. Les rêves de ta maman et des gens de Calabre qui te connaissent et qui t'aiment se sont évanouis. Le Parti communiste n'a pas réalisé le miracle qu'on attendait ; un ouvrier calabrais, un Rota, n'est pas devenu grâce à lui, le gendre d'un Premier Ministre. Héléna Skripka n'est plus ta fiancée.

— Non, Don Virgilio.

— Veux-tu me donner toutes, mais absolument toutes, les photos que tu as d'elle, ou avec elle ?

— Je vous les donne, Don Virgilio.

— Sans regret ?

— Avec regret, Don Virgilio... Mais, quand j'aurai envie de regarder la Camaradissima, je viendrai chez vous. Vous me la montrerez.

— Comment t'es-tu séparé d'elle ? demande le prêtre. Vous vous êtes disputés ?

— Pas du tout, répond Giovanni. Au château, après le meurtre, Héléna est rentrée par hélicoptère. Sans me dire adieu. Comme je vous l'ai raconté. J'ai pensé qu'elle était pressée. Bouleversée. Quand on est tourmenté par quelque chose de très grave, on oublie de dire adieu, au revoir. A Bucarest, j'ai essayé de la revoir, avant mon départ pour l'Italie. Au château Paximade, on m'a répondu qu'elle était toujours absente. Je ne l'ai pas revue. Elle m'évitait probablement. Ou elle avait l'ordre de ne plus me revoir. J'ai

prié le prince Cecatti de lui dire au revoir de ma part,
car je n'ai pas réussi à le lui dire personnellement.

« Tu crois qu'elle se souvient encore de toi ? m'a
demandé le prince Cecatti. Héléna, si je lui transmets
ton message, me demandera : Quel Giovanni ? Je ne
connais aucun Giovanni. C'est sa manière de se débarrasser de ses « Caprices ».

« Quel caprice ? Héléna et moi devions nous marier.
J'ai écrit à *mia Mama*. Elle a signé aussi la lettre à *mia
Mama*.

Le prince Cecatti avait ri de la naïveté du pauvre
ouvrier, lui qui savait qu'Héléna jurait fidélité tous les
trois jours à un nouveau fiancé... !

Le prêtre explique à Giovanni :

— Tu as été un amant de trois jours, sur l'immense
panoplie d'Héléna Skripka. Elle ne se souvient plus de
toi, comme elle oublie ses caprices. Ce n'est pas la
peine de chercher à lui dire adieu, elle ne te reconnaî-
tra pas. Je sais que tu es rentré quelques jours après
en Italie. Pas par avion spécial, ni régulier, mais en
chemin de fer. Et en troisième classe.

— C'est moi qui ai refusé de rentrer en avion,
Padre... J'ai refusé aussi le ticket de première classe.
J'ai dit que j'étais tailleur de marbre, maçon et peintre
en bâtiment. Je suis un ouvrier, comme tous les
ouvriers du monde. Et ma place est dans un wagon de
troisième classe... C'est en wagons de troisième classe
que les ouvriers du monde entier voyagent... Et je fais
comme eux.

— Ils t'ont obligé à quitter la Roumanie ?

— Au contraire, Don Virgilio. Après le crime des
Carpathes, ils ne savaient plus comment se surpasser
en gentillesse envers moi. Mais moi, je n'ai pas voulu
rester. Ils ont même essayé de me retenir par force.
Mais je suis rentré en Italie.

Effectivement on supplia Giovanni Rota de rester et de continuer le travail d'édification du palais de marbre du camarade Imre Mogyrow, sur les bords du lac Floresca, près de Bucarest. Mais les Grands Camarades et Héléna Skripka furent très contents de le voir partir. Et pour cause. Le Comité central du Parti communiste est un club fermé. Une société secrète. Qui n'a de rapports qu'avec le « Pensoir » du Kremlin. Giovanni Rota n'était pas une pièce de machine terrible, infernale, qu'on appelle le Comité central. Il était un corps étranger. Aucune machine ne supporte de corps étrangers. Même pas un grain de sable. On fut donc content de son départ précipité.

— Avant de quitter le territoire roumain, Don Virgilio, j'ai déchiré en petits morceaux ma carte de Membre du Parti communiste italien. Et j'ai jeté les morceaux par la fenêtre du wagon, dans les barbelés qui entourent la Roumanie. Ma carte est restée là-bas. Dans les champs de mines. Entre les barbelés.

— Et en Italie, comment cela s'est-il passé ?

— J'étais très content d'y être revenu. Padre. Nous les ouvriers, en Italie, nous avons une condition soushumaine. Chez nous, il n'y a pas eu de Révolution française, de réforme agraire. Il n'y a presque pas de lois sociales... Nous les ouvriers, en Italie, nous sommes encore des esclaves. Mais nous sommes des esclaves qui luttons pour acquérir notre Liberté, notre Dignité, et la Justice. Nous sommes opprimés par le patron, par les capitalistes, par la société capitaliste, par les carabinieri, mais en Italie, un ouvrier comme moi respire bien : car l'air respiré par un homme qui lutte pour la Liberté, la Dignité, la Justice, même si la victoire est lointaine, c'est un bon air !

— Et tes camarades, en Calabre, comment t'ont-ils reçu ?

— Mal, Don Virgilio. Le Parti communiste roumain a envoyé au Parti communiste italien une note confidentielle disant que j'étais renvoyé pour manque de discipline marxiste. Je n'ai certes pas vu cette lettre. Mais je fus convoqué par mes camarades de cellule. Pour être jugé. Et condamné. Par ma propre cellule, Don Virgilio. Par mes propres camarades. A la demande des Roumains...

Giovanni Rota a les larmes aux yeux... Il aurait préféré ne pas parler. Se taire. Mais il devait ouvrir son cœur.

— Les camarades de la cellule à laquelle j'appartiens depuis mon adolescence et à laquelle ont appartenu mon père et mon grand-père m'ont exclu, Padre... Ecoutez-moi bien, Don Virgilio, ma cellule m'a exclu du Parti communiste...

— Tu ne t'es pas défendu, Giovanni ? Tu ne leur as pas expliqué ce qui s'est passé ? Tu devais leur dire pourquoi le Parti communiste roumain avait demandé des sanctions contre toi, et tout ce que tu as vu et subi dans le paradis du Danube et des Carpathes, où les Communistes sont au pouvoir...

— C'est cela ma faute, Don Virgilio.

— Laquelle ?

— Celle de m'être défendu... C'est surtout parce que je me suis défendu, en racontant à mes camarades tout ce qui se passe dans le paradis où les communistes sont au pouvoir, qu'ils m'ont exclu. Uniquement pour cela.

— Ils ne t'ont pas cru ?

— Si. Ils savent que Giovanni Rota ne ment pas. Que Giovanni Rota, comme tous les Rota est un véritable communiste. Mais ils m'ont exclu du Parti. Parce que j'ai parlé...

— Tu t'es défendu Giovanni. c'est tout.

— Don Virgilio, vous ne comprenez rien. Pardonnez-moi. Je ne devais pas me défendre. C'est cela ma faute. Et je sais, aujourd'hui, que j'ai commis une faute. Et qu'ils ont eu raison de m'exclure du Parti communiste.

— Giovannie, je sais que les affaires de Kremlinologie sont pires à déchiffrer que la cabale, mais je ne comprends rien du tout. Tu me dis que, à la place de tes camarades, aujourd'hui, tu aurais voté ta propre exclusion du Parti communiste. Cela me dépasse. Qu'as-tu fait de mal ? Tu n'as rien à te reprocher.

— Si, Don Virgilio. J'ai parlé. Et c'est très grave. Un communiste ne doit pas parler. Jamais. J'ai raconté que le Parti communiste au Pouvoir est pire que tous les patrons du monde. Que nulle part sur la terre, dans aucun pays capitaliste, les ouvriers ne vivent une existence plus dure que là où le Parti communiste commande, les ouvriers ne vivent pas dans les chambres de bonnes, comme dans les pays capitalistes, mais plus mal encore. En Roumanie, ils logent à deux ou trois familles dans un appartement de deux pièces. Une seule cuisine pour trois familles. Une seule cuvette d'eau. Les lits sont séparés les uns des autres par des draps suspendus au plafond... Ensuite, j'ai décrit la vie de milliardaires que mènent les membres du Comité central. J'ai dit que, presque sous mes yeux, la fille d'un ministre avait tué d'un coup de hache sa maman. Et qu'il n'y avait même pas eu d'enquête. Que les dirigeants du Parti ont leurs magasins spéciaux, qu'ils ne peuvent pas être jugés par la justice ordinaire, et qu'aucun policier n'a le droit de leur dire quoi que ce soit, même si une fillette de quinze ans tue sa maman. Et toutes les horreurs que j'ai vues... Je les ai racontées... Et je ne devais pas le faire.

— C'était pour vous défendre.

— Même pour me défendre, je ne devais pas dire qu'il y a quelque chose qui va mal dans un pays où les communistes sont au Pouvoir. J'ai eu tort. Mes camarades ont eu raison de m'exclure du Parti communiste italien. Pour toujours. Définitivement. Sans droit d'appel.

— Pourquoi garder le silence...? La vérité doit toujours être dite. Surtout que vous l'avez dite à vos camarades, pas dans la rue.

— Il faut respecter la loi du silence. Ce qui est mal dans un pays communiste et dans le Parti communiste, doit être passé sous silence. Parler, c'est toujours un crime...

— C'est la première fois que j'entends dire que c'est un crime de proclamer la vérité.... dit le prêtre.

— Pour un communiste, dire la vérité est un crime... Car en disant la vérité sur les crimes de ses camarades, il apporte de l'eau au moulin de la réaction, des capitalistes, des réactionnaires, des fascistes... Notre seul allié est la Russie. Au moins officiellement. Si nous disons la vérité sur l'U.R.S.S. et les pays communistes, nous les perdons... Nous n'aurons plus même symboliquement, un seul allié. Personne à côté de nous. Nous resterons dans l'esclavage. Pour le moment, il faut se taire sur tous les crimes commis par les Soviétiques.

— C'est une logique qui me dépasse, dit le prêtre.

— Padre, écoutez-moi. Et pardonnez-moi de parler ainsi : si un jour vous apprenez que votre propre mère est une putain et qu'elle fait chaque soir le trottoir, le diriez-vous ? Non ! Si vous apprenez que votre sœur est une putain, et que tout le monde le sait, vous, son frère, vous prétendriez toujours que ce n'est pas vrai. Même en le sachant. Un frère, en sa qualité de frère, doit dire que c'est un mensonge. C'est la même chose pour tous les communistes. Même si nous savons que là-bas, où le Parti est au Pouvoir, tout marche mal, plus mal qu'ici, nous devons dire que cela marche bien. Pour ne pas aider nos ennemis. Pour continuer notre lutte. On ne dit pas de mal de ses camarades, de ses frères, de sa mère, de ses sœurs... Même s'ils le méritent...

— Vous avez donc accepté comme juste votre exclusion du Parti communiste ?

— Je fus le premier à me lever et à dire qu'elle était méritée, car j'ai dit une vérité qui ne doit pas être dite sur nos camarades roumains. Mais, l'affaire ne s'est pas arrêtée là. Personne ne répondait plus à mon salut : tout le monde est communiste dans notre village. Comme on craignait que je parle aux non-communistes des vérités que j'avais répétées à mes camarades, on m'a donné l'ordre de quitter l'Italie... Et, je suis maintenant en exil, comme vous Don Virgilio...

Il y a des larmes dans les yeux de Giovanni Rota. C'est un vrai combattant. Pas comme ceux qui sont au pouvoir, installés dans les palais des milliardaires par l'Armée Rouge, comme les communistes de Roumanie. Giovanni Rota est un vrai communiste. Un homme.

— Et quelle est votre attitude maintenant ?

— Pas d'attitude. Je suis communiste, comme avant. Combattant comme avant, sans avoir la carte du Parti. Je suis exilé. Je garde le silence. Et j'attends la justice. Et le communisme. Le véritable.

— Giovanni Rota, je te pose une question, strictement personnelle. Un jour je te dirai pourquoi. Voilà ma question : si un jour, tu rencontres dans la rue Héléna Skripka, que feras-tu ?

— Je la saluerai.

— Mais, si elle est au bras d'un autre homme ?

— Je la saluerai tout de même. Je suis un ouvrier. Et

son homme doit être un monsieur. Comme elle. Il ne peut pas être jaloux d'un ouvrier...

— Giovanni Rota, aujourd'hui, demain, dans un mois ou dans un an, tu rencontreras certainement Héléna Skripka dans la rue, ou au bureau de poste, ou dans un tabac... Je te prie de me faire ce plaisir : ne la salue pas...

— Je dois la saluer, dit Giovanni Rota.

— C'est elle qui désire que tu fasses semblant de ne pas la reconnaître. Elle te garde de bons sentiments. Mais personne ne doit la connaître à Paris, c'est son seul désir. Me promets-tu cela ?

— Promis ! Si c'est la volonté de la Camaradissima. Je ne veux pas lui faire de mal. Je le jure sur la Madonna. Giovanni Rota se tourne vers l'icône de la Vierge et lève la main :

— Je jure sur la Madonna, que je ne la saluerai pas. Pourtant, cela me fera du mal...

Giovanni Rota jure sur la Madonna. Lui, qui est communiste. Mais, les communistes véritables ne sont pas contre la Madonna, la Sainte Vierge, de même que les communistes véritables ne sont pas des milliardaires et ne se font pas construire de palais de marbre. Giovanni Rota est un vrai communiste, un homme qui a soif de justice ; et il sait que la Madonna et les Anges aiment aussi passionnément la Justice, la Liberté et la Dignité que lui, le pauvre Giovanni.

C'est pourquoi, il n'a jamais été l'ennemi de Dieu. C'est l'appareil et les tyrans milliardaires qui le composent, qui sont contre la Madonna, contre le Christ. Pas les pauvres qui sont communistes, parce qu'ils sont pauvres et veulent sortir de la misère, de la spoliation et de l'humiliation.

XXI

ON DECHIRE LE VOILE DU TEMPLE DU KREMLIN

Le prêtre attend l'arrivée du professeur Max Hublot et de son avocat. Pour signer la fausse attestation selon laquelle Madame Max Hublot n'est pas la fille du Président Léopold Skripka. Les heures d'attente sont longues. Il essaie de prier. « La prière est l'audace d'une conversation avec Dieu » (Saint Grégoire de Nysse, Patrologia Graecca 44, col. 1124 B). Même si la réponse arrive tardivement, pas comme dans une discussion entre hommes, la prière est toujours un dialogue entre le Créateur et la créature. Virgil Georghiu se sent impur pour converser avec Dieu. Il a entendu trop d'histoires sales. Il a choisi pour devise dans l'affaire du faux nom de Madame Max Hublot : « Celui qui aime Dieu est reconnaissable de tous, de loin et partout, parce qu'il possède une charité et un amour égal pour toutes les créatures humaines, dignes ou indignes » (Saint Maxime le Confesseur, Patrologia Graeca 90, col. 917 A). Il doit aimer l'assassin de son peuple, Léopold Skripka et son odieuse fille. Comme ses frères. C'est très difficile. Aimer ses ennemis est un idéal trop élevé pour les êtres humains. Même pour les poètes prêtres. Il regarde sa montre. Bientôt, Max Hublot sera ici, avec Madame de Savine, avec son avocat, et peut-être avec un agent de police. Il signera sa fausse déclaration, comme on signe son propre arrêt de mort. Par amour pour son ennemi. Il mourra dans la souffrance.

Mais, « Il vaut mieux mourir en route pour un idéal trop élevé que de ne pas partir du tout. » (Origène, Die griechischen Schriftsteller VI, 189.) Il vise, certes, trop haut. Il pense aux Saints Pères ; il attend l'ange qui montera chez lui, au troisième étage, qui viendra l'encourager, comme il a aidé le Christ à mourir, sur le Mont des Oliviers.

Il sait, de la bouche des témoins oculaires, que Léopold Skripka fut très affecté par l'assassinat de Madame Imre Mogyrow par sa propre fille, dans le château royal des Carpathes. Immédiatement après ce meurtre, ce matricide, cet horrible crime sexuel, il durcit sa position envers le prince Cecatti.

Le jour qui suivit l'enterrement de la victime, le prince Cecatti arriva avec une minute de retard. Il entra dans le somptueux bureau de Léopold Skripka, meublé d'objets réquisitionnés dans les musées. Car, si un membre du Comité central, désire un objet qu'il voit dans un musée, il le prend ; s'il apprécie quelque chose chez un particulier, il le prend. Les droits des membres du Comité du Parti communiste sont, au sens propre du mot, illimités. Même le meurtre comme celui de Marika, reste impuni. La caste des dirigeants du Parti est intouchable.

— Tu es en retard d'une minute, Cecatti, dit Léopold Skripka.

— Pardonne-moi, Camarade Président...

— Je ne suis pas ton camarade. Appelle-moi dorénavant, Excellence. Exactement comme m'appellent tous les étrangers.

Le prince Cecatti, grâce à son éducation millénaire dans les cours des empereurs, des sultans, des pachas et des princes, est pareil aux chats qui retombent sans jamais se faire de mal. Il ressemble à un homme qui ne peut pas se briser la colonne vertébrale, ou un os, en tombant. Car il n'a ni colonne vertébrale, ni os. Tout est flexible et malléable. C'est un courtisan par excellence, un politicien. Et pour être un bon politicien et un bon courtisan, il faut être comme les matières colloïdales qui empruntent la forme du vase dans lesquelles elles sont versées...

Le prince Cecatti veut s'asseoir pour prendre les ordres du Président, comme d'habitude. Il est son secrétaire particulier.

— Reste debout... ordonne Léopold Skripka. A partir d'aujourd'hui, tu recevras mes ordres debout. Pas assis, comme auparavant. Car tu es un criminel, Cecatti.

— Non, Votre Excellence. Vous savez bien que c'est Marika qui a tué sa mère. Pas moi.

— Tu étais témoin du meurtre.

— Oui.

— As-tu empêché, ou essayé d'empêcher cette fille de tuer sa mère ?

— Je n'ai pas eu le temps...

— As-tu porté secours à la pauvre mère mourante ?

— En l'approchant, j'ai constaté qu'elle était déjà morte... Personne ne peut rien pour les morts. On ne peut pas les ressusciter.

— Es-tu la cause de ce meurtre ?

— Non, répond le prince Cecatti. Comme j'ai déclaré devant les Membres du Comité central qui ont fait l'enquête, le véritable auteur du crime est la victime elle-même.

— Comment cela ?

— Vous le savez. Vous étiez présent parmi ceux qui m'ont entendu. Une femelle empêchée dans son acte de femelle, vous tue... Qu'elle soit humaine ou d'une autre espèce animale, c'est la loi de la nature. La victime a commis cette imprudence. Même si elle était la mère de la femelle en question, Madame Imre Mogyrow était coupable.

— Ton explication n'est pas valable, dit Léopold Skripka. Nous avons adopté cette thèse parce qu'on a reçu l'ordre de Moscou de passer sous silence cette affaire. C'est tout. On doit promouvoir Imre Mogyrow, faire de lui le Premier Ministre de Roumanie. A ma place. Pour les intérêts du Kremlin. On ne pouvait pas le faire, si le monde avait appris que sa fille a tué sa propre mère, avec une hache. Alors, au lieu de punir les coupables, les assassins, on a décidé de marier Marika avec le nouvel ambassadeur en Argentine. On a fait des obsèques solennelles à la victime. On a annoncé qu'elle était morte cardiaque. Et toi, tu gardes ta place, comme mon secrétaire. Comme si le sang n'avait pas coulé. Mais, n'oublie pas que c'est « un criminel, celui qui fait de sa force un Dieu » (HAB. 1,11) ; pour moi, tu es un criminel. Même si ta complicité au meurtre n'a pas été punie... C'est tout pour aujourd'hui. J'aimerais te voir de moins en moins. Ta présence m'écœure, Cecatti.

— Votre Excellence est excessivement dure avec moi... Pourquoi me parlez-vous de meurtre ? Vous avez signé, certes, parce que les Russes vous ont nommé Premier Ministre pour signer ce qu'ils désirent, mais vous avez signé des millions de sentences de déportations aux travaux forcés au Canal, au célèbre « chemin sans poussière ». Ce sont des sentences de mort, d'exécution rapide.

Vous en avez signé des millions. Vous pouvez

m'accuser d'une complicité fortuite à un meurtre, mais vous, avec l'appui de votre fille Héléna, vous avez exterminé un tiers de la population roumaine. En la massacrant directement ou indirectement, durant vingt ans de pouvoir absolu, conformément aux ordres de l'occupant... Il n'est pas juste de dire que je vous écœure, surtout pas vous, avec vos meurtres !

— Sors, insolent ! crie Léopold Skripka.

C'est vraiment la première fois de sa vie qu'il n'est plus maître de lui. D'autant plus qu'à ces meurtres commis au nom de l'occupant on mêle sa fille Héléna. Il est vrai qu'elle l'a aidé à la rédaction de tous les actes d'accusation. Elle a signé souvent à sa place les sentences. C'était elle son ange de fer. Mais l'insolence du prince Cecatti reste une insolence. Malgré l'exactitude des faits.

— Tu n'es pas encore sorti ? Je te mettrais aux fers. Si tu restes une minute de plus dans mon bureau.

Léopold Skripka est prêt à frapper le prince Cecatti. Mais celui-ci le remet à sa place avec un sourire candide :

— Votre Excellence ne doit pas se mettre en fureur. Dans une vingtaine de minutes, l'homme de Königsberg sera ici. Il est déjà à l'aéroport. Il vient nous rendre visite.

Léopold Skripka oublie tout. Le prince l'a vaincu. Avec un seul nom : celui de Stanislas Krizza. Chaque fois que le Kremlin envoie quelque part cet individu, avec ses lunettes à monture de métal blanc, avec sa tête rasée et ses yeux gris, c'est toujours une affaire très grave. Il y a des têtes qui tombent après chaque visite de Stanislas Krizza, le Caïd de Königsberg, comme on l'appelle d'habitude.

— Pour quelle raison arrive-t-il ? Tu as quelque hypothèse ?

Le prince Cecatti s'assoit. Sans demander la permission. Malgré l'ordre qu'il vient de recevoir de rester debout. Pendant les grands orages, les ennemis se trouvent l'un à côté de l'autre, collés, oubliant toute haine. Toute inimitié.

— Dans les affaires de Kremlinologie, il est difficile de faire des hypothèses, Votre Excellence, dit Cecatti. Mais, on dit que Stanislas Krizza vient avec la mission de vous limoger. De mettre à votre place Imre Mogyrow.

— Cela, je le savais. Mais, il ne vaut rien, cet Imre Mogyrow, dit Léopold Skripka... C'est un pelletier de Budapest, qui sait à peine lire et écrire... Il ne peut même pas déchiffrer l'éditorial du journal officiel du Parti. Il se le fait lire. C'est un analphabète. Moscou ne peut pas en faire un Premier Ministre.

— C'est pour le mettre à votre place que le Caïd de Könisberg arrive. Il est en fureur contre vous. Depuis quelque temps, on publie à l'étranger des articles dans lesquels on vous prête l'intention de libérer partiellement la Roumanie de l'occupation russe.

— Ce n'est un secret pour personne... Je veux une Roumanie plus libre. Je le dis moi-même. Je veux des charges moins lourdes. Un allègement des dettes envers l'U.R.S.S. Une vie meilleure pour les Roumains, dans la mesure du possible. Sans nous détacher des Russes, bien sûr. Avec leur consentement.

— Chaque fois que le Kremlin veut supprimer un homme, il commence par le louer dans la presse étrangère, aux U.S.A., à Londres, à Paris... Comme les nuages annoncent la pluie, ainsi les éloges de la presse étrangère à l'adresse d'un dirigeant des Républiques populaires, entraînent automatiquement la liquidation de cette personne... Or, depuis six mois, vous recevez des éloges tels qu'aucun autre chef communiste n'en a jamais reçus dans la presse occidentale... Cela, votre Excellence, c'est une sentence de mort... Puis-je me retirer et redemander votre confiance, comme par le passé ?...

Léopold Skripka reste à son bureau. La tête serrée entre ses mains. Il se rappelle la phrase qu'on lui a apprise à l'école : « Malheur à celui qui bâtit une ville dans le sang, et qui fonde une cité sur le crime » (HAB. II, 12).

Il dirige la Roumanie depuis l'occupation de l'Armée Rouge. La République Pénitenciaire de Roumanie est bâtie dans le sang, et fondée sur des crimes, sur des larmes, avec des chaînes, des déportations, des spoliations. Le nom de Skripka, l'auteur de ces crimes, désigne en langue roumaine, un instrument de musique pareil à la mandoline. Skripka a été et n'est qu'un instrument. Il a été l'outil dont le Parti s'est servi en Roumanie pour exécuter ses crimes. Les occupants ont utilisé Skripka comme ils l'ont voulu. Il est un instrument de torture entre les mains des conquérants. Il est comme le manche de la hache. Car il est dit que la hache ne peut abattre une forêt, si la forêt ne lui fournit pas le manche. Il est le manche fourni par la Roumanie à la hache soviétique pour décapiter le peuple roumain. Voilà sa personnalité...

Léopold Skripka est réveillé par la sonnette. On lui annonce que la limousine noire, à rideaux, de l'ambassade soviétique à Bucarest, vient de franchir les grilles de son palais présidentiel.

Quelques minutes plus tard, Léopold Skripka se trouve seul, devant le redoutable Stanislas Krizza, le Caïd de Königsberg, le directeur de toutes les affaires de Haute Kremlinologie, celui qui ne se déplace que pour des événements très, très graves... Et il est là.

L'ESPIONNE

Chaque fois que Stanislas Krizza fait une apparition quelque part, c'est pour déchirer le voile du temple du Kremlin. On sent flotter autour de lui l'aile de la mort. La mort, ou « liquidation », comme on l'appelle dans le jargon du Parti, l'assassinat administratif.

XXII

LE CAID DE KONIGSBERG

Héléna Skripka se réveille heureuse. Elle met une
belle robe pour sortir avec des amis. Elle voit la limousine noire de l'Ambassade Soviétique s'arrêter devant le
perron de son palais. C'est une voiture semblable à un
corbillard. Ce n'est pas l'ambassadeur qui descend,
mais Stanislas Krizza. Héléna pâlit. Elle est au courant
des affaires de la République roumaine au même titre
que son père. Elle est sa collaboratrice la plus intime.
C'est elle, dans les moments difficiles, qui lui donne du
courage. Car Léopold Skripka est un Moldave, un sen-
timental. Il est prêt à abandonner à chaque difficulté. A
se retirer. Héléna a, par contre, par sa mère quelques
gouttes de sang occidental, nordique : ce qui la rend
dure, tenace, inflexible. Elle possède tout ce qui
manque à son père. Elle appelle sa cámériste et se
déshabille. Elle met un tailleur strict. Elle rentre dans
la salle des secrétaires, à côté du somptueux bureau de
son père et laisse la porte entrouverte. Elle veut tout
écouter, être prête à intervenir à chaque instant. C'est
une des seules personnes qui osent tenir tête au Caïd
de Königsberg devant lequel tout homme tremble. Il y
a dans le bureau de Léopold Skripka, plusieurs magné-
tophones pour enregistrer les conversations. Héléna
n'a pas la patience d'écouter la bande après. Elle veut
participer à la rencontre entre le Caïd et son père.

Elle ouvre la porte de dix centimètres et s'installe à son bureau. Elle est tout oreilles. Stanislas Krizza entre dans le vif du sujet. Il pose son chapeau par terre. Au pied du fauteuil. C'est une habitude qu'il garde, toujours et partout. Il ne veut jamais utiliser les vestiaires. Il garde son pardessus gris fer. Bien qu'il fasse chaud.

— Cher Léopold Skripka, j'arrive directement de Moscou... Sans vous avertir. Car on est très inquiet à cause de vous. Très. Et on m'a envoyé vérifier les choses. De quoi s'agit-il ?

— C'est à cause de moi que vous êtes venu à Bucarest ? demande Léopold Skripka...

Il se lève et tend la boîte à cigarettes à son visiteur.

— Vous savez, Léopold que je ne fume pas. Nous nous connaissons depuis deux décennies déjà... Vous avez oublié ? Dans ce cas, c'est signe que vous vieillissez ! Et un communiste doit rester toujours jeune.. Si on vieillit, on ne l'est plus. Ou vous pensez que j'ai changé d'habitude ? Dans ce cas c'est plus grave. Car le communiste ne change jamais. Il y a une seule doctrine. Toujours la même.

Léopold Skripka sent physiquement l'aile de la mort planer autour de Stanislas Krizza. Avec l'arrivée du Caïd de Königsberg, il voit s'ouvrir son tombeau. Il ne lui propose rien à boire. Il sait qu'il ne boit pas, qu'il est végétarien. Qu'il n'aime pas les femmes ni les garçons. Qu'il n'aime pas le luxe. Qu'il ne boit pas de café... Oui. Il sait que l'homme de Königsberg, celui qui est né dans la ville d'Emmanuel Kant, ce sinistre Stanislas Krizza n'est pas un homme. C'est une pièce mécanique, la pièce principale peut-être, et la plus importante dans l'appareil du Kremlin.

— Depuis de longs mois, nous lisons à Moscou vos

éloges dans la presse étrangère, dit l'homme de Königsberg.

Il enlève ses lunettes. Son visage est morbide, d'une pâleur cadavérique. Son nez est petit. Mongol. Il essuie ses lunettes à monture d'acier, et les remet lentement. Son aspect est une caricature. Mais une caricature qui apporte la mort. Toujours. Partout où il passe.

— Les journalistes étrangers ! dit Léopold Skripka. Vous les connaissez mieux que moi. Ce sont tous des menteurs, des mercenaires menteurs...

— Nous savons tous cela. Mais ce que les menteurs professionnels que sont les journalistes occidentaux écrivent, coïncide, pour une fois, avec les rapports de nos agents les plus sérieux.

— Pas possible. C'est la première fois de ma vie que j'entends une chose pareille. Rien ne peut être à la fois vrai et faux. Comme le blanc ne peut être à la fois blanc et noir. Les rapports de vos agents sont vrais, donc ils ne peuvent coïncider avec les mensonges des journalistes occidentaux... C'est contraire à la logique, à la dialectique marxisto-léniniste.

— C'est ce que je me suis dit aussi... Le blanc est différent du noir comme la vérité du mensonge... Depuis plus de six mois, on veut nous faire croire que le mensonge et la vérité sont pareils. Alors j'ai pris l'avion et je suis ici aujourd'hui. Pour m'éclairer. Qui ment ? Les journalistes occidentaux — qui mentent toujours — ou nos agents secrets — qui ne mentent jamais. Répondez-moi s'il vous plaît ?

— C'est à propos de quoi ?

— A propos de vous, camarade Léopold... De qui peut-il s'agir sinon de vous, du moment que je me trouve chez vous ?

— Que puis-je vous dire sur moi ? Certainement,

vous me connaissez mieux que moi-même. Car chaque homme se voit, même dans la glace, plus beau qu'il n'est en réalité... La subjectivité est un des défauts majeurs de l'élément humain.

— Il s'agit de notre accord d'alliance et de coopération qui arrive à son échéance et qui doit être signé pour vingt ans encore ! C'est à propos de cet accord que les menteurs de la presse étrangère disent sur vous la même chose que nos agents qui ne mentent jamais... Plus encore : tout le peuple roumain, vous a déjà surnommé le libérateur... Les Roumains vous adorent. Eux qui voulaient vous déchirer il y a un an à peine. En vous appelant le valet de Moscou. Ils pensent aujourd'hui que vous allez débarrasser la Roumanie de la tutelle russe, que vous en ferez un faubourg de Chicago, de New York et de Londres. Ils pensent que, grâce à vous, les arbres auront en Roumanie, à chaque printemps, des dollars à la place des feuilles ! Que les marguerites, au lieu de pétales auront des Deutsche Marks, des Francs suisses et des Lires... C'est une légende. Mais elle est déjà dans le peuple. Et je veux savoir quelle est la vérité... Je resterai une heure et demie chez vous. Je vous prie donc de m'expliquer très vite, afin que je ne rate pas mon rendez-vous de ce soir à Budapest. Je pense que la réalité est facile à dire. Elle se compose de trois lettres. Trois lettres, camarade Léopold... Si c'est oui, c'est trois lettres. Si c'est non, c'est toujours trois lettres. Je vous le demande : ce que le peuple, la presse occidentale et nos agents affirment sur vos projets de soustraire la Roumanie au bloc de la Russie Soviétique est-il vrai ? Oui ou non ?

— Trois lettres ? dit Léopold Skripka. Je n'ai jamais pensé que trois lettres signifient en même temps Oui et Non... C'est amusant. L'affirmation et la négation, le vrai et le faux ont le même nombre de lettres !

— Je ne suis pas ici pour m'amuser.

Léopold Skripka constate, une fois de plus, que l'humour et le Russe bolchevique sont impossibles à mettre ensemble.

Les communistes manquent totalement d'humour. Un Bolchevique est un outil composé de diverses pièces, comme la hache est faite du manche et du tranchant. Et les outils ne rient jamais. Ils ignorent la plaisanterie. Les bêtes aussi l'ignorent. L'humour est un attribut de l'intelligence de l'homme. Pourquoi les Bolcheviques, en sont-ils tous, mais absolument tous, privés ? Est-ce le signe qu'ils sont descendus plus bas que les animaux ?

— Oui ou non ? répète le Caïd.

— Oui, camarade Stanislas. Je suis décidé à signer le nouveau traité de coopération et d'amitié roumano-soviétique pour vingt ans encore...

— Sans demander de changements ?

— Sans demander aucun changement, répond Léopold Skripka. Je demanderai simplement à nos Camarades Soviétiques un peu de pitié... C'est tout.

— La subtilité m'échappe. D'ailleurs les subtilités ne m'ont jamais intéressé. Elles sont comme des dentelles qu'on accroche autour des draps... A quoi servent-elles ? C'est le drap qui m'intéresse. Et, le plus souvent ce n'est pas le drap, mais la couverture qui importe... Que voulez-vous dire par ces mots : « Un peu de pitié ? »

— Voulez-vous que je vous explique tout de suite, que nous étudions le traité pour vous montrer dans quel passage je demande un peu de pitié pour les Roumains ?

— Il y a contradiction dans vos paroles... Vous avez dit *oui* : vous signerez donc ce traité. Et maintenant, vous parlez de la pitié que vous voulez introduire dans les paragraphes... D'abord c'est une absurdité... Qui a vu les paragraphes d'un traité remplis de pitié ? Un document est un élément qui n'a pas de haine, ni pitié, ni charité ; il est objectif. Froid. Indifférent. Précis. Il est signé ou refusé. C'est comme le train. On monte ou on reste sur le quai de la gare. Parlez clairement. Le temps me manque.

— On peut porter quelques amendements à tout traité. Toujours. Partout.

— Vous avez donc menti en répondant oui, quand je vous ai demandé si vous signerez le traité ? Vous ne voulez pas le signer. Pourquoi avez-vous répondu oui ? Vous voulez y mettre des amendements. Sous l'étiquette de « Charité » ? Votre réponse est donc : *non*. Les journalistes occidentaux, nos agents, et la rumeur publique vous donnent tort. Pour une fois, ils disent à l'unisson la vérité. Vous êtes un traître...

— Pas de grands mots ! dit Léopold Skripka...

— Des grands mots ? Vous me reprochez cela à moi ?

Le Caïd de Königsberg est debout. Il ramasse son chapeau et le remet sur sa tête.

— Asseyez-vous un instant, Camarade Krizza. Je veux vous expliquer. C'est un malentendu !...

— Skripka, écoute-moi bien ! Je suis ici le représentant du Maître. Tu es le valet. Notre valet. En l'espèce, mon valet. Et ce n'est pas à vous de m'inviter à m'asseoir ou à me lever. C'est à moi de vous ordonner de rester debout ou de vous asseoir, Léopold Skripka ! Compris ?

Héléna Skripka se mord les lèvres dans la pièce voisine. Elle a pourtant entendu déjà des paroles plus dures par le passé. Le Caïd s'assied, avec son chapeau sur la tête. Léopold Skripka reste debout.

L'ESPIONNE

— Asseyez-vous, ordonne Krizza... Vous avez fait des études, vous êtes docteur, professeur et vous êtes notre homme à Bucarest depuis plus de vingt ans. Et vous n'avez pas compris *votre position*, comme on dit en termes bancaires. Vous ne savez pas ce que vous possédez et ce que vous devez. Vous n'êtes pas au courant de votre compte ? Tout propriétaire d'un chéquier regarde de temps en temps son carnet de chèques. Pour voir sa *position*, ce qu'il possède et ce qu'il doit aux autres... Vous n'avez jamais contrôlé les vôtres ? C'est incroyable ! Nous vous avons engagé sur l'instance d'Hanna Tauler, et sur sa responsabilité, comme notre homme. Quand je dis « notre homme », je veux dire celui que nous payons pour nous servir. Au même titre que notre valet, notre jardinier, notre administrateur, notre chauffeur. Ils portent tous la qualification de « notre homme ». Les Occidentaux disent « nos domestiques ». Vous êtes notre domestique dans le langage imagé bourgeois. Vous êtes engagé comme Premier Ministre. Et malgré ce titre, vous êtes toujours « notre domestique ». Car il y a une distribution du travail. Je ne dis pas une hiérarchie. Mais une distribution du travail. Vous êtes le domestique affecté au poste de Premier Ministre. Avez-vous jamais pensé à cela ? Un domestique, on l'engage quand on veut, on le renvoie quand on ne veut plus de lui. Parce qu'il est voleur, incapable, ivrogne ou menteur comme vous. Parce que vous habitez un palais de milliardaire, que vous mangez à chaque repas dans la vaisselle d'or et des assiettes magnifiques, parce que vous avez des valets, des limousines, des châteaux à la montagne, et à la mer, des villas avec des plages privées entourées de murs, parce que vous mangez du caviar à la louche et que vous ne buvez que du champagne, parce que vous pouvez condamner à mort qui vous voulez et gracier qui bon vous semble parce que vous vous habillez dans les grandes capitales occidentales, parce que vous dépensez des milliards et que les ambassadeurs étrangers vous appellent : « Excellence », parce que vous couchez avec des prostituées de luxe, vous croyez être autre chose qu'un domestique ? Notre domestique. Léopold Skripka, il ne faut jamais oublier que vous l'êtes ! Qu'étiez-vous avant le 23 août 1944 ? Un fasciste caché dans une cave, qui attendait à chaque instant d'être fusillé ? C'est exact ?

— Exact.

— On vous a tiré du ruisseau, on vous a sorti de la boue, au sens propre du mot, on vous a tiré de sous terre pour vous embaucher comme domestique, avec la fonction de Premier Ministre. C'est l'Armée Rouge qui vous a installé. C'est nous les Russes qui vous avons engagé en occupant la Roumanie. Vous n'êtes pas Premier Ministre mais notre domestique avec fonction de Premier Ministre. Nous vous avons donné des milliards pour vous faire vivre comme un Premier Ministre. Mais vous avez été, vous êtes, et vous serez tant que nous voulons de vous, notre valet. Jamais Premier Ministre. C'est une fonction que nous vous avons donnée comme à n'importe quel autre. Cela, tu l'as oublié ? Tu t'es pris au sérieux ? Pauvre Léopold Skripka... Tu te croyais réellement Premier Ministre ? Un de tes élèves a écrit dans le livre « Les mendiants du Miracle », « le plus grand défaut qui me gêne chez l'homme c'est sa bêtise »... Je vois des serviteurs qui vivent au Louvre, ils sont les seuls à y habiter de nos jours. Aucun d'eux ne se prend pour le roi de France parce qu'il habite le Louvre. Ou Versailles. Mais vous, notre domestique, auquel nous avons confié ces fonctions, vous vous prenez réellement pour un Premier Ministre ! Les généraux, les ambassadeurs, les ministres de Roumanie, vous êtes pires que les domestiques du Louvre et de Versailles, qui ne se prennent pas pour des rois sous prétexte qu'ils vivent dans les palais des rois. Mais vous, nos valets en Pologne, en Hongrie, en Tchécoslovaquie, en Bulgarie, en Estonie, en Lituanie, en Albanie, en Allemagne Orientale et dans les autres territoires qu'a conquis notre vaillante Armée Rouge, et dans lesquels nous vous avons engagés, vous vous prenez au sérieux. Votre bêtise est sans bornes, sans pareille. Qu'étiez-vous, toi et tes camarades ? Du gibier de potence ! Et nous vous avons sauvé la vie. Ensuite, nous vous avons confié certaines fonctions. Il faut les respecter. Sans oublier qui vous a engagés. Et qui vous paye. Et pourquoi. Et qui vous garde de la fureur des foules qui veulent vous déchirer avec leurs dents. Tant ils vous haïssent. Car vous êtes les traîtres de vos peuples... Mais je vois, que toi, tu as oublié ce que tu es, notre valet en Roumanie. Et tu te prends pour un Président du Conseil. Et cela, tu le sais, est une si grande aberration, qu'on doit la punir par la mort. Toujours...

Léopold Skripka est terrifié. L'homme de Königsberg remarque sa terreur. Il reprend avec violence :

— Skripka, ne doute pas de mes paroles. Je ne suis pas Emmanuel Kant. Je suis seulement né dans la même ville que lui. Mes paroles ne sont pas des traités de philosophie. Mais elles sont mesurées. Je fais tout ce que je dis. Et je dis tout ce que je fais. Je ne parle pas pour parler. Je fais des équations. Je range des chiffres. Et, parce que tu as esquissé un petit geste de scepticisme, quand je t'ai affirmé que nous ne tolérons pas de domestiques inutiles, sans loyauté, et infidèles ou incapables, que nous les mettons à la question s'ils sont récupérables, ou à la mort s'ils sont irrécupérables, et que nous ne les congédions jamais en leur

353

laissant la vie, je te donne des exemples que tu connais bien. Et auxquels tu n'as sans doute pas fait attention. Tu te prenais seulement pour un Premier Ministre que tu n'étais pas et que tu n'as jamais été, et tu ne remarquais rien autour de toi ? Je te pose la question suivante : as-tu entendu parler du Premier Ministre tchèque Masaryk ?

— Bien sûr.

— Il fut un de nos hommes. Un de nos domestiques. Comme disent les Occidentaux. Il avait la fonction de Président du Conseil de son pays. Il fut mis en place, comme toi, par l'Armée Rouge. Un jour, il a fait exactement comme toi, maintenant. Il s'est cru réellement le Président du Conseil de Tchécoslovaquie. Sais-tu ce qui lui est arrivé ?

Léopold Skripka veut répondre. La réponse officielle. Stanislas Krizza le devance :

— Nous l'avons jeté par la fenêtre du troisième étage. Tout simplement. Car il était fou. Pire que ceux des maisons des aliénés. Il était le serviteur de l'Armée Rouge qui lui avait donné la fonction de mener le gouvernement et il se prenait pour le Président du Conseil Tchécoslovaque.. Exactement comme certains fous, qui ne sont que des loques enfermées dans des asiles, se prennent pour Napoléon, pour César ou pour Jeanne d'Arc. Les pauvres malades... Nous les tuons... Tu n'as jamais su que nous l'avions jeté du troisième étage, pendant la nuit, parce qu'il se croyait président et non pas notre serviteur ?

— En effet, on en a parlé en sous main. Mais pas officiellement.

— La version exacte est que nous l'avons jeté sur le pavé, par la fenêtre de sa chambre, en pyjama, à minuit. Le fou... Veux-tu d'autres exemples que Masaryk ?

— Puis-je réclamer un verre d'eau ? demande Léopold Skripka.

Il sonne. Héléna arrive. Elle lui apporte un verre d'eau. Le Caïd ne la regarde même pas, bien qu'il la connaisse bien. Il ne lui dit pas bonjour.

— As-tu mangé à la même table que le Président de la République hongroise, le camarade Janos ?

— Plusieurs fois.

— Et, pendant le repas, n'as-tu pas remarqué, mon cher Skripka, qu'il n'avait pas d'ongles ?

— En effet... Il n'en a presque pas...

— C'est nous qui les lui avons arrachés, tous. Ceux des mains et des pieds... Parce que lui, comme toi, avait oublié qu'il est notre domestique. Il était devenu subitement fou ; il se croyait comme toi, chef du Parti communiste hongrois et grand homme d'Etat. On a dû lui arracher les ongles, lui briser les os ; meurtrir sa chair pendant plusieurs semaines pour lui rendre l'esprit et lui faire comprendre qu'il n'était rien, que notre valet... Qu'il est notre camarade domestique. Pas plus !

Léopold Skripka se rappelle les horribles doigts sans ongles du Président de la République hongroise. Tout le monde les a vus. Les étrangers comme ses compatriotes. Mais personne ne sait avec certitude que c'est Moscou qui lui a arraché les ongles, parce qu'il avait oublié qu'il n'était qu'un simple serviteur. D'autres pensaient que c'était les Allemands qui l'avaient torturé au fer et mutilé. Mais on parlait, sans y croire, de la véritable version. Celle que le Caïd vient de lui révéler. Ceux qui savaient la véritable cause de la mutilation de Janos ont été liquidés comme fascistes et réactionnaires.

— Autour du Président de Hongrie, il y a plus de la

355

moitié des ministres qui ont subi le même sort.. Tu n'as jamais vu leurs cicatrices ? Leurs bosses ? Leurs pieds difformes ? Tu n'as pas remarqué qu'ils sont tous boiteux, bossus, sans dents ? Le visage marqué au fer rouge ?... Tu n'as pas vu cela, qui est tout de même très visible ? Mais ces gens étaient récupérables, comme le Président actuel de la Pologne... Tu l'as vu de près le Président de la Pologne ?

— Je l'ai vu...

— Tu as remarqué qu'il n'a sur le visage aucun muscle et aucun os qui ne soit déplacé ? C'est après des mois de passage à tabac et à la question que son visage est devenu horrible à voir...

— En effet...

— C'est cela que je voulais te dire. Tu as une belle gueule. Ne nous oblige pas à l'abîmer... Le dernier Président de Tchécoslovaquie, en 1969, un garçon beau comme toi, s'est pris lui aussi pour un président authentique, oubliant que c'est la Russie qui l'avait embauché. Nous l'avons lié, la tête entre les deux pieds, en faisant de son corps, une chose ronde, comme un rouleau. Ensuite, nous l'avons ficelé, et nous l'avons jeté comme un colis dans la cale de l'avion pour Moscou. Et il voyagea comme un paquet pendant vingt-quatre heures. Arrivé à Moscou, il a signé tout ce que nous avons désiré. C'est une histoire récente. Il ne pouvait plus tenir debout, il avait soif, faim. Et mal partout. Il avait voyagé de Prague à Moscou comme colis et aucune compagnie aérienne ne donne à manger et à boire aux colis. Ni de banquettes pour s'allonger. Voilà ce qui lui est arrivé. Nous ne sommes pas cruels. C'était de sa faute. Il était fou. Il se prenait exactement comme toi pour un véritable Premier Ministre. Parce que nous lui avions ordonné d'en jouer le rôle ! Tu veux d'autres exemples ?

— Non merci, répond Léopold Skripka.

Il sait tout cela. Par ouï-dire. Il n'a jamais voulu y croire. Comme on ne croit jamais, si intelligent soit-on, qu'on peut mourir demain ou dans une heure. Les hommes pensent toujours que ce sont les autres qui meurent, que ce sont les autres qui vieillissent. Pas eux. C'est une bêtise qu'aucun n'a réussi à surmonter. Certes, ils admettent tous qu'ils mourront un jour. Qu'ils seront vieux ou malades. Un jour. Mais cela leur semble si lointain qu'ils n'y pensent jamais. C'est un savoir théorique. Par leur bêtise, les hommes sont toujours pris au dépourvu par la maladie, la vieillesse et la mort. Léopold Skripka a vu tous ses camarades ministres et présidents des Républiques occupées par les Russes, marqués par les tortures infligées par les Soviétiques. Il les a vus de ses yeux, estropiés. Il sait que la plupart d'entre eux ont été tués par les Russes. Comme Moïse Silberman... Mais il se considérait au-dessus de tout cela... Il réagissait devant ces choses qui devaient lui arriver aussi inévitablement que la mort, sans les prendre au sérieux.. En s'occupant de bagatelles...

Le Caïd de Königsberg enlève son chapeau et le pose à nouveau sur le tapis, au pied de son fauteuil.

— Quels sont les amendements charitables que tu voulais nous demander d'inscrire dans notre prochain traité d'alliance et d'amnistie russo-roumaine ?

— De toutes petites choses... Qui ne vous coûtent rien... En voilà deux, par exemple. Seulement deux. Le pétrole. Nous avons toujours été les fournisseurs en pétrole de l'Europe. Depuis le 23 août 1944, conformément au traité d'amitié et collaboration russo-roumaine, nous sommes obligés de livrer notre pétrole à la Russie Soviétique. Au prix fixé par elle.

— C'est exact et normal...

— Notre principale source de richesse a disparu...
Nous n'avons plus le droit de vendre notre pétrole en
Occident.

— C'est exact. Et vous voulez changer cela ?

— Pas du tout... Conformément au traité, nous livre-
rons toujours notre pétrole jusqu'à la dernière goutte,
à la Russie. La Russie Soviétique Rien aux Occidentaux. Mais il y a une chose que je pensais demander :
vous réclamez par contrat que nous livrions le pétrole
à Moscou, à Léningrad, à Kiev. Nous devons dépenser
une somme colossale pour l'extraire.

— Oui, pour l'extraire, il faut dépenser beaucoup
d'argent. Avoir des machines, des ouvriers, c'est vrai.
C'est exact.

— Nous devons ensuite transporter ce pétrole en
Russie, aux endroits indiqués par le contrat...

— Exact !

— La somme que nous dépensons pour l'extraire et
pour le transporter est trois fois plus grande que le
prix que nous recevons de la Russie pour le pétrole
livré. Nous payons pour chaque litre que nous livrons !
Nous sommes des livreurs qui portent la marchandise
et qui, de plus, paient l'acheteur... C'est une chose que
je voulais vous signaler. Parce que maintenant, nos
machines, nos wagons et tout l'outillage sont usagés.
Nous ne pouvons réellement, vous livrer le pétrole et
vous payer pour le recevoir...

— J'ai pris note, dit le Caïd. La seconde question,
mais vite !

— Il y en a d'innombrables. Mais je vous en signale
seulement une deuxième. C'est celle des forêts. Nous
avons dans les Carpathes les plus belles forêts
d'Europe. Plus belles et plus riches que celles de Scan-
dinavie. Depuis le 23 août 1944, conformément aux
accords d'amitié, nous devons vous livrer tout le bois,

de toutes les forêts. Sans exception. Et après un quart de siècle d'abattage ininterrompu, nous n'avons plus que quelques arbres dans nos montagnes. Toutes les forêts sont en Russie. Nous n'en avons plus. A la fonte des neiges, le pays est inondé. Le climat est changé. Il faut trouver une solution. D'urgence !

— J'ai noté cette affaire. Maintenant je veux te demander une chose. En te regardant dans les yeux. Et tu dois me répondre, toujours en me regardant dans les yeux sans réfléchir. D'accord ?

— D'accord !

— Léopold Skripka, es-tu un communiste ?

— Oui, répond Léopold Skripka. Je suis un véritable communiste.

— Tu es un menteur, Léopold Skripka, dit le Caïd. Tu n'es pas communiste du tout.

— Je vous le jure sur mon honneur. Sur ma fille. Sur ma vie. Même si vous me liquidiez, je proclamerai jusqu'à la fin que je suis communiste et que je meurs communiste.

— Tu mens, dit l'homme de Königsberg. Tu as dit tout à l'heure une phrase qui montre, avec certitude, que tu n'as jamais été, que tu n'es pas et que tu ne seras jamais communiste...

— Qu'ai-je dit de si terrible ?

— Tu as dit, plusieurs fois même : « J'ai pensé »...

— Oui, j'ai dit que j'ai pensé que certaines clauses du traité, si vous les trouvez justes...

— Tu as utilisé le verbe « *j'ai pensé* ». C'est ce mot qui m'intéresse. L'as-tu employé oui ou non ?

— Oui.

— Tu penses donc ?

— Certainement.

L'homme de Königsberg se lève. Il pose son chapeau sur sa tête. Il dit :

— Tu es irrécupérable Léopold Skripka. Dans quel traité as-tu appris qu'un communiste a le droit de penser ? Etre communiste, signifie d'abord « ne pas penser ». Jamais. C'est une vérité que même les analphabètes savent. Un soldat (et un communiste est un soldat) ne doit jamais penser. Il doit réciter ce que les chefs lui ont donné à apprendre par cœur. « *Réciter* ». Non pas « *penser* ». Et surtout « *exécuter* ». Nous avons un « *pensoir* » parfait. Au Kremlin. Un pensoir pour toute la planète. C'est là-bas que vous devez chercher vos pensées. Comme les bœufs vont à la rivière pour chercher l'eau à boire. Et dans les prairies l'herbe à brouter. Tu as lu dans le journal comment un membre illustre du Comité central du Parti communiste français, Roger Garaudy, fut exclu du Parti et chassé à coups de pied, comme le plus grand criminel ?

— Oui, je connais le cas de Roger Garaudy...

— Quel est le crime pour lequel il fut exclu, d'un coup de pied au cul, du Comité central du Parti communiste français ? Son crime, l'impardonnable crime qu'il a commis, est simplement « *d'avoir pensé* ». Au lieu de réciter comme c'est le devoir de tout communiste. Il commença à *penser*... Tu sais ce qui lui est advenu. Il y aura des suites plus graves. Pas d'exclusion seulement. Comment un homme intelligent et cultivé comme toi a-t-il osé dire qu'il a pensé ? Comment oses-tu te dire communiste si tu penses ? Tu es irrécupérable. Le reste, on pourrait te le pardonner. Mais penser ? Cela, jamais... Jamais. Imagine-toi une armée où les soldats pensent ? Impossible. C'est une aberration. C'est le commandant qui pense. Ici, c'est le Kremlin qui pense.

Avant de sortir, sans serrer la main de Léopold Skripka, l'homme de Königsberg dit :

— C'est ta fille Héléna qui t'a apporté, tout à l'heure la bouteille d'eau minérale, n'est-ce pas ?

— Oui, c'est ma fille et collaboratrice Héléna...

— Elle a commis un meurtre avec sa copine Marika Mogyrow... C'est dur pour un père, d'avoir une seule fille, et de voir qu'elle devient meurtrière... C'est le mal américain qui commence à ravager les Blousons de Sang, comme on appelle vos filles et vos fils. En Russie, on les appelle Hooligans. En Occident, Blousons noirs ou Blousons dorés. Et votre fille, comme celle de Imre Mogyrow, comme tous les Blousons de Sang de Roumanie, ont dépassé en crime les Américains. Car je vois qu'ici les jeunes filles tuent leur mère en leur fendant la tête à coups de hache, comme des pastèques. Vous avez dépassé la jeunesse décadente et pourrie des U.S.A. et d'Occident... Au revoir, cher Léopold...

Tu seras dans quelques jours convoqué à Moscou pour signer le nouveau traité d'amitié et collaboration avec l'U.R.S.S. Tu viendras avec ton gouvernement au complet. Et abstiens-toi de penser ! Tu viens pour signer. C'est tout. C'est ton métier. Et cesse de te prendre pour « Premier Ministre ». C'est de la folie, ça...

XXIII

LA FABRICATION DES CATASTROPHES NATURELLES

Le Caïd de Königsberg n'avait aucune fonction officielle au Comité central du Parti communiste de Russie. Ni dans la police. Ni dans la diplomatie. Il était tout de même plus fort que les autres. Il était le Caïd. Après avoir quitté Léopold Skripka, il donna l'ordre au chauffeur de la limousine de l'ambassade soviétique à Bucarest, le *corbillard*, comme on l'appelait en Roumanie, de le conduire au ministère du Commerce extérieur. Il trouva Imre Mogyrow en deuil.

— Je suis venu te présenter mes condoléances, camarade Imre... Ta fille a tué sa mère. Tu l'as mariée avec un jeune vaurien et tu l'as envoyée en Argentine. Avec son mari ambassadeur. C'est très bien. Car je te réserve pour des tâches importantes. Ton malheur est très grand, d'avoir perdu ta femme et d'être père d'une meurtrière. Je te plains. Sincèrement. Je viens de voir à l'instant Léopold Skripka. Il est plus à plaindre que toi. Tu sais ce qu'il a fait ?

— Non.

Le Caïd pose son chapeau au pied du fauteuil sur le tapis. Il demande une bouteille d'eau minérale. Il essuie ses lunettes. Il est fatigué. Il dit :

— Léopold Skripka « pense »...

— Qu'est-ce qu'il pense ? demande Imre Mogyrow.

— Je me fiche éperdument de ce qu'il pense ! crie
Stanislas Krizza. C'est le crime qui m'intéresse. Et le
crime, c'est de penser ! Il faut vous conduire comme à
l'école, apprendre que de même que les enfants doivent
manger de la soupe pour grandir, de même si vous
voulez rester dans le Parti, et surtout dans le Comité
central du Parti, vous ne devez jamais penser. Autrement vous êtes perdus. Exclus. Volatilisés. Et vous voulez rester tous dans le Parti. C'est normal. Car seuls
les membres du Comité central du Parti communiste
peuvent manger du caviar, vivre dans des palais, avoir
des prostituées de luxe et engraisser comme des
cochons. Mais ils ne doivent faire que réciter après
avoir appris par cœur les pensées diffusées par le
Pensoir du Kremlin. Et exécuter. Et réciter jour et
nuit. Toute leur vie. Dans toutes les occasions. Ne faire
que cela. Skripka est tombé dans le vice de penser, il
est irrécupérable. Tu prendras sa place. Tu ne risques
jamais de penser. Tu sais à peine lire et écrire, n'est-ce
pas ? Pourquoi rougis-tu ? C'est une qualité. On m'a dit
que c'est ta secrétaire — une ancienne ballerine de
l'Opéra — qui te lit l'éditorial du journal du Parti
chaque soir en tutu. C'est vrai ? Ne te gêne pas ! C'est
très bien comme ça Je suis chez toi. Car les dettes de
la Roumanie envers l'Union Soviétique augmentent
d'une façon inconcevable. Vous risquez, à ce train de
vie, de ne pouvoir payer avant un millénaire. Vos
affaires économiques marchent mal. Très mal. En parlant à bâtons rompus avec Léopold Skripka, il m'a dit
une chose qui m'a paru digne d'être retenue. Tu es non
seulement ministre du Commerce Extérieur, mais
aussi ministre de l'Agriculture. Tu es qualifié pour me
confirmer ce qu'il m'a dit : il affirme que toutes les
montagnes de Roumanie sont passées à la tondeuse,
qu'on a coupé tous les arbres. Les Carpathes sont

devenues comme les bagnards. Têtes rasées. Chauves.
C'est vrai ?

— Strictement vrai... Nous devons importer le bois...

— Est-il vrai que les montagnes chauves provoquent des inondations chaque printemps à la fonte des neiges ?

— Tout le pays est sous l'eau, à la fonte des neiges. Depuis qu'on a coupé les forêts et que les Carpathes sont chauves comme des bagnards...

— Il faut remédier à cela... dit le Caïd de Königsberg... Il faut y remédier tout de suite...

— Pour faire pousser les forêts il faut attendre des dizaines d'années... Reboiser la Roumanie et les Carpathes, c'est une affaire de deux ou trois générations...

— Mais qui te dit de reboiser les Carpathes ? Je t'ai dit de remédier à cette situation catastrophique. Tu comprends très difficilement camarade Imre Mogyrow.

— Je vous demande pardon. Si vous m'expliquez, j'exécuterai...

— Ça, c'est une réponse ! Ecoute et exécute. Mot à mot. A la lettre. Tu dis que parce qu'il n'y a plus de forêts, parce qu'elles ont été transportées en U.R.S.S. conformément au plan d'amitié roumano-soviétique, il y a à chaque printemps des inondations .

— Oui.

— Qu'à la fonte des neiges, toute la Roumanie est sous l'eau... C'est cela ?

— Exactement.

— Cette année aussi, donc, on aura des inondations...

— Toute la Roumanie sera sous l'eau au printemps.

— C'est parfait... dit Stanislas Krizza ! C'est parfait.

D'une frontière à l'autre, pour cause de manque de forêts, toute la Roumanie sera inondée... C'est parfait. A quel mois se produiront ces inondations ?

— Au mois de juin ou fin mai...

— Il faut y remédier. Ecoute la solution : tu réquisitionnes pour la fin mai, pour la période pendant laquelle la Roumanie sera complètement inondée, tous les grands hôtels du pays... Tu comprends ce que je te dis ?

— Je réquisitionne tous les grands hôtels, dès que les inondations commencent...

— Parfait. Dès maintenant, tu prépares des invitations, des avions spéciaux, des hélicoptères et tu fais, par les ambassades et les consulats de Roumanie, arriver à Bucarest un très grand nombre de journalistes, photographes, cinéastes, hommes de télévision... Toute la presse mondiale doit venir. Il nous faut des milliers et des milliers de journalistes... On les transportera en Roumanie gratuitement. On les logera. On leur donnera de belles putains. A tous. Des cadeaux. Et on les promènera en avions, en hélicoptères et en trains spéciaux, dans les régions inondées... En même temps on invitera toutes les associations charitables du monde : *Unesco, Caritas, Croix-Rouge, Secours Catholique, Croissant Rouge*, à nous aider dans notre malheur. A sauver la Roumanie inondée et à nous envoyer des dons. En plus, on créera, dans toutes les grandes villes de l'Occident, par les soins des ambassades et des consulats roumains, des comités d'aide aux sinistrés ! Pour sauver la Roumanie entièrement sous l'eau. On demandera l'aide d'urgence... De véritables S.O.S. Mais l'opération doit être synchronisée. Comme une horloge. On récoltera tant de dons pour la Roumanie inondée et pour les victimes de cette catastrophe naturelle fabriquée par nous que la somme reçue équivaudra au budget de Roumanie, pour deux ou trois ans. Tu as compris ? Tu commences dès maintenant... Il faut que nous ayons même des photos et des films de l'inondation prêts avant que l'eau ne couvre la Roumanie... On parlera des nombreuses victimes...

— Et les victimes, comment fait-on pour les avoir ?

— C'est la police qui s'en chargera... Elle a l'habitude... On portera disparus quelques milliers de personnes, pendant les inondations... La police connaît son métier. Elle sait faire disparaître des milliers de gens, même sans inondation... Pendant la plus dure sécheresse. En toute saison... C'est très facile.

— C'est une idée géniale, s'écrie Imre Mogyrow... Cela apportera plus d'argent que toutes les belles forêts d'autrefois... C'est réellement un miracle... *Fabriquer des catastrophes naturelles...* ; Camarade Stanislas Krizza, permettez-moi de vous embrasser sur la bouche, en camarade, à la russe...

Stanislas Krizza regarde avec mépris, son interlocuteur. Il lui dit :

— Non, je ne te permets pas de m'embrasser sur la bouche, en camarade !

— Ai-je fait quelque chose de mal ?

— Oui, dit le Caïd de Königsberg. Tu te réjouis trop tôt...

— Mais l'idée est géniale. Elle doit réussir. Nous recevrons, par colis postaux et par mandats, des milliards, et des milliards...

— Ce n'est pas sûr. Il y a toujours un imprévu...

— Si tout est organisé, comme vous l'avez exigé, il n'y aura pas d'imprévu. Tous les Occidentaux nous enverront leur or...

— Camarade Imre Mogyrow, écoute-moi bien : il ne faut jamais vendre l'oiseau qui vole encore. Rien n'est sûr dans l'avenir. Il peut survenir un accident. Par exemple, pendant que la Roumanie est sous l'eau, complètement inondée, et que la police fait disparaître deux ou trois mille personnes, — en laissant entendre qu'elles ont été englouties par les eaux — pour apitoyer les Occidentaux, imagine-toi qu'à cette heure même, la terre tremble en Argentine, au Chili, au Pérou ou en Turquie et que là-bas, le tremblement de terre fasse deux cent mille victimes ? La concurrence. As-tu pensé à cela ?

— Non.

— En ce cas, l'attention et la générosité du public se tourneront vers la catastrophe qui a fait cent mille fois plus de victimes. Et on oubliera les inondations de Roumanie. Notre projet sera à l'eau ! Il faut toujours compter avec les impondérables. Autrement on rate.

— Comment éviter qu'une autre catastrophe naturelle se produise en même temps ailleurs ? se demande Imre Mogyrow. Comment prévenir un tremblement de terre au Pérou, qui dirigera l'or que nous pourrions recevoir avec nos inondations ? Comment ?

— Quand tu trouveras la solution pour arrêter les catastrophes naturelles, tu me la communiqueras... dit le Caïd en partant. Moi, je sais les provoquer. Et j'aimerais bien apprendre à les arrêter aussi. Exactement comme je les provoque. Mais je n'ai pas trouvé encore... Au revoir, camarade. Et prépare-toi, en silence, à prendre la place de Léopold Skripka, comme Président du Conseil des Ministres. Ses jours sont comptés... Il est irrécupérable. Il a avoué de lui-même, sans être supplicié, qu'il pense... Un communiste qui pense ? Irrécupérable ! Inimaginable !

XXIV

VOYAGE SUR L'ITINERAIRE QUOTIDIEN DU SOLEIL

C'est le jour même de la visite du Caïd de Königsberg à Léopold Skripka et à Imre Mogyrow qu'a lieu la Fête Nationale de la République Pénitenciaire de Bulgarie. Léopold Skripka arrive parmi les premiers à la grande réception donnée à l'ambassade de Bucarest. Il a ses raisons d'agir ainsi. Il sait maintenant avec une certitude mathématique, qu'il sera liquidé. Qu'il signe ou ne signe pas le traité d'amitié roumano-soviétique. Il sera liquidé. Assassiné. Il commence à penser à un plan d'évasion de Roumanie. Il n'y a pour lui, aucun autre moyen de sauver sa vie que de fuir en Occident. Mais il sait qu'aucun prisonnier, même ceux gardés au secret dans les cellules des condamnés à mort ne sont mieux surveillés, et de plus près, que lui, en ce moment. Car on sait déjà qu'il va tenter de fuir.

Pour les Hauts Camarades, il n'y a pas d'autre voie pour s'évader d'une République de l'Est que les hublots des ambassades étrangères. C'est ce moyen que Léopold Skripka s'emploie à trouver. Les ambassades occidentales dans les pays soviétiques sont comme les fenêtres des prisons, comme les hublots des bateaux : les seules issues par lesquelles les prisonniers de haut rang peuvent sortir.

La police soviétique sait cela. Et les ambassades

étrangères à Bucarest sont plus étroitement surveillées et quadrillées par la police que les prisons.

Pendant la réception, Léopold Skripka s'approche de l'ambassadeur de France. Il désire faire évader d'abord sa fille Héléna. Il dit à l'ambassadeur :

— Vous avez bien connu Masaryk, Excellence ?

— Oui, j'ai connu le Président Masaryk répond l'ambassadeur de France. Quel formidable homme d'Etat ! J'étais un de ses amis. Car, en vérité, je suis un des plus anciens ambassadeur. Regardez mes cheveux ! J'ai connu tous ceux d'autrefois... Qui ne sont plus parmi nous...

— C'est vrai, Votre Excellence, ce qu'on raconte sur l'ex-Président du Conseil de Tchécoslovaquie ?

— On raconte tant de choses sur les grands hommes ! Il y a du vrai et du faux...

— Est-il vrai, Votre Excellence, que le Président Masaryk savait quelques semaines à l'avance qu'il serait assassiné par les Soviets ? Est-il vrai qu'il mit au point un plan pour s'évader de Prague, trois semaines avant sa mort ? Il devait quitter la Tchécoslovaquie à bord d'une voiture diplomatique américaine... Ou anglaise... Il voulait s'exiler, ou s'évader en Occident. Est-ce vrai ?

— Il est exact que j'étais à l'ambassade de Prague à cette époque. Vous avez raison de me demander cela. Malheureusement, je n'étais pas dans le secret... Si secret il y eut. Bien sûr, j'ai appris, comme tous les ambassadeurs étrangers, qu'il avait essayé de s'évader de Tchécoslovaquie. Mais cela après sa mort. Si cette histoire est vraie ou non, je n'en sais rien. On a raconté, qu'il voulait fuir avec une voiture diplomatique anglaise. Vers la Suisse, précisément. Mais, vous le savez mieux que moi, on raconte tant de choses...

Tant de choses... Lesquelles sont vraies ? Lesquelles sont fausses ? Dieu seul le sait. Et Moscou. Avec son intuition de diplomate chevronné, l'ambassadeur goûte le champagne, champagne de Crimée. Il demande à Skripka :

— Si je ne suis pas indiscret, puis-je vous poser une question ? C'est une question strictement personnelle.

— Certainement, Votre Excellence...

— Pour quelle raison précise me parlez-vous de la mort du Président Masaryk ? Juste aujourd'hui. Pendant la Fête de nos amis bulgares ? L'affaire est si lointaine que personne ne s'en souvient plus... Comment vous est-elle venue à l'esprit, juste maintenant ?

— Le Président Masaryk ne s'est pas suicidé, comme on l'affirme officiellement, dit Léopold Skripka. Je sais avec certitude qu'il fut assassiné... On l'a jeté par la fenêtre du troisième étage, en pyjama, après l'avoir tiré de son lit, après minuit.

— On a raconté cela... Si je m'en souviens... Qu'il est mauvais ce champagne de Crimée ! Le plus incompréhensible, c'est que les Bulgares paient deux fois plus cher ce mauvais champagne que le véritable champagne français... Pourquoi n'en achètent-ils pas du français qui est vraiment bon et qui coûte moitié prix ?

— Les Bulgares comme les Roumains sont obligés d'acheter du champagne de Crimée. Par nos traités d'amitié avec les Russes. Ce n'est pas parce que nous le préférons que nous l'achetons le double. Mais revenons au cas de Masaryk, si cela ne vous ennuie pas. Le jour et l'heure de son évasion étaient fixés... C'est sûr. L'itinéraire. Le passage de la frontière. Tout fut étudié. Minutieusement. Le seul fait qui n'était pas prévu, c'est qu'il fut jeté du troisième étage de sa chambre à coucher deux semaines avant le jour de son évasion...

— Personne ne peut savoir à l'avance le jour de sa mort... dit l'ambassadeur de France.

— Il y a des personnes qui connaissent exactement la date de leur mort... dit Léopold Skripka. Masaryk le savait. Il s'est seulement trompé de deux semaines... Pour la mort comme pour la naissance, on se trompe toujours de quelques jours ou de quelques heures, et même de quelques semaines. Cela arrive couramment. Masaryk savait qu'il serait assassiné. Avec la même précision qu'une mère sait qu'elle donnera le jour à un enfant à une date à peu près fixée. Mais la naissance peut avoir lieu deux semaines à l'avance. Contrairement aux prévisions des meilleurs médecins. C'est la même chose pour la mort de Masaryk. Il savait qu'il devait mourir assassiné. Mais la mort est venue deux semaines avant ses prévisions.

— Vous avez de l'esprit, dit l'ambassadeur. C'est vrai ce que vous dites sur la venue et le départ de l'homme sur la terre.

— Vous m'avez demandé pourquoi j'ai abordé l'affaire du Président Masaryk devant vous, Excellence ? dit Léopold Skripka.

— Je vous ai questionné en effet... Car cela me semblait étrange. Mais vous ne m'avez pas répondu.

— J'ai abordé la mort de Masaryk, parce que je me trouve dans la même situation que lui, Votre Excellence. Exactement comme il savait, avec certitude, qu'il serait arrêté, soumis à la question, jugé et pendu. je le sais aussi. Il m'arrivera la même chose. Dans peu de jours. Je serai liquidé, assassiné. Et je ne veux pas me tromper sur la date de ma mort. Je ne veux pas faire l'erreur de deux semaines, je veux m'évader à temps... Je veux m'enfuir en Occident. Ou — parce qu'on dit que tout Moldave est né poète —, je veux vous dire cela plus poétiquement : je veux emprunter l'itinéraire quotidien du soleil, et voyager comme le soleil ; de l'est à l'ouest... Le soleil fait chaque matin ce voyage. Je le ferai une seule fois. Pour toujours. Sans retour.

— Vous voulez vous enfuir par les hublots des ambassades étrangères de Bucarest, comme de coutume, n'est-ce pas ?

— Exactement, Votre Excellence...

— Vous savez que cela n'a jamais réussi à personne ? Pourquoi essayer un moyen d'évasion qui a toujours échoué ? Vous savez que vous êtes suivi pas à pas par les agents soviétiques. Même si vous vous levez la nuit pour aller aux toilettes, le lendemain l'heure exacte où vous avez quitté votre chambre et le nombre de minutes passées dans la salle de bains sont notées dans le rapport qui se trouve sur le bureau de l'ambassadeur soviétique à Bucarest. Vous savez cela. Pourquoi essayer de faire une chose impossible ? Votre conversation est en ce moment enregistrée. Et pour ne pas compromettre les relations entre la France et la Roumanie qui ont de grands intérêts économiques réciproques à développer, je vous réponds que je ne vous aiderai pas. Cherchez une autre ambassade... Je pense que ma réponse est aussi enregistrée. Et elle servira à conclure nos accords économiques dans l'avenir.

— Notre conversation n'est pas enregistrée, Votre Excellence, dit Léopold Skripka... Le microphone se trouve dans le nœud du double rideau... Nous sommes trop loin pour être enregistrés. Il n'y a pas d'autres micros plus près de nous... Sauf, peut-être celui qui est caché dans ma veste. Ou dans la vôtre... Mais je n'en ai pas. Moi, Premier Ministre roumain, c'est exceptionnellement que je n'en ai pas aujourd'hui. Vous, vous n'en avez jamais... Je peux donc vous parler en toute quiétude...

— Premier Ministre d'une République Pénitenciaire depuis vingt ans, vous êtes un spécialiste en matière de micros secrets et de leurs emplacements aux réceptions... Je vous fais donc confiance... Et je vous écoute...

— Je vais m'enfuir de Roumanie... Mais je veux d'abord faire partir ma fille unique

— Elle sera arrêtée. Elle est surveillée exactement comme vous-même... Il serait incroyable qu'elle puisse s'enfuir sans être arrêtée.

— Nous n'avons à notre disposition que l'impossible, Votre Excellence. Pas le choix. Il faut tirer parti de l'impossible. Je l'utilise.

— Ce que vous pouvez être crédules, vous, les Roumains !... Croire dans l'impossible !

— Avons-nous autre chose à espérer ?

Léopold Skripka est triste. Il se rappelle sa conversation du matin avec Stanislas Krizza et les mots : « Tu te prends pour un Premier Ministre parce que les étrangers t'appellent Excellence ? Tu n'es que notre domestique, préposé à la fonction de Premier Ministre. Tu n'as jamais été, tu n'es pas et tu ne seras jamais Premier Ministre. Tu es tout simplement notre homme. » Léopold Skripka sait que c'est vrai. Mathématiquement vrai. Il n'est rien de plus qu'un domestique. Bien qu'on l'appelle « Excellence » et qu'il signe « Premier Ministre de Roumanie ». C'est son travail de domestique de signer ainsi.

— Ma fille partira à l'étranger, à Paris précisément, sous un faux nom. J'ai le visa de la Suisse. Sur son passeport, elle s'appelle Monique Martin. Pouvez-vous me donner un visa français pour Monique Martin, pour une durée d'un an ? Je la ferai passer pour étudiante. Et boursière, dans le cadre des échanges culturels entre la France et la Roumanie.

— Votre fille n'a nullement besoin de mon aide, dit l'ambassadeur de France. Elle a son passeport, sa bourse... Je lui souhaite de sortir saine et sauve de derrière les barbelés qui entourent votre beau pays et d'arriver à Paris... C'est tout ce que je peux faire !

— Il me faut le visa de l'ambassade de France à Bucarest.

— Demain matin je vous rendrai visite personnellement et je vous apporterai le passeport de votre charmante fille. Car elle est charmante, la belle Héléna... Avez-vous son passeport sur vous ?

— Je vous le glisserai, tout à l'heure. Dans le *Times*... Au vestiaire. En sortant. Et merci.

— Présentez mes respectueux hommages à Mademoiselle Héléna et souhaitez-lui de ma part beaucoup de bonheur à Paris... Vous l'aimez beaucoup, n'est-ce pas ?

— C'est une copie fidèle de ma femme. Non seulement moi, mais tous mes élèves au collège militaire de Kichinev étions amoureux de ma femme. Ils écrivaient jour et nuit des poèmes d'amour pour elle... Elle était très belle. Et ma fille lui ressemble comme deux gouttes d'eau. J'ai perdu ma femme. Je veux sauver ma fille... Merci encore une fois, Excellence.

— C'est la moindre des choses de vous rendre ce petit service, mon cher.

— Il y a encore une chose que je veux vous demander... Mais pas aujourd'hui. Dans quelques jours... Je vous prie de bien vouloir déposer le passeport avec le nom véritable de ma fille Héléna Skripka au consulat français en Suisse. Ma fille ira le chercher. Vous accorderez aussi le visa sur le passeport qui portera son nom véritable...

— Pourquoi cela ? Je ne vois pas l'utilité de divulguer son véritable nom après avoir réussi à la faire passer clandestinement en Occident... Si cela réussit...

— Je possède un petit dépôt d'argent dans une banque Suisse... Il est à mon nom et au nom de ma fille. Elle doit se présenter au guichet sous son nom véritable. Autrement on ne lui donnera pas l'argent. Mais ce second passeport, avec son vrai nom, elle le jettera en petits morceaux dans le lac de Genève en sortant de la banque... Le lac de Genève aura un passeport diplomatique...

— Vous pensez partir très vite ?

— Dans une dizaine de jours... Mais ma fille, je l'éloigne tout de suite... Je peux supporter ma mort. Mais pas la sienne. C'est pourquoi je la fais partir dès demain...

— Et vous dites que vous partez en exil dans dix jours ?

— Au plus tard... dit Léopold Skripka. Autrement je me trouverai dans la situation du pauvre Masaryk. Je serais jeté par la fenêtre du troisième étage et on annoncera que je me suis suicidé... Vous pouvez faire un rapport secret à votre gouvernement. En annonçant que l'actuel Premier Ministre de Roumanie est en disgrâce et qu'il sera limogé bientôt et remplacé par Imre Mogyrow... C'est un plaisir plus grand que celui des prophètes, pour un ambassadeur d'annoncer les événements à venir avec deux semaines d'avance... N'est-ce pas ?

L'ambassadeur de France à Bucarest est pâle. Il a bavardé en prenant les choses au sérieux. Tout le temps. Mais maintenant il se rend compte de la tragédie terrible que vivent ces hommes, les maîtres absolus des Républiques Populaires de l'Est contrôlées par les Russes. Ils ne vivent pas. Ce sont des héros de tragédies shakespeariennes ! Pauvre Léopold Skripka ! Lui, devant qui tout le monde tremble, depuis plus de vingt ans, lui, qui a tué et déporté des millions de Roumains, qui les a fait emprisonner, car il n'est aucun des vingt millions de Roumains qui n'ait fait de la prison et subi des interrogatoires sous son règne de tyran absolu. Il est tout d'un coup dans la même situation que ses victimes. Un homme traqué, qui attend chaque jour d'être assassiné. Comme il a ordonné l'assassinat des autres. Et, qui cherche à s'enfuir, « sur l'itinéraire du soleil » comme il dit. Vers l'Occident. Et à vivre en pauvre exilé...

— Les choses se passeront ainsi, Excellence : dans une semaine, je serai invité à Moscou avec mon gouvernement, pour signer le nouveau traité d'amitié roumano-russe. Au lieu de partir vers Moscou, je m'évaderai vers l'Occident... Je tâcherai au moins... Si je pars pour Moscou et si je reviens, je m'évaderai tout de suite après... Cela dépendra des circonstances... Car si je ne le fais pas, ils me tueront. Secrètement. Ou légalement, avec un procès à grand spectacle. Comme ça s'est passé pour tous les chefs des Partis communistes. De tous les pays, y compris la Russie. Toujours... Et comme cela se passera tant qu'il y aura des régimes communistes, quelque part sur terre. Mourir pendu, assassiné, c'est notre mort naturelle. Chez nous. Dans le cadre de notre Parti. Il y a des Hauts Camarades qui résistent plus longtemps, et d'autres qui résistent moins. Mais la fin est toujours la même : la *liquidation*, plus ou moins voilée... Nous sommes tous en sursis.

— Demain, je déposerai sur votre bureau le passe-

377

port de votre fille. Comptez sur mon appui dans l'avenir.

Subitement, en regardant Léopold Skripka, cet homme qui vit en sursis, l'ambassadeur de France éprouve de la piié. Il subit une sorte de déclic. C'est le démon de la connaissance, qui a toujours dévoré les Français. Il veut comprendre — et il pense que le moment est venu — une chose qu'aucun Occidental n'a jamais compris et qu'aucun Occidental ne comprendra jamais... L'ambassadeur demande à Léopold Skripka :

— Vous êtes un véritable communiste, Votre Excellence, n'est-ce pas ?

— Bien sûr que je suis un véritable communiste. Et je le resterai jusqu'à ma mort.

Léopold Skripka parle avec certitude. Avec bravade. Il est fier d'être communiste et de mourir en communiste.

— Voilà ce que je n'arrive pas à comprendre. Et, avec votre permission, je me permets de vous poser une question qui pourra peut-être m'éclairer... Car c'est un point noir dans ma tête.

— Je tâcherai de vous répondre le plus sincèrement et le plus clairement possible... Je vous le dois. Vous sauvez la vie de ma fille... Mon unique trésor.

— Excellence, vous venez de m'avouer que vous serez assassiné ou liquidé, comme vous appelez l'assassinat dans votre jargon marxiste, dans deux semaines au plus tard.

— C'est exact. Je vous l'ai affirmé. Et je le serai si je n'arrive pas à m'exiler.

— Je suis certain que vous serez assassiné, si vous ne fuyez pas à temps... dit l'ambassadeur. Vos prédécesseurs ont tous été assassinés. En Roumanie et dans les autres Républiques bolcheviques. Hanna Tauler a été assassinée. Masaryk assassiné. Tous. Staline fut assassiné, d'après la version la plus digne de confiance. Car on a refusé de lui porter le secours médical nécessaire. C'est à cause de cela qu'il est mort. Tous vos camarades et tous les chefs du Parti communiste meurent assassinés. Et ceux qui ne le sont pas, meurent en prison. En camps de concentration. Ou dans des hospices psychiatriques. Tous les citoyens de vos Républiques font automatiquement de la prison, des camps de concentration, de la déportation et subissent des interrogatoires qui sont de vraies mises à la question. Tous. Sans exception. Grands ou petits. C'est vrai ?

— Exact, répond Léopold Skripka. J'en donnerai moi-même la preuve. Dans moins de deux semaines...

— Voilà ce que nous n'arrivons pas à comprendre, nous, les Occidentaux : comment peut-on être communiste dans ces conditions ? Et vous avez répondu sans hésitation, avec fierté même, que vous êtes un véritable communiste. Je vous demande donc, comment peut-on l'être sincèrement quand on sait qu'on sera assassiné ? Qu'on ne possède comme avenir que la mort des mains du bourreau, la prison, ou l'évasion ? Comment pouvez-vous être de véritables communistes ? Dans ces conditions atroces auxquelles aucun de vous ne peut échapper ? Ni Staline, ni Trotsky, ni Hanna Tauler, ni Masaryk. Ni vous-même ?

— C'est pourtant très logique, Votre Excellence, dit Léopold Skripka. A mon tour d'être étonné que vous, diplomate chevronné et Français par-dessus le marché, vous ne compreniez pas une chose si claire !

— J'avoue que je ne comprends pas... C'est incroyable. Contraire à la nature humaine. A la logique. Contraire à la vie. A l'instinct. A la conscience.

— On devient communiste exactement comme on

devient soldat dans la Légion étrangère, votre Excellence. Il y a dans la vie des moments où l'on n'a pas le choix. On devient légionnaire pour ne pas être bagnard ou pourrir dans une prison. C'est absolument la même chose pour les communistes. On devient membre du Parti, parce qu'on ne peut pas faire autrement. Quand il n'y a pas d'alternative. Les Italiens du Sud, les Sud-Américains, les Cubains, les Noirs, les Arabes, s'ils ne deviennent pas communistes, meurent de faim ; ils ne sortiront jamais de leur condition sous-humaine.

— Mais le communisme ne leur offre pas à manger. Ni une situation meilleure. C'est le pire qui les attend, s'ils deviennent communistes...

— Le communisme leur offre l'espoir. Et tout homme, tant qu'il vit, espère. Ils crèvent de faim. Les communistes arrivent et leur disent qu'ils leur apporteront de la nourriture. Et ils s'inscrivent au Parti. Pour rêver. Ils n'ont rien à perdre, car ils ne possèdent rien. C'est la mort dans la misère, par la famine et l'oppression, ou la marche avec le Parti communiste qui leur offre au moins une illusion. Un rêve. Et le rêve, cela compte... Moi, je suis devenu communiste, en sortant d'une cave où j'étais caché, on m'a offert le choix : être Premier Minisre ou être fusillé. J'ai préféré être Premier Ministre. De nom, du moins. C'est l'instinct de conservation. Les Cubains ont essayé pacifiquement de gagner leur pain quotidien. On le leur a refusé. Ce sont les Américains qui le leur ont refusé. Ils sont devenus communistes : ils ne pouvaient rien faire d'autre, à moins de finir comme esclaves des trusts fruitiers américains. Ce sont les Etats-Unis d'Amérique, les meilleurs racoleurs des membres du Parti communiste. Nous, les communistes, nous le sommes tous devenus par manque de choix. Les ouvriers d'usines qui n'ont pas le strict nécessaire et auxquels les patrons refusent les moyens de vivre, deviennent communistes eux aussi. Que faire à leur place ? Ils choisissent le rêve. Ils s'inscrivent au Parti.

— Mais après voir reçu la carte du Parti communiste, comment pouvez-vous dormir avec cette carte dans la poche ? C'est contraire à la nature humaine. Car vous vous savez prisonniers. Vous êtes à la merci des tortionnaires, des tyrans. Privés de toute liberté... Et, même les bêtes ne peuvent vivre sans liberté... Comment les communistes peuvent-ils vivre ainsi ? Avec la menace quotidienne de la torture et de la mort et la police dans le dos toute la vie ? Jour et nuit ? Ce n'est pas humain. Ce n'est pas normal ! Ce n'est pas naturel...

— Après avoir choisi de devenir légionnaire pour éviter le bagne ou la mort et après avoir décidé de devenir communiste pour ne pas crever de faim ou être fusillé, on se répète, et on entend répéter à la radio dans les journaux et dans les microphones : « Je suis communiste. Je suis fier d'être communiste. C'est admirable d'être communiste. » Et on finit par croire que c'est vrai. A force de se le répéter sans cesse. Et de l'entendre répéter sans arrêt... C'est tout le processus... Il y a encore une chose qu'il ne faut pas oublier : quand on devient légionnaire ou communiste, on est enfermé. On ne peut plus sortir. Il faut rester. Les tentatives d'évasion sont presque toutes vouées à l'échec, aussi bien de la Légion étrangère que du Parti communiste... Quand on se rend compte qu'on est encagé, on fait comme les bêtes : on se résigne. D'autres, au lieu de se résigner courent en avant, en criant : « C'est le plus grand bonheur d'être communiste. » Courir en avant, c'est toujours une sorte d'évasion. Les plus honnêtes des communistes s'évadent du Parti par la fuite en avant. Ce sont les plus sanglants, les plus fanatiques, les plus implacables, les plus cruels ! — L'ancien professeur de philosophie Léopold Skripka continue : — En ce qui me concerne, parce que je suis un intellectuel, j'ai trouvé une manière personnelle de supporter d'être communiste. Je ne me demande jamais pourquoi je le suis. Et pourquoi je le reste. Si j'y pense, je suis perdu. C'est exactement comme les prisonniers : il faut qu'ils oublient qu'ils sont en prison. Qu'ils y pensent le moins possible. Autrement on devient fou. On perd la raison. Et chose plus grave, on cesse d'être communiste. Et cela se remarque. Ceux qui vous surveillent le remarquent ! Et cela entraîne la mort. Vous savez pourquoi Nikita Khrouchtchev a perdu son trône de tsar rouge de toutes les Russies et de successeur de Staline ? Parce que pendant son voyage aux U.S.A., il a vu que, dans ce pays capitaliste, le maïs est incomparablement plus beau et de meilleure qualité qu'en Russie bolchevique. Il a vu qu'aux U.S.A. il est aussi grand que les arbres. Il a vu que Ford, General Motors et d'autres usines sont plus belles qu'en U.R.S.S. Et il s'est perdu lui-même. Car il ne faut jamais faire de comparaisons ! Ni penser. Il faut dire que tout est meilleur chez les Soviétiques. Sans arrêt. Qu'il n'y a pas mieux nulle part. Et, surtout, Nikita Khrouchtchev a commis l'énorme faute de se demander pourquoi le blé et le maïs sont plus beaux aux U.S.A. que dans sa patrie soviétique. Or, se poser une question à soi-même en secret absolu, c'est mortel pour un communiste. Se poser des questions, faire des comparaisons, réfléchir, ce sont des actes permis aux hommes libres. Le communiste est perdu s'il pense. S'il cherche la vérité. S'il se demande pourquoi et comment !

— Merci, dit l'ambassadeur de France. Je n'ai jamais réfléchi à fond à ces questions. Je vérifierai à tête reposée leur valeur. Vous avez donc affirmé que si on supprime le nombre des desperados, des hommes sans issue qui crèvent de faim, de soif et de justice, on n'aura plus de recrues pour le Parti communiste, ni pour la Légion étrangère ?

— Sans les désespérés, il n'y aurait pas de Parti communiste, dit Léopold Skripka. Certes il y a les idéalistes. Des gosses. Mais ils ne comptent pas. Car il n'y a que les enfants de quatorze ans, de ceux qui falsifient leurs actes de naissance en écrivant qu'ils ont dix-huit ans et s'engagent volontairement dans la Légion étrangère, dans le Parti communiste. Ils n'ont pas un cerveau d'adulte. Il y a aussi parmi ceux qui s'inscrivent au Parti, mais en toute petite minorité, les refoulés, comme Hanna Tauler. Mais ce sont surtout des cas de psychiatrie. Un homme normal ne s'inscrit pas dans le Parti communiste. Uniquement les désespérés. Ceux qui sont en danger de mort. C'est un axiome. Ensuite, ils sont si bien et si sévèrement gardès qu'ils ne peuvent plus en sortir. La Légion étrangère quoi...

L'ambassadeur est bouche bée. Il ne peut croire qu'un communiste puisse parler ainsi. Il pense qu'on lui tend un piège. Dans ces pays on ne parle jamais comme Léopold Skripka. Même la corde au cou. Même sous la torture.

L'ambassadeur de France prend le passeport de la fille de Léopold Skripka. Il le remet le lendemain directement, au Premier Ministre. Héléna Skripka, alias Monique Martin, peut tenter l'évasion de Roumanie par le hublot de l'ambassade. L'ambassadeur de France a fait aussi un rapport au Quai d'Orsay. Malheureusement son rapport a subi le sort de tous ceux des ambassades : il fut lu une année après son arrivée. Au bout d'un an seulement, la police secrète de France a appris par ce rapport, que madame Max Hublot est bien la fille du Premier Ministre de Roumanie. Qu'elle s'appelle en réalité Héléna Skripka ; et qu'elle vit depuis deux ans en France sous un faux nom.

A ce moment on sonne à la porte.

Il est dix-sept heures. Le poète du Christ et de la Roumanie ouvre. Il fait entrer le professeur Max Hublot, Madame de Savine et l'avocat de la famille. Il doit signer la fausse déclaration selon laquelle Madame Max Hublot n'est pas la fille de Léopold Skripka. C'est pour cela que ses visiteurs sont arrivés. Pour obtenir la fausse déclaration du prêtre.

XXV

UNE PORTE OUVERTE VERS GOLGOTHA

C'est Madame de Savine qui parle la première :
— C'est moi, Père Virgil, qui suis responsable du dérangement que nous sommes en train de vous causer... C'est moi qui ai dit à mon petit cousin, le professeur Max Hublot, que vous seul pouviez le tirer de ses ennuis. Comme pour Chantal...
Le professeur Hublot se tait, attentif. Maître Terrenoire, son avocat, son porte-documents sur les genoux, examine l'appartement.
— Je pense, Père, que l'idée de Madame de Savine est excellente, dit Maître Terrenoire.
C'est un avocat d'une cinquantaine d'années. Il est célèbre à Paris. Les journaux parlent souvent de lui et de son père qui fut une des gloires du Barreau. L'avocat ouvre son porte-documents et poursuit :
— Mon ami, le professeur Hublot, et Madame de Savine vous ont raconté l'histoire. La police prétend posséder des documents prouvant que Madame Max Hublot est entrée en France sous un faux nom. Pour une étrangère surtout, c'est extrêmement grave. Le procédé classique, dans ce cas, est de fournir les véritables pièces d'identité et de détruire la thèse de l'accusation. La thèse de la police. Dans le cas présent, utiliser ce procédé classique est impossible. Il faut franchir le

385

Rideau de Fer, les barbelés, pour chercher en Roumanie le certificat de naissance de l'épouse de mon ami.
On peut aller aujourd'hui dans la lune, et en rapporter
des cailloux. Mais il est impossible d'aller à trois mille
kilomètres de Paris, dans les Républiques de l'Est pour
chercher un acte de naissance, un certificat de domicile, un certificat d'études. C'est honteux pour l'humanité mais c'est comme cela. J'ai eu récemment un cas :
un Hongrois qui voulait se marier à Paris avec une
Française. Il était en exil. Sa femme était décédée en
Hongrie. J'ai fait pendant un an des dizaines de dé-
marches par la voie légale, pour obtenir le certificat de
décès de la dame en question. Je n'ai reçu absolument
aucune réponse. J'ai utilisé la voie diplomatique. Inutile. J'ai prié le Doyen du Barreau de Paris de faire une
demande officielle à celui de Budapest. Comme il est
normal de le faire entre deux Barreaux. Nous sommes,
malgré les frontières, des collègues. Pas de réponse. Je
me suis décidé à aller personnellement en Hongrie,
chercher l'acte de décès. Je savais dans quelle mairie
se trouvait le registre d'état civil et je connaissais la
date de la mort et celle de l'enterrement. On m'a arrêté
là-bas, sous prétexte que j'étais venu faire de l'espionnage. Car fouiller dans les documents d'état civil, c'est
fouiller dans les archives publiques. Et c'est considéré
comme de l'espionnage. Je n'ai certes passé que six
heures à la police. Mais je fus prié de quitter immédiatement le territoire de la République hongroise.
Par le premier avion. On m'a fait l'honneur de
m'accompagner avec des policiers en uniforme, jusqu'à
l'aéroport. Afin que je ne descende pas au dernier
moment. Et que je ne vole pas l'acte de décès de la
femme, acte qui met en péril le prolétariat du monde
entier et empêche la réussite de la révolution bolché-
vique mondiale. Ce secret, c'est le simple acte de décès

d'une pauvre femme morte de phtisie... C'était ma première et ma dernière expérience des Républiques Paradisiaques de l'Est. J'ai juré de ne plus m'occuper
d'elles. Mais je ne peux pas laisser mon ami Hublot
dans le pétrin. Je dois prouver, par des actes, que sa
femme n'est pas entrée en France sous un faux nom.
Impossible de chercher les preuves de sa non-culpabi-
lité en Roumanie, pays natal de Madame Hublot. Son
acte de naissance est considéré, là-bas aussi, comme un
secret d'état, dont la divulgation met en danger la
réussite de la Révolution mondiale du Bolchévisme.

Il faut donc trouver des pièces prouvant l'authenticité du nom de Madame Max Hublot ailleurs que dans
les endroits habituels. Il faut nous passer des registres
d'état civil, de ceux de l'école maternelle et de la mairie. Ils nous sont inaccessibles. Top secret. Madame de
Savine m'a conseillé de m'adresser à vous. Vous êtes le
poète de la Roumanie et du Christ. J'ai lu un seul de
vos livres. Vous en avez publié en France plus d'une
vingtaine. J'ai répondu à Madame de Savine que tout
ce que vous pouviez nous donner, comme prêtre,
comme poète et comme compatriote exilé de Madame
Max Hublot, c'est un certificat de moralité... ou
quelque chose d'équivalent. On ne peut pas démolir les
accusations de la police avec des actes de moralité. Il
faut des documents. D'autant plus que la police semble
posséder des pièces accablantes, comme le rapport de
l'ambassadeur de France à Bucarest qui accorda le
visa, les photos des magazines américains et des témoignages formels de personnes qui ont connu Madame
Hublot en Roumanie. La marge d'action de la défense
est très mince... Madame de Savine, qui, comme vous
le voyez, est l'incarnation même de la féminité et de
l'intuition, m'a apporté un de vos livres où vous parlez
de Léopold Skripka. Vous écrivez qu'il fut votre pro-

fesseur. Votre ami. Il fut, comme vous l'appelez poétiquement, « votre meilleur professeur ». Et il vous appelait « son meilleur élève ». Vous écrivez que, pendant votre adolescence, quand vous étiez au collège de Kichinev, comme tous vos camarades, vous étiez amoureux de Madame Léopold Skripka, la prétendue mère de Madame Max Hublot. Il y a une foule de détails dans votre livre sur la famille Skripka, le père, la mère, la fille... Je l'ai parcouru très vite. Mais il remplacera largement la photocopie d'un certificat de naissance pour prouver l'identité de Madame Max Hublot et qu'elle n'est pas Héléna Skripka, la fille du Président du Conseil des ministres de Bucarest, comme le prétend la police... J'ai pris contact d'abord par téléphone, puis je suis allé personnellement chez le chef des Services de Contre-Espionnage. C'est à cause de cette entrevue que nous avons retardé la visite que nous devions vous faire à 14 heures. Nous vous remercions d'avoir bien voulu accepter notre retard. Le chef des Services de Contre-Espionnage, en lisant les passages de votre livre, qui est une véritable chronique de la famille Skripka — père, mère et fille — avec tous les détails physiques, psychologiques, éthiques, la carrière de Léopold Skripka, sa collaboration avec les envahisseurs, sa vie publique et privée, m'a dit que votre livre pouvait servir de pièces à décharge. Comme un certificat de naissance. Vous n'avez, certes, pas songé, en écrivant le roman de ce tyran, le massacreur du peuple roumain, votre professeur Léopold Skripka, que ce livre servirait un jour à sauver une famille française... Eh bien, vous sauvez Max Hublot, sa femme et son enfant. Merci donc. Bergson avait raison de dire que les poètes sont des êtres qui doivent être décrétés d'utilité publique. Vous êtes un poète d'utilité juridique. Comme Homère a été un poète d'utilité archéologique. Car, sans ses descriptions, on n'aurait jamais réussi à découvrir les ruines de Troie...

Madame de Savine écoute les paroles de Maître Terrenoire avec l'émotion de toutes les grandes dames qui fréquentent la Cour d'Assises et les grands procès, comme on va à l'Opéra ou au théâtre. Elle est émue... Elle aime tant écouter les belles plaidoiries des grands avocats...

— Je savais que vous étiez poète d'utilité publique depuis le jour où vous avez sauvé Chantal, dit-elle.

A ce moment, le téléphone sonne. C'est la clinique d'accouchement qui appelle. Pour Madame de Savine. Elle écoute et pleure. Puis elle part, en courant et en disant :

— Ma petite Chantal est maman. Son garçon est en bonne santé... Les médecins ont eu tort. C'est votre prière, Père, qui l'a sauvée.

Maître Terrenoire, le prêtre et Max Hublot félicitent Madame de Savine qui les quitte précipitamment.

— Vous voyez que vous avez fait un miracle !... dit l'avocat.

— Pour Madame de Savine, un tel mot est pardonnable, mais à vous, Maître Terrenoire, je vous défends de l'employer... Il ne s'agit pas d'un miracle. Vous les juristes, hommes préoccupés exclusivement d'affaires terrestres, vous n'avez pas le droit de parler de miracles... Vous n'en avez pas le *droit*, même si vous êtes des hommes de *droit*. Ou justement parce que vous êtes des hommes de droit. Et pour vous taquiner, je vous dirai que les métiers humains sont représentés sur le calendrier. Il y a des saints médecins, laboureurs, soldats, menuisiers, cordonniers, fonctionnaires, militaires, hommes et femmes... Il y a parmi eux d'anciens voleurs, des criminels. Mais il n'y a qu'un seul avocat qui soit devenu saint : c'est saint Yves. Et les mauvaises langues disent qu'il est devenu saint parce qu'il était breton, non parce qu'il était avocat... Passons maintenant à notre affaire. Je suis étonné que le chef des Services de Contre-Espionnage et vous-même affirmiez que mon livre sur la carrière et la famille de Léopold Skripka peut servir à démontrer que Madame Max Hublot n'use pas d'un faux nom. D'abord c'est un roman. Une œuvre de fiction. Comment peut-on utiliser une œuvre de fiction comme document ?

— Je n'ai pas dit cela... J'ai dit que votre livre est une pièce essentielle pour démontrer que le nom de Madame Max Hublot est bien celui qui est inscrit sur son passeport. Mais il faut ajouter au dossier, en dehors de votre livre, une attestation écrite de votre main.

— Quelle sorte d'attestation ?

— Le professeur Max Hublot vous en a parlé ce matin à la clinique. Nous vous demandons une attestation dans laquelle vous confirmez avoir connu la fille de Léopold Skripka et qu'après avoir vu Madame Max Hublot ce matin à la clinique, vous affirmez solennellement qu'elle n'est pas la même personne que la fille de Léopold Skripka. C'est tout. Qu'il n'y a entre elles aucune ressemblance physique et morale.

— Absolument tout ? demande le prêtre.

— Le chef des Services de Contre-Espionnage m'a assuré au téléphone et ensuite de vive voix il y a moins d'une heure, que s'il est en possession de votre attestation, il ferme le dossier. Tout de suite. Il n'y aura plus d'enquête. Personne n'embêtera plus Monsieur et Madame Hublot et leur enfant. L'affaire sera classée.

— Je croyais que les juristes et les policiers étaient plus précis que les poètes... dit Virgil Gheorghiu. Je vis en France, en exil depuis un quart de siècle. Je suis resté roumain. Avec tous les défauts et toutes les qualités des Roumains. Mais j'ai appris aussi énormément de choses sur les Français... Par exemple la phobie qu'ils ont du ridicule. Vous me demandez de me rendre moi-même ridicule...

— On vous demande une attestation. C'est tout !

— Une attestation qui me ridiculise. Car, comme je l'ai déjà écrit, et comme je suis disposé à l'attester tout de suite, devant vous par écrit, j'ai bien connu le père et la mère d'Héléna Skripka. J'ai connu aussi Héléna Skripka. Mais elle avait moins de cinq ans à cette époque. Je l'ai vue une fois sur une photo que m'a montrée son père. Et les autres fois, je l'ai vue par hasard dans la rue. Elle tenait son père par la main. Ce matin à la clinique, j'ai vu Madame Max Hublot. Une femme. Une adulte. Comment pourrais-je affirmer que la fillette qui avait moins de cinq ans que j'ai vue il y a plus de vingt ans, n'est pas la jeune femme de ce matin ? C'est une attestation qu'aucun policier, aucun juriste, aucun anthropologue, aucun homme de bon sens, ne peut prendre au sérieux.

— C'est le chef des Services de Contre-Espionnage qui m'a promis solennellement qu'il fermerait le dossier si je lui apportais votre attestation.

— Mais comment puis-je vous la donner ? Je commets un acte ridicule. Stupide.

— Vous sauvez une famille française, dit l'avocat.

— Ou je la perds définitivement, dit le prêtre. Car une telle attestation peut se retourner comme un boomerang contre ceux qui l'utilisent... Pas seulement contre la famille Hublot. Mais contre moi-même. Tout ennemi peut m'attaquer et me mettre à genoux si je la donne. Et je ne manque pas d'ennemis. Attester qu'une fillette de moins de cinq ans, vue il y a un quart de siècle, n'est pas la femme que j'ai vue ce matin, couchée dans un lit, est irrecevable. Invraisemblable.

— On a la promesse de fermer le dossier, Père. Vous sauvez les Hublot en donnant cette attestation... Votre mission de prêtre est de sauver les gens.

— Je ne connais pas la langue française aussi bien que vous, Maître. Je fais tout le temps des fautes de français. Mais il ne faut pas jouer avec les mots. Sauver est une chose et tirer d'un mauvais pas, en est une autre. Supposons que je tire de cette mauvaise affaire les Hublot, en vous donnant l'attestation, et qu'on ferme le dossier. Cela sera, en français, « les tirer d'embarras ». C'est tout. Un dossier fermé par la police peut à tout moment être rouvert. C'est donc un coup de main provisoire que je leur donne. Mais cela ne signifie pas les sauver. Je suis prêtre. Et moi je ne donne même pas à un médecin qui guérit un malade, le nom de Sauveur. Non. Il le tire d'une impasse, d'une situation grave. Il le met sur pied pour un temps limité. Ephémère. Car le malade mourra un jour ou l'autre. Ce qui est éphémère et provisoire ne porte pas le nom de sauvetage. Certes, on dit des sapeurs-pompiers qu'ils ont sauvé un homme du feu, ou des maîtres-nageurs qu'ils ont sauvé un homme de la noyade. Mais, dans mon langage de prêtre, le mot « sauver » a un sens absolu. Et aucun homme ne peut se sauver lui-même, ni sauver les autres. C'est le Christ seul qui est sauveur. Car quand il sauve un homme, c'est pour toujours. Faites-moi le plaisir de ne pas utiliser pour les secours passagers, éphémères, provisoires, le mot sublime de *Sauvetage*. Seul Dieu peut sauver les Hublot pour toujours. Moi, comme prêtre, je ne peux faire qu'une chose : prier afin que les Hublot soient tirés de leurs malheurs, avec la police, avec le monde et avec le péché, ici-bas et dans les siècles des siècles... Si je vous parlais comme les prêtres d'Occident qui veulent sauver les Sud-Américains, les Noirs ou les autres peuplades du Tiers Monde, en leur donnant de la nourriture, des vêtements, en élevant leur niveau de vie, et en leur donnant la justice sociale, je vais en enfer. Je trahis Dieu. La Justice pour laquelle je lutte n'est pas une banale et éphémère justice sociale, historique, humaine, terrestre, mais une justice absolue. Les sauvetages pour lesquels j'ai engagé ma personne en tant que prêtre et poète, ne sont pas de simples échappatoires des griffes des tyrans, des policiers, des spéculateurs, mais un sauvetage de l'homme total. Et l'installation de l'homme sur son socle de créature royale, de maître du Cosmos. Egal à Dieu et pareil aux anges... C'est ainsi que je comprends le mot « sauver ».

Vous déclarez sauver un homme en gagnant son procès devant le Tribunal. Un politicien dit qu'il a sauvé son peuple en promettant, comme le roi Henri IV, une poule au pot tous les dimanches. Il y a même des prêtres, qui disent qu'en instaurant un régime plus juste en Amérique Latine, ils sauveront des hommes. Il y a une confusion de langage. Comme à la Tour de Babel. Ne parlons donc pas de « sauver » les Hublot. Parlons de les tirer provisoirement d'une mauvaise affaire. De laver Madame Max Hublot des soupçons qui planent sur elle et qui, s'ils continuent, conduiront à la destruction d'une famille. A sa condamnation et à son expulsion... C'est donc un acte d'aide, comme chacun doit en porter à son prochain. Vous comme avocat. Madame de Savine comme cousine. Moi comme voisin, comme compatriote de Madame Hublot, et surtout comme prêtre. Mais c'est tout ce que nous pouvons faire dans cette affaire : les aider, non pas les « sauver »... Le sauvetage vient d'En Haut. Le Sauveur est unique : le Christ.

— Vous refusez donc, Père, de donner l'attestation selon laquelle Madame Max Hublot n'est pas la fille de

Léopold Skripka. Vous refusez cela par peur du ridicule ? Ou parce que vous pensez avoir la mission divine de sauver dans l'absolu et de ne pas vous occuper des affaires terrestres ? Des bagatelles humaines que vous considérez comme de petits ennuis ?

— Je ne suis pas fâché, dit le prêtre. Je ne prends pas vos paroles pour de l'ironie. Vous m'avez dit que je croyais avoir une mission divine sur terre. Je suis une sorte d'illuminé. Péjorativement. Et bien, je suis prêtre. Et être prêtre, c'est avoir la mission divine de sauver les hommes pour l'éternité. Non. Ce n'est pas une ironie. Vous avez dit la vérité. Tirer les hommes, ici-bas provisoirement, de leurs petites misères, est ma tâche secondaire que j'accomplis dans la mesure du possible. Les sauver pour l'éternité et les rendre fils de Dieu, c'est cela le rôle du prêtre. Même s'il est indigne comme personne humaine, comme je le suis moi-même. Et les prêtres qui pensent agir mieux en s'occupant des soi-disant sauvetages dans le terrestre, le social, le présent, l'historique, ne remplissent pas leur mission véritable. Cela ne veut pas dire que je refuse d'aider le professeur Max Hublot, sa femme et son enfant. Je suis même disposé à entrer en prison, réellement, à la place de Madame Hublot et à être expulsé de France à sa place... Que me demandez-vous de plus ?

— Vous dites cela, Père, parce que vous savez très bien qu'en matière de droit, on ne peut pas châtier une personne à la place d'une autre...

— En droit, on ne peut pas épargner un coupable en coupant la tête d'un autre qui se constitue volontaire. C'est exact. Une mère qui voudrait purger une peine de prison à la place de sa fille, ne le pourrait pas. Chacun est responsable de ses propres actes et chacun est châtié pour les siens. Mais théologiquement, vous avez tort. La théologie n'est pas du droit. Le Christ a expié

sur la Croix et a subi la mort pour les autres... Vous
Cela parce que les lois de la théologie et celles du Code
civil ou pénal ne sont pas les mêmes. Elles sont contraires.

— En droit, il vous sera impossible de réaliser vos
lois théologiques.

Le téléphone sonne à nouveau. C'est pour Max
Hublot. Il est père. Il est appelé à la clinique d'urgence. Il a une fille. Il part.

— Restez, Maître Terrenoire, dit le prêtre après avoir
reconduit Max Hublot. Nous n'allons pas nous comprendre sur le plan juridique. Vos lois ne sont pas les
miennes. Et mes lois ne sont pas les vôtres. Moi, je
crois dans celles écrites par le doigt de Dieu. Vous
croyez en celles des hommes... Mais nous pouvons,
ensemble, en tant tant qu'êtres humains, aider le professeur Max Hublot, sa femme et leur enfant... Aider de
toutes nos forces le prochain est une loi qui nous est
commune, à nous autres, à tous les hommes de bonne
volonté.

— Vous me donnerez l'attestation ? demande l'avocat.

— Oui. Vous allez me la dicter en termes juridiques.
Et je l'écrirai de ma propre main et la signerai.

— Vous affirmez, en votre âme et conscience, que
Madame Max Hublot que vous avez rencontrée à la
clinique, n'est pas la fille de Léopold Skripka, le tueur
du peuple roumain.

— Je l'affirmerai par écrit et je le soutiendrai
jusqu'à la fin de mes jours... par tous les moyens...
Malgré toutes les difficultés qui peuvent arriver. Je les
accepte d'avance.

— Dans ce cas, l'affaire est réglée. Le dossier est
fermé. Puis-je téléphoner au S.D.E.C.E. que vous
m'accordez l'attestation selon laquelle Madame Max

Hublot n'est pas la même personne que la fille de Léopold Skripka que vous avez connue en Roumanie, comme on le voit dans vos livres ?

— Vous le pouvez...

Pendant que Maître Terrenoire appelle le chef des Services de Contre-Espionnage pour lui annoncer la grande nouvelle, le Père Virgil cache les photos d'Héléna Skripka apportées par l'Italien Giovanni Rota.

— C'est arrangé, dit l'avocat. On m'a confirmé que l'on fermait le dossier, et classait l'affaire dès que j'aurai apporté votre attestation ainsi écrite :

« Je soussigné Virgil Gheorghiu, réfugié d'origine roumaine, domicilié à Paris, 16 rue de Siam, déclare que Héléna Skripka, la fille de Léopold Skripka, mon ancien professeur de philosophie au collège militaire de Kichinev, devenu après l'occupation de la Roumanie Premier Ministre, comme je l'ai écrit dans mes livres, n'est pas la même personne que Madame Max Hublot, née Monique Martin, que j'ai rencontrée à Paris. » Le prêtre signe. Il met la feuille dans une enveloppe. Dans l'enveloppe où se trouvaient les photos d'Héléna Skripka. Il se lève. Droit. Avec sa soutane jusqu'aux talons. Il dit à l'avocat :

— Le jour où Monique Hublot rentrera de la clinique, je vous donnerai cette attestation.

— Pourquoi pas maintenant ? demande l'avocat. On réglera l'affaire tout de suite.

— Maître, vous m'avez demandé l'attestation. Je l'ai écrite sous votre dictée. Elle est ici. A votre disposition. Vous en ferez usage conformément aux lois et aux intérêts de vos clients. Je vous demande, en échange, de me permettre de faire, aussi, usage d'elle. De respecter aussi mes lois... Vous n'avez rien contre mes lois, j'espère ?

— Je ne vous comprends pas !

— Avant tout procès, il y a une procédure à remplir, dans la justice terrestre, n'est-ce pas ?

— C'est exact.

— Dans nos lois divines, il y a aussi une procédure à remplir. J'ai besoin de quelques jours pour remplir la mienne, celle demandée par mon Grand Juge et mon Roi, le Christ, dont je suis sur terre le poète et le prêtre...

— Vous voulez maintenant vous rétracter ? Ou vous voulez gagner du temps ? demande l'avocat méfiant. Pourquoi ne pas me la donner maintenant, du moment que vous l'avez écrite et que l'affaire est terminée ?

— Pour moi, elle n'est pas terminée ! C'est pour vous qu'elle l'est... Moi j'ai encore une procédure à remplir.

— De quelle sorte ? Du moment que vous l'avez signée et que tout est arrangé...

— Vous ne comprendriez pas, si je vous le disais. Mais avant de vous donner cette attestation, j'ai besoin de courage, de force. Et pour avoir la force et le courage de sacrifier ma propre personne, d'être digne de supporter, éventuellement, la prison, la calomnie, d'être traîné dans la boue et expulsé de France, comme un criminel, j'ai besoin de demander l'aide de mon Roi. J'ai besoin de prier. Longuement. J'ai besoin de prier, surtout, pour me purifier. Car je dois être pur. Très pur. Et c'est la prière qui purifie. Après avoir prié, comme le Christ sur le Mont des Oliviers, je vous livrerai l'attestation. Comme si je livrais ma propre personne au bourreau... C'est une question de deux ou trois jours, pas plus. Madame Max Hublot ne restera pas longtemps à la clinique. Elle y est en sécurité. Le jour où elle rentrera chez elle, venez chercher l'attestation. Et je vous la donnerai. Elle est à vous.

— Je ne comprends pas votre changement d'attitude... dit l'avocat irrité.

— Je n'ai pas changé d'attitude. Je vous ai donné l'attestation. Mais je vous ai demandé de venir la chercher dans deux ou trois jours. C'est tout. Rien n'est changé. Deux jours ne comptent pas. La police n'ira pas arrêter Madame Hublot à la clinique. Au moment où elle en sortira, vous viendrez ici prendre l'attestation et la porter au S.D.E.C.E... Pourquoi me regarder avec tant de méfiance ?

— J'essaie de comprendre. De deviner ce qui vous passe par la tête en demandant ce délai...

— Il n'est pas besoin de deviner. Je vous l'ai déjà dit moi-même, à haute voix : avant de donner cette déclaration, j'ai besoin, absolument, de deux ou trois jours de prière... C'est tout. Et c'est la vérité. Même si vous ne la comprenez pas. On n'est pas obligé de tout comprendre. Dans tous les domaines. Au revoir, Maître Terrenoire. Revenez chercher mon attestation le jour où Madame Hublot sortira de la clinique.

Le prêtre s'agenouille devant l'Icône de Deisis, de la Supplication. Il dit :

— Seigneur, mon grand Evêque, mon Roi et mon Créateur, j'ai écrit cette fausse attestation pour souffrir la honte, la prison, le bannissement encore une fois, à la place de la femme qui, avec son père, a saigné à blanc et torturé mon peuple roumain et l'a gardé enchaîné... Tu m'ouvres ainsi la porte, vers la montagne que tu as gravie, une fois, il y a deux millénaires. Tu m'as ouvert la porte vers le Golgotha. Pour monter moi aussi, malgré mon indignité, prouvant ainsi que je peux aimer mes ennemis. Que je suis digne du nom de Chrétien et de Poète de la Roumanie et du Christ. Merci. Je t'en supplie, laisse ma porte ouverte jour et nuit. Vers le Golgotha. Car c'est la plus grande gloire pour moi, d'escalader la même montagne que toi et de souffrir à la place de mes ennemis mortels, de ceux de mon peuple et des tiens. O Christ, de souffrir à la place des anges et de tous les Roumains. Merci d'avance. Et fais que la porte de ma maison reste ouverte jour et nuit sur la Sainte Montagne du Golgotha. La seule montagne de la terre qui atteigne le Ciel...

XXVI

LE PASSAGER ABSENT POUR MOSCOU

Une semaine après avoir envoyé Héléna en Occident sous le faux nom de Monique Martin, Léopold Skripka reçoit une carte postale illustrée de Genève. Sa fille est arrivée sans difficulté, elle l'embrasse et signe de façon indéchiffrable, comme il le lui a recommandé. C'est un grand succès. Mais, le même jour il est convoqué d'urgence, à Moscou. C'est pour la signature du nouveau traité d'alliance et d'amitié avec les Russes. L'avion spécial doit quitter l'aéroport de Bucarest à minuit, avec les onze membres du gouvernement. Les Camarades Roumains seront reçus à Moscou par l'appareil soviétique au complet. Officiellement, avec drapeau et musique militaire.

Après la visite du Caïd de Königsberg, Léopold Skripka a largement consulté ses amis ministres. Ils ont décidé de signer le traité sans demander aucune modification. Car, toute demande leur sera refusée et mettra en plus leur vie en péril. A minuit, tous les corbillards des ministères, ces sinistres limousines noires, officielles, arrivent à l'aéroport, amenant les ministres et leurs collaborateurs. Léopold Skripka est un des premiers. L'ambassade soviétique est représentée par l'ambassadeur lui-même et cinquante diplomates russes. Avant le départ, on boit du champagne

401

de Crimée dans le salon de l'aéroport, et on grignote des petits fours secs. Puis, les Roumains montent dans l'avion. Les Russes les embrassent sur la bouche. Comme de véritables camarades... Conformément au protocole soviétique qu'ils attribuent à Karl Marx. Léopold Skripka a un rictus en sentant se poser sur les siennes les lèvres grasses, charnelles des diplomates russes.

Jamais le pauvre Karl Marx n'a prévu ce paragraphe dans son Capital ni dans ses manifestes sur la création d'une société parfaite. L'avion fait deux fois le tour de la piste de Baneasa. Mais au lieu de décoller, il revient devant l'aérogare. Au point de départ. On apporte la passerelle. De la tour de contrôle, on annonce que Léopold Skripka est mort dans l'avion, subitement. C'est pour cela qu'il est revenu. On descend le Premier Ministre sur une civière, on l'allonge à l'infirmerie et on appelle les plus grands médecins de Bucarest. Il n'est pas mort, il est dans le coma. C'est la peur qui l'a terrassé. Il revient à lui au bout de trois quarts d'heure, grâce aux soins donnés. Mais il ne peut pas partir, il n'entend rien et ne peut pas parler. L'avion décolle avec les autres ministres qui ont à leur tête, non Léopold Skripka transporté à l'hôpital aux trois quarts paralysé, mais le Vice-Président de Roumanie.

Moscou est averti de son malaise et de son remplacement à la tête de la délégation. Les dirigeants soviétiques se trouvaient déjà à l'aéroport, la réception doit se dérouler selon le protocole initial. Rien n'est changé, bien qu'il manque un voyageur dans l'avion de Moscou et le plus important. L'absence de son homologue roumain devrait entraîner, conformément au protocole, celle du Premier Ministre soviétique à l'aéroport. Mais puisqu'il y est déjà pour recevoir les camarades roumains, il y reste. Surtout qu'en attendant, on sert comme d'habitude en abondance du caviar, de la vodka, du champagne de Crimée. Un vrai festin. Le Caïd de Königsberg et ses collaborateurs ont mobilisé leurs hommes, avec des téléscripteurs, appareils de radio et toutes les lignes téléphoniques. Il veut savoir de Moscou si la maladie subite de Léopold Skripka est réelle ou si c'est un subterfuge pour ne pas signer le traité d'alliance et d'amitié. Sa thèse, quand il arrive à l'aéroport (lui qui ne sort jamais en public) est qu'il s'agit d'un simulacre, d'une dérobade. Il le dit aux membres du bureau politique. Ils entrent en contact avec les médecins russes de Bucarest. Tous sont réveillés en pleine nuit et transportés au chevet de Léopold Skripka. Ils sont formels : sa maladie est réelle. Skripka qui souffrait depuis longtemps d'un cancer, a été victime d'une crise cardiaque au décollage. Il ne s'agit pas d'une attaque simulée pour la circonstance. Il est réellement aux trois quarts paralysé, peut-être pour toujours. Malgré ces affirmations des agents de Moscou à Bucarest, le Caïd de Königsberg ne veut rien croire. On ne l'a jamais vu dans un tel état d'agitation. Il se promène comme un hystérique, dans le salon d'honneur de l'aéroport de Moscou, essayant (lui qui parle si peu) de convaincre les Membres du Comité central du Parti communiste russe que Léopold Skripka triche. Qu'il n'est pas véritablement malade. Qu'il est devenu déviationniste, réactionnaire. Un homme à abattre. Même à Moscou c'est le mystère, personne ne sait rien sur Stanislas Krizza. On sait qu'il est né, comme le plus grand philosophe du monde, Emmanuel Kant, à Königsberg, ville qui porte actuellement un autre nom et est annexée à la Russie. C'est pour cela qu'on l'appelle le Caïd de Königsberg. Le nom de Caïd, vient de ce qu'il est toujours envoyé dans les coins de la terre où il y a une situation difficile, impossible à résoudre par la voie diplomatique, politique, ou militaire. Les affaires qui ne peuvent pas être résolues par les moyens habituels sont sa spécialité. Lui seul sait les mener à bien. Toujours par la manière forte. Sans s'y mêler personnellement. Tuant les intraitables par la main des autres. Sans se tromper jamais.

Comme celle d'Emmanuel Kant, sa vie privée est pareille à une montre de haute précision. On n'a jamais vu les aiguilles d'une montre tourner au hasard, s'approchant ou s'éloignant l'une de l'autre. On sait que durant toute sa vie, Emmanuel Kant a fait sa promenade quotidienne, indifférent aux saisons ou aux conditions atmosphériques, toujours à la même heure, et toujours sur le même tracé, avec la même longueur de pas. Depuis sa naissance jusqu'à sa mort. Les habitants de Königsberg réglaient leurs montres sur son passage devant leur maison, tous les jours au même moment. Ce n'était pas un homme mais une machine de haute précision. Son système philosophique est pareil à sa vie. Le Caïd de Königsberg possède à peu près les mêmes caractéristiques. Seul le physique des deux hommes diffère. Les plus intimes collaborateurs de Stanislas Krizza ne connaissent même pas son domicile. On ne sait s'il est marié ou célibataire. Il n'a pas de voiture, de secrétaire, de bureau. Il est partout chez lui. Il est le Caïd. Dès qu'il arrive dans une ville, l'ambassadeur soviétique tremble et ses collaborateurs aussi. Car il ne va jamais que là où les crises sont insolubles, où il faut user de procédés de gangsters. On se demande pourquoi il est venu à l'aéroport de Moscou pour la réception de la délégation roumaine. C'est contraire à ses habitudes. Son comportement aussi est étrange. Car cet homme au crâne rasé et aux lunettes de métal blanc, probablement d'acier, est aussi avare en paroles qu'un muet. Et maintenant il parle à tous. En essayant de les convaincre que Léopold Skripka est en bonne santé, que sa maladie est un acte d'hostilité envers l'U.R.S.S. et un prétexte pour ne pas signer le traité d'amitié russo-roumaine.

Subitement on donne raison au Caïd. Au moins pour quelques secondes. Car la speakerine annonce, comme elle en a reçu l'ordre, que l'état de Léopold Skripka s'est amélioré. Et qu'il a repris l'usage de la parole.

— Je vous ai dit, et je persiste à vous dire depuis une heure, que Léopold Skripka a simulé une maladie pour ne pas faire le voyage à Moscou... Demain on annoncera qu'il est en bonne santé. Et il sera le seul à n'avoir pas signé le traité. Ce qui lui apportera la vénération de tout le peuple roumain. Les légendes se propagent plus vite que les incendies... Je connais ses intentions secrètes, il veut devenir l'idole des vingt millions de Roumains. Et les soulever contre l'U.R.S.S. Certes, on les matera. Mais cela portera un préjudice immense à l'Union Soviétique. Comme après la répression de Varsovie, de Budapest, de Prague ou de Berlin. Voilà son intention et son ambition. Le véritable motif pour lequel il a manqué le voyage !

Tout le monde écoute en buvant du champagne et en croquant des sandwichs au caviar. On pense qu'il peut y avoir du vrai dans ces paroles. Car il ne faut jamais se fier à personne. C'est la loi du Communisme. La méfiance est la vertu principale de tout camarade envers les autres. A ce moment même, la speakerine réclame l'attention : on s'attend à l'annonce de la mort de Léopold Skripka, le Premier Ministre de Roumanie, dont elle diffuse depuis une heure le bulletin de santé. Sa voix est maintenant grave. Elle ne parle pas comme

L'ESPIONNE

les speakerines des autres aéroports du monde, d'une
voix douce. Ses paroles sont de véritables ordres
d'adjudants adressés aux voyageurs. Et avec des mots
durs comme des marteaux, elle annonce aux hôtes du
salon officiel que l'avion qui amenait au Kremlin les
membres du gouvernement de Bucarest pour la signature du traité d'amitié russo-roumaine vient de s'écraser à deux cents kilomètres de Moscou... Elle explique
que l'accident est dû au brouillard très épais... Personne n'a jamais rien entendu de semblable. Il est
inconcevable qu'un quadrimoteur s'écrase en l'air
parce qu'il a heurté un nuage... L'avion volait entre la
steppe en bas, infinie et plate comme un trottoir, et la
plaine du ciel.

Qu'a-t-il pu heurter là-haut ? Une hirondelle ? Mais
les hirondelles ne volent pas si haut. Pour la science
réactionnaire et fasciste, il est certain qu'un avion ne
peut s'écraser en vol parce qu'il heurte un nuage. Même
un cerf-volant en papier résiste. Mais, conformément à
la loi marxisto-léniniste qui demande aux camarades de
faire confiance à la dialectique et de ne jamais commettre le crime de penser, tous les ministres, les généraux
et les hautes personnalités du Parti ne se permettent
pas de songer qu'un quadrimoteur ne peut voler en
éclats en heurtant un nuage, entre ciel et terre. Tous
ceux qui se trouvent dans le salon de l'aéroport de Moscou sont des communistes de premier ordre. Ils n'ont
aucune pensée. Ce que la speakerine a dit est la vérité
absolue, officielle, en dehors de laquelle n'existent que
les insinuations fascistes et réactionnaires...

XXVII

LA DERNIERE VOLONTE D'UN DOMESTIQUE
QUI SE CROYAIT PREMIER MINISTRE

Léopold Skripka est paralysé. Il reprend lentement
l'usage de la parole. Mais ses jours sont comptés. Il a
échappé par miracle à la mort dans l'avion qui a brûlé
en vol à deux cents kilomètres de Moscou. Onze de ses
ministres ont péri, brûlés vifs, entre le ciel et la terre.
Imre Mogyrow est Vice-Président par intérim. Léopold
Skripka mourra dans son lit d'hôpital. Avec quelques
semaines de retard. Mais avant, il veut exécuter ses
dernières volontés. Malheureusement il est interné à
l'hôpital russe de Bucarest, le seul hôpital moderne, où
sont soignés les membres de la caste du Comité central
du Parti. Il n'a pas le droit de recevoir de visites. La
seule personne qui puisse le voir en dehors des médecins et des infirmières, c'est son secrétaire particulier,
le prince Cecatti. Il peut venir et rester cinq minutes
par jour. Léopold Skripka ne peut donc confier ses dernières volontés qu'à lui. D'ailleurs il n'en a qu'une : Il a
mis sa fille à l'abri, en la faisant passer en Occident.
Elle vit en Suisse, sous un faux nom. Pour continuer
son voyage pour Paris, elle doit d'abord encaisser le
seul argent qu'elle possède, et qui se trouve déposé
dans une banque de Genève. Elle ne peut le toucher
avec son faux passeport. Elle en a besoin d'un à son
véritable nom. Léopold Skripka dit au prince Cecatti
au cours d'une de ses visites :

407

— Démonte les micros qui sont installés dans ma chambre.

— Vous pensez, Votre Excellence, qu'il y a des microphones installés dans votre chambre d'hôpital ? Cela me semble absurde. Il est connu que vous ne recevez aucune visite. A quoi serviraient-ils ?

— Démonte les micros, ordonne Léopold Skripka.

Il parle, mais très difficilement. La moitié des muscles de la gorge et du visage sont déjà morts.

— Je ne sais pas où je peux en trouver, Votre Excellence...

— Dans ce cas il est inutile de te parler... dit Léopold Skripka. Je voulais te dire quelques phrases que personne n'entende en dehors de toi.

— Pardonnez-moi, Votre Excellence... Mais vous savez que moi non plus, je ne fais pas ce que je veux. On m'a dit qu'il n'y a pas de micros dans votre chambre. Je dois réciter qu'il n'y a pas...

Le prince Cecatti se lève, blême. Il se penche, en silence, et démonte le microphone suspendu sous sa propre chaise. Un autre micro est juste au-dessus de la porte d'entrée.

— Il n'y en a pas d'autres ?

— Je ne pense pas, répond le prince.

— Démonte aussi celui qui est juste sous mon matelas ! ordonne Léopold Skripka. Tu as toi-même donné un coup de main à leur installation. Pourquoi prétends-tu ignorer celui-ci ?

Le prince se penche sous le lit et sort le micro miniature.

— Près de la fenêtre il n'y en a aucun ?

— Votre voix est très faible, Excellence. Alors, on n'a pas trouvé nécessaire d'accrocher un micro aux doubles rideaux, loin de votre lit.

— Prends place, Cecatti ! ordonne Skripka. J'ai une

chose strictement confidentielle à te dire. Tu rebrancheras les micros en sortant.

— D'accord !

— Ce n'est pas par confiance que je m'adresse à toi. Mais tu es le seul qui as le droit de me rendre visite. Tu es officiellement, mon secrétaire. En réalité, mon garde du corps et mon espion. Ils ne paient qu'un agent à me surveiller. Avant, il y en avait des centaines. J'épargne beaucoup d'argent à nos Grands Alliés de Moscou depuis que je suis immobilisé au lit. Dans peu de temps je serai un homme mort. Et il y a une affaire que je veux régler avant de quitter la vie. Je te prie de me rendre ce service. Sois une seule fois dans ta vie, fidèle à tes promesses, prince Cecatti. Ne me trahis pas. Je sais qu'une seule fois peut être fatale pour toi. Mais dans un jour ou deux je serai mort. Veux-tu me rendre un service sans le dire à personne ? C'est une affaire personnelle. Strictement personnelle.

— Je vous le promets ! répond le prince.

— Tu sais que j'ai fait passer ma fille Héléna en Occident, avec un faux passeport, avant d'être appelé à Moscou. Tu le sais ?

— Tout le monde le sait... dit le prince Cecatti. Vous avez effectué cette opération avec tant de secret, sans rien dire à personne, qu'il était impossible que tout le monde ne l'apprenne...

— Le Caïd est enragé, n'est-ce pas ?

— C'est à cause de cela qu'il a fait sauter l'avion en vol, dit Cecatti... Car maintenant personne, ni à Moscou, ni à Bucarest, ne doute qu'on a fait exploser l'avion, avec la commission, spécialement pour vous tuer, Votre Excellence. L'attentat était spécialement dirigé contre vous...

— C'est un acte stupide de sa part. Un acte gratuit. De vengeance personnelle. Il savait que je signerai le

contrat. Pourquoi piéger l'avion et le faire brûler avant
son arrivée à Moscou ?

— Pour vous supprimer, Excellence.

— Par vengeance personnelle ?

— Non, Excellence... Dans l'intérêt du Parti.

— Je ne vois pas en quoi ma mort dans un accident
aurait pu servir le Parti.

— L'étranger et le peuple savent que vous étiez
opposé à la signature de ce traité. Même si vous ne
l'étiez que partiellement. Vaguement. Je sais que vous
ne l'étiez pas sérieusement. Vous êtes resté l'exécutant
fidèle de Moscou à Bucarest. Mais on commençait à
trop parler de vous. On était prêt à faire de vous une
légende. On vous appelait « l'homme qui ose dire non
au Kremlin ». Un jour, quelques fous auraient pu
déclencher, en se réclamant de votre légende, une mini-
révolution. Comme à Berlin, à Prague, à Varsovie, à
Budapest, en Géorgie... Et on aurait dû intervenir avec
les blindés. Et avec l'Armée rouge. Avec la Milice. Les
Russes ont préféré vous supprimer avant que votre
légende ait pu avoir des conséquences. Tuer la poule
dans l'œuf.

— Maintenant que tu parles ouvertement, j'ai la certitude qu'il n'y a plus d'autres microphones cachés
dans ma chambre..

— Il n'y en a plus...

— Nous pouvons parler en toute confiance ?

— Absolument.

— Ecoute-moi, Cecatti : Dans quelques jours je ne
serai plus parmi les vivants. Je ne pourrai donc plus te
récompenser pour le service que je veux te demander...
Je sais que tu n'en rends jamais à personne sans réclamer le prix. Peux-tu m'en rendre un gratuitement, sans
espérer aucune récompense ?

Le prince hésite.

— Si le service que vous me demandez n'est pas trop risqué, je peux vous le rendre sans rien demander en retour... Voilà, je vous parle franchement. Ne me demandez pas quelque chose d'exorbitant...

— Prince Cecatti, il arrive que les services qu'on rend gratuitement, sans espérer de gain, sans but lucratif soient plus payants que les autres... C'est très souvent grâce à ces services que la plupart des hommes gagnent le gros lot.

— Ce n'est pas mon opinion, Votre Excellence, mais je vous promets de vous rendre gratuitement celui que vous me demandez, s'il est dans la mesure de mes forces et si je ne cours pas de trop gros risques... Voilà, je suis franc.

— Ma fille Héléna est maintenant en Suisse.

— Cela, tout le monde le sait, Votre Excellence, et vous venez vous-même de me le confirmer.

— Prince Cecatti, dans le passé tu as insisté sans arrêt, pendant des années pour que je dépose un capital au nom de ma fille et au mien dans une banque suisse.

— C'est exact. C'est une mesure de prudence que tout homme raisonnable doit prendre.

— J'ai d'abord refusé, puis j'ai cédé. Et j'ai à l'heure actuelle un tout petit capital en Suisse, dans un coffre-fort. Je l'ai déposé malgré moi : tu sais que je suis un Moldave. Et pour un Moldave qui, à chaque génération, attend une, deux, ou plusieurs invasions étrangères, déposer de l'argent en banque, c'est le jeter à la rivière. Economiser, c'est amasser pour l'ennemi. Tu as transporté d'immenses fortunes pour le compte d'Hanna Tauler. Tu les a placées dans les coffres souterrains des banques suisses. Mais avant sa mort, les Russes lui ont arraché la procuration et les documents pour retirer les capitaux. Elle a épargné, volé et déposé de l'argent pour ceux qui l'ont tuée. Je ne voudrais pas faire comme elle.

— Vous saviez que les Russes ont forcé Hanna Tauler à leur donner tous ses trésors en Suisse avant de la faire mourir ? Et qu'ils ne l'ont empoisonnée qu'après avoir transporté à Moscou son dernier napoléon d'or ?

— Cher Cecatti, ici tout le monde sait tout. Rien ne sait mieux ce que pense un requin qu'un autre requin... Et nous en sommes tous. Des Requins qui attendent l'instant sublime de voir qui dévorera l'autre... Aujourd'hui je te parle sentimentalement. Pardonne-moi. J'ai déposé une toute petite somme, par hasard, au cours d'un voyage à l'étranger dans une banque suisse, au nom de ma fille et au mien. Héléna se trouve à Genève sans argent. Il faut que tu lui fasses parvenir de toute urgence, un passeport à son nom. Ce passeport est déjà établi légalement avec son vrai nom et les visas de la France et de la Suisse. Il faut que tu le déposes à l'hôtel du Lac, à Genève. Dans les prochains jours. C'est un jeu d'enfant pour toi. Et en même temps, comme ce qu'elle trouvera à la banque est trop peu, donne lui aussi dans une enveloppe les quelques milliers de dollars qui se trouvent avec le passeport. Tu sais où les trouver dans mon bureau.

— Je le sais !

— Je les ai si bien cachés, pour que tu l'ignores. Je suis étonné que tu connaisses l'endroit ! Nous vivons dans une cage de verre. Dis bonne chance à ma fille. C'est tout.

Léopold Skripka détache une feuille de son agenda en matière plastique. Cet homme qui possédait les plus belles mallettes de maroquin, des portefeuilles de chez Hermès, et des porte-documents d'une peau aussi douce que du velours, n'a plus que des objets en matière plastique depuis qu'il est Premier Ministre. Laids. Vulgaires. C'est la mode communiste. Comme pour la diplomatie soviétique. La politesse et l'élégance sont signées de subversion. Le pauvre Karl Marx ne se doutait pas que les critères d'un bon communiste dans la société idéale seraient la vulgarité de son langage, le baiser répugnant sur la bouche entre les hommes, la largeur des pantalons (car plus les pantalons sont larges, plus on est communiste) et l'utilisation d'objets en matière plastique et en toile cirée à la place du cuir. Chaque nuit, Léopold Skripka rêve que Karl Marx, Engels, et les autres philosophes qui ont rêvé de faire une société meilleure, reviennent sur terre et demandent qu'on brûle leurs livres. Car ceux qui ont mis en pratique leurs théories ont tout fait à l'envers. Contrairement à leurs rêves et à leurs pensées. On supprime les classes sociales et on instaure les castes des Hauts Communistes. On proclame la liberté entre les hommes et on introduit la discrimination vestimentaire, la discrimination de vocabulaire. On a enlaidi la terre. Et on a avili les hommes. On a parlé de liberté et on a obligé chaque homme à devenir un policier et un dénonciateur. On a parlé de l'Internationale. Et on a enfermé chaque nation dans des barbelés, comme des bêtes.

— C'est ma dernière volonté, Cecatti. La volonté d'un mourant. Donne ce passeport et cette petite somme d'argent à ma fille Héléna afin qu'elle ait de quoi manger et dormir avant de trouver une situation dans le monde occidental... Promets-moi d'exécuter ma seule et dernière volonté, la prière d'un père. Sans me trahir.

— C'est juré, dit le prince Cecatti. Maintenant je pars exécuter vos ordres. Bonne journée. Je viendrai demain vous voir.

Il rebranche tous les microphones. Autrement c'est lui qui serait arrêté. A la sortie même. On sait que le paralytique Léopold Skripka ne peut se déplacer pour les débrancher. Et tout le monde doit savoir s'il se tourne sur le côté gauche, sur le côté droit, s'il pleure, s'il écrit, s'il maudit, s'il parle pendant son sommeil et surtout ce qu'il dit ; autrement la société communiste est imparfaite...

Léopold Skripka sait que le Prince Cecatti est une canaille. Mais dans le pire des cas, il ne peut que lui voler l'argent. En ce qui concerne le passeport, il le donnera. Il l'enverra par le premier courrier à Genève. C'est très simple. Il le fera. Et Léopold Skripka s'endort. Sa dernière volonté est accomplie. Mais il ne s'écoule pas une demi-heure que dans sa chambre blanche de l'hôpital réservé aux camarades de la caste des communistes Supérieurs, entrent le Caïd de Königsberg et le prince Cecatti qui le suit.

Ils restent debout. Stanislas Krizza avec son horrible chapeau sur sa tête chauve. Il dit au prince :

— Sors le passeport et les dollars !

Cecatti sort de sa poche le passeport d'Héléna Skripka. Un passeport diplomatique. Celui que Léopold Skripka lui a demandé d'envoyer d'urgence à sa fille afin qu'elle puisse toucher l'argent déposé à son nom en Suisse. Il sort aussi l'enveloppe dans laquelle se trouvent dix mille dollars en grandes coupures.

— Donne ! ordonne le Caïd. Il prend le passeport et l'enveloppe avec les dollars. Il les serre dans sa main droite, comme un revolver et il les braque menaçant vers Skripka :

— Cher Léopold Skripka, toi qui as fait des études, comment est-il possible que tu n'aies jamais appris qu'un communiste, depuis que le communisme existe, n'a jamais réussi à tromper le Parti ?

414

C'est tout de même la première chose à savoir. Je t'ai répété souvent que la bêtise des hommes augmente en fonction de leur culture, de leur position sociale, de leur intelligence... Et elle m'exaspère. Tu penses qu'un maître de maison ignore que son valet fume ses cigares et boit ses meilleures cigarettes en son absence ? Tous le savent et ils gardent leurs domestiques tout de même. Pourquoi veux-tu que nous, le Parti communiste, soyons plus bêtes que le plus bête des bourgeois et des capitalistes, qui savent bien que leur cuisinière, leur valet, leur chauffeur, leur jardinier les volent ? Vous, nos valets, vous nous volez aussi. Nous le savons. Mais, pourquoi toi, si cultivé et si intelligent, t'es-tu entêté à nous rouler ? Un maître est un maître. Il a l'œil sur tout et partout. Pourquoi as-tu envoyé ta fille en Suisse et à Paris clandestinement ? Tu pensais que je ne savais pas qu'elle partirait ? Je le savais. Mais je ne l'ai pas arrêtée à la frontière. Je l'ai laissée passer. Elle crèvera de faim en Occident. Elle fera le trottoir à Paris, pour gagner son pain. Elle est très douée pour faire une bonne putain en Occident. C'est pire qu'en prison. Je t'ai dit que tu es plus fou que les cinglés des asiles, qui se prennent pour Napoléon, pour César, pour Alexandre le Grand. Alors qu'ils ne sont en réalité que de pauvres malades. Je t'ai dit clairement que tu es notre domestique, employé à la fonction de Premier Ministre. Pourquoi t'es-tu pris une dernière fois pour un véritable Premier Ministre ? Tu ne l'as jamais été. Tu as ordonné à Cecatti d'envoyer ce passeport à ta fille, comme si tu étais son chef. Il est notre domestique au même titre que toi. Sa fonction est d'être ton secrétaire, mais le grade est le même. Pourquoi lui donnes-tu des ordres ? Comment as-tu pu croire que Cecatti peut t'obéir, à toi, simple domestique, et non pas à nous, les maîtres ?

415

— Pourquoi m'as-tu trahi, Cecatti, dans ma dernière volonté ? Moi, un mourant ? dit Léopold Skripka.

Il pleure.

— Votre Excellence. Je ne vous ai pas trahi. C'est Votre Excellence qui m'a demandé une chose absurde !

— Prince, la prière que je t'ai faite de transmettre à ma fille son passeport afin qu'elle touche l'argent pour vivre pendant quelques mois est-elle absurde ? Ma dernière volonté et la prière d'un mourant sont-elles des absurdités ?

— Oui. Elles sont tout ce qu'il y a de plus absurde, Votre Excellence.

— Qu'y a-t-il d'aberrant là-dedans ?

— Vous demandez à un homme de faire son chemin avec les morts. Et pas avec les vivants... Vous êtes mort Votre Excellence. Ou presque. Comment avez-vous pu me demander à moi de collaborer avec les morts ? Et de refuser à faire ma route avec les vivants ? C'est aberrant. Personne ne part avec des morts sur les épaules... Ce n'est pas de la trahison, c'est de la logique, de la vie, du bon sens. Il était normal que je donne le passeport au camarade Stanislas Krizza et non pas à votre fille...

Le camarade Krizza est vivant. Il est le maître. Vous, vous êtes un domestique, et presque mort. Je vous ai obéi conformément à l'Ecriture qui dit : Laissez les morts avec les morts et les vivants avec les vivants.

XXVIII

LE CERCUEIL DE VERRE

Léopold Skripka est mort. Les vingt millions de Roumains l'ont transformé en légende. Il n'appartient plus à l'histoire. C'est un mythe. On est certain que l'avion dans lequel ont péri les ministres de la commission qui devait signer le nouveau traité d'amitié roumano-soviétique a été saboté. Pour tuer Skripka. S'il a échappé à l'accident, c'est à cause d'une crise cardiaque due à la peur. Mais la légende affirme qu'il ne voulait pas signer le nouveau traité, qu'il préférait le martyre. On décrète des funérailles nationales. On habille de neuf, en costumes du pays, des millions de paysans, de paysannes, d'ouvriers, pour les faire venir par trains spéciaux et par camions aux obsèques. Le deuil national est décidé pour trente jours. Ceux qui se donnent le plus de mal pour la réussite de cette solennité qu'ils appellent « les grands meetings » sont les Russes. Et spécialement Stanislas Krizza. On construit, vite, dans le plus beau parc de Bucarest, sur une colline, un socle immense en béton. On commande en Allemagne Occidentale un cercueil de verre pour y mettre sous vide le corps embaumé du grand Léopold Skripka, le fondateur de la Roumanie communiste afin que le peuple puisse en regardant sa momie, prendre exemple de sa grandeur. Comme cela se passe pour celle de Lénine au

Kremlin. On pourra pleurer. Pendant des millénaires. Car on espère aujourd'hui, grâce à la technique russe, que la momie de Lénine comme celle de Skripka, dureront plus que celles des pharaons.

Le cercueil de verre est déjà arrivé à Bucarest. Avec des techniciens allemands. La garantie des fabriques déclare qu'il durera plus de mille ans, sans aucun entretien. Le cadavre enfermé dedans semblera toujours vivant. Des embaumeurs qui ont travaillé sur celui de Lénine sont arrivés à Bucarest et ont travaillé avec une seringue, des éprouvettes et des bains chimiques, chaque morceau de chair, de peau et d'os de Léopold Skripka pour le rendre immortel. Sa graisse, ses os, sa chair, resteront comme de son vivant. On est sûr que même si la terre s'effondre, son corps embaumé par les Russes, enfermé sous vide dans le cercueil de verre allemand, survivra. La matière est ainsi immortalisée. La graisse, les viscères et les os sont immortalisés. Grâce au Parti communiste, Léopold Skripka sera toujours, avec son cadavre au centre de Bucarest, l'homme le plus vénéré. Plus que tous les saints. Car la majorité d'entre eux ont pourri et ont été mangés par les vers. Lui aura un corps immortel. En dehors du temps... La veille des funérailles, Bucarest est rempli par des masses de Roumains amenés aux frais de l'Etat, des quatre coins du pays. Toutes les nations du monde sont représentées par leurs ambassadeurs, leurs consuls, les délégations des Partis communistes et tous les envoyés spéciaux. La veille de l'enterrement, on publie dans le journal officiel du Parti communiste, en première page, en grosses lettres et dans un cadre noir, une petite nécrologie :

« Le grand Léopold Skripka n'est pas parti seul. Sa fille unique, frappée de la mort de son père en sortant de chez elle hier soir, est tombée dans un ravin avec sa voiture qu'elle conduisait elle-même. Le véhicule et le corps d'Héléna Skripka ont été calcinés. L'unique membre de la famille du grand disparu sera enterré demain. » Avec la mort d'Héléna Skripka c'est plus que de la tragédie grecque. Cela vaut les funérailles d'Attila, de Tamerlan, de Gengis Khan et des grands Mongols, où les grands chefs étaient enterrés avec leurs femmes, leurs serviteurs et leurs chevaux. La légende de Léopold Skripka grandit. C'était l'unique homme qui donnait de l'espoir au peuple roumain échappé aux massacres que lui-même avait organisés pendant vingt-cinq ans. Il était l'homme qui promettait des jours meilleurs. Le peuple a adopté pour sauveur son ancien bourreau. Skripka est pleuré, adoré, divinisé. Les membres du gouvernement, les généraux, les hauts fonctionnaires du Parti sont invités à lui rendre hommage avant le grand public, et à défiler devant sa dépouille mortelle, embaumée et enfermée sous vide dans le cercueil de verre exposé dans la salle d'honneur de l'hôpital du Parti communiste de Bucarest, sur un socle couvert de velours rouge, frappé de la faucille et du marteau en or. Les Hauts Camarades arrivent dans leurs immenses limousines noires, plus grandes que des corbillards. La cour de l'hôpital ultramoderne est devenue un véritable parking. Des centaines de limousines sont alignées côte à côte. Rangées sur plusieurs files. Les chauffeurs habillés de noir, sont rassemblés en petits groupes, comme des corbeaux, entre les corbillards limousines des milliardaires qui dirigent l'Etat prolétaire.

On commence av**ec** émotion le défilé vers le cercueil. La salle où il se trouve sur son socle de velours rouge est maintenant entourée de centaines de Hauts Camarades habillés de noir. Tous pleurent en le regardant. Il y a des moments où, malgré les lois de la physique, même les pierres pleurent. Avec de véritables larmes. Et, maintenant, les âmes de granit des chefs milliardaires du Parti communiste roumain pleurent. Tous ces Hauts Camarades ont d'innombrables assassinats et massacres sur la conscience. Ils ont du sang sur les mains, dans leur mémoire, sur leur âme, sur leur passé. Partout. Le sang qu'ils ont répandu. Et subitement, eux qui n'ont fait jusqu'à présent que tuer, pensent à leur propre mort.

Stanislas Krizza, le Caïd de Königsberg, s'approche du cercueil : il tient une feuille dactylographiée à la main. Il a des gants noirs. Il est tout habillé de noir. Sauf ses lunettes à monture de métal blanc, et son crâne rasé de couleur de cire.

— Je vais lire le discours funèbre officiel, dit le Camarade Caïd de Königsberg.

L'assistance se met au garde à vous. Bien qu'ils soient tous civils. Le Caïd de Königsberg dit, en résumé :

— Camarades Communistes, regardez, Léopold Skripka est mort. Son cadavre est devant vous. — Il se tourne, légèrement vers le cercueil. — Tu as été notre homme de confiance à Bucarest Léopold Skripka. Tu as été notre fidèle serviteur plus de deux décennies. Pendant tes années de service comme domestique fidèle de la Révolution, on a essayé de transformer la Roumanie en un véritable Etat communiste et on a réussi en partie. Tes camarades, qui sont restés en vie et qui se trouvent maintenant tous ici devant ton cadavre, continueront l'œuvre grandiose de la communisation totale. Et puisque tu seras désormais absent de nos réunions et que je n'aurai plus l'occasion de t'adresser la parole, je te dis maintenant tout ce que j'avais à te dire : tu as commis durant ta vie une très grande faute. Un crime. Tu as essayé, dans les derniers six mois de ton existence, de trahir la Grande Immortelle Russie soviétique. Tu as essayé de trahir le Parti communiste mondial. Tu as essayé de trahir tes propres camarades de Russie, de Géorgie, de Lituanie, de Lettonie, d'Estonie, de Roumanie, de Hongrie, de Bulgarie, de Serbie, de Croatie, du Monténégro, de Bosnie, d'Herzégovine, de Dalmatie, d'Albanie, de Pologne, de Finlande, de Slovaquie, de Slovénie, de Bohême, d'Allemagne, d'Ukraine et de Mongolie... Tu as essayé de trahir et d'abandonner tes camarades des Partis communistes de tous les pays de la planète. Tu as essayé, Léopold Skripka, de trahir la Révolution prolétarienne universelle. Et tu es allé si loin dans ta trahison que tu as voulu faire alliance avec les capitalistes, les bourgeois, les fascistes, les réactionnaires, les exilés, les sionistes et tous les ennemis mortels de la classe ouvrière... Léopold Skripka, avant de mourir, tu m'as avoué tous ces crimes. Sans que je te les demande, sans que je te soumette à la question. De ta propre volonté. Tu es allé si loin dans cet aveu que tu m'as déclaré que tu refusais de signer le traité d'amitié entre la Grande et Immortelle Russie et la Roumanie, traité qui arrive à échéance. Cette affirmation, sortie de ta bouche, t'a été fatale. Car tu es mort, foudroyé par ton propre crime. Des masses roumaines croient que tu étais leur chef. Elles sont maintenant par millions dans la Capitale, pour te conduire à ta dernière demeure. Elles ont exprimé, par la bouche de leurs chefs, ici présents, le désir d'exposer ton cadavre dans un cercueil de verre, sur un socle de béton armé, au centre de Bucarest. Afin que les masses d'aujourd'hui et celles de demain puissent contempler ton cadavre. Mais nous qui sommes les véritables chefs de la classe ouvrière internationale, nous savons qu'il est mauvais de le leur montrer. En regardant ta momie, les masses

421

penseront que tu as trahi tes camarades, la révolution, et l'U.R.S.S. Pour éviter que de telles pensées subversives contaminent les générations présentes et futures, et pour ne pas donner aux peuples le spectacle de la trahison qui émane de ta sinistre dépouille, nous avons décidé de te cacher au fond d'une fosse et de t'enterrer le plus profondément possible. Le virus de la trahison émane de ton cadavre et il risque de contaminer les masses saines et propres. C'est un danger d'épidémie. D'infection. De plus, c'est une offense permanente envers la révolution, la classe prolétaire, le Parti et la Russie. Il faut te rendre invisible. Inexistant. Le Pensoir du Kremlin a envoyé à Bucarest les plus grands embaumeurs de cadavres de la Russie. Ils devaient rendre ta chair immortelle, comme vivante. Ton corps bien nourri devait devenir immortel. Comme celui, vénérable, du camarade Lénine.

Mais, conformément aux instructions du Pensoir du Kremlin, les embaumeurs ont injecté dans ton sac de graisse une substance qui le volatilisera dans son cercueil de verre. Exactement comme de l'éther. Tes oreilles, tes paupières, tes lèvres, ta langue, tes tripes, tes doigts, ont déjà commencé depuis plusieurs heures à s'évaporer. Sans laisser aucune trace. Tes habits même, et tes belles chaussures, se volatiliseront. Nous t'avons appliqué « l'Opération Grenouille ». Tu sais que les grenouilles mortes, sèchent et se transforment en poussière. Elles ne laissent jamais de cadavre. Toi, Léopold Skripka, tu n'en laisseras pas non plus. Mieux encore : tu ne laisseras même pas de poussière, tu seras transformé en néant. Parce que tu as commis le crime de t'opposer à l'Union Soviétique. Traître. C'est par ces mots que je termine l'oraison funèbre que j'ai reçu l'ordre de prononcer pour toi, Léopold Skripka. — Le **Caïd de Königsberg** se tourne vers les dirigeants communistes roumains et leur ordonne :

— Vous tous, Camarades ici présents... Approchez-vous l'un après l'autre du catafalque. Montez l'escalier de velours rouge. Ouvrez vos yeux sur le cercueil de verre. Le plus près possible. Eventuellement, touchez-en le verre du bout de votre nez pour mieux voir ce qui se passe dedans. Car beaucoup d'entre vous sont myopes. Et ils doivent aussi voir dans les moindres détails ce qui arrive au cadavre de Léopold Skripka.

« Il se volatilise sous nos yeux. Quand vous arriverez auprès du cercueil, vous constaterez que déjà la moitié de l'oreille droite s'est évaporée. Elle n'existe plus. Les narines de Léopold Skripka ont disparu complètement. Plus des trois quarts de ses doigts se sont volatilisés. Demain matin il n'y aura plus rien dans le cercueil de verre. Même les boutons de son veston et de ses pantalons s'évaporeront. Exactement comme sa chair puante de traître. En moins de vingt-quatre heures. Il n'y aura plus rien. Le vide total. Ce cercueil de verre a coûté une somme exorbitante de Deutsche Mark.

« Demain il sera toujours ici. Mais je vous invite à venir constater que Léopold Skripka n'y sera plus. Il se sera évaporé totalement, transformé en néant. En vide.

« C'est la même destinée que la Grande, la Puissante, la Valeureuse et Invincible Union Soviétique réservera dorénavant à tous les traîtres de cette espèce. Grâce à la Science soviétique, nous ferons de très grandes économies. On ne fusillera plus les traîtres, comme auparavant, en gaspillant le métal des balles et la main-d'œuvre des soldats ouvriers du peloton d'exécution. On ne les enfermera plus dans des cachots souterrains. On n'enverra plus les ennemis du peuple dans des camps de concentration, ni de redressement, ni de travaux forcés. On ne les enverra plus crever de froid

423

en Sibérie. Leur transport dans les camps de la mort coûtent trop cher. Dorénavant, grâce à nos savants qui travaillent jour et nuit pour le Parti, nous sommes en mesure d'évaporer nos ennemis. De les volatiliser. De les réduire au néant, à la non-existence totale. Pour terminer ces brèves informations que j'ai eu l'honneur de vous communiquer, je vous avertis que les camarades ministres du Gouvernement Libre et Autonome de Roumanie ont le droit de procéder comme bon leur semble : ou exposer le cercueil de verre de Léopold Skripka vide, à l'emplacement prévu, au centre de Bucarest, afin que les masses voient de leurs yeux que tout traître à la Russie s'évapore, devient du néant, ou de faire enterrer un cercueil en bois ordinaire, en disant que le cadavre se trouve dedans. Vous tous, qui n'êtes pas encore totalement immunisés contre le terrible virus anti-communiste, venez de temps en temps ici, dans la salle d'honneur de l'hôpital communiste russe de Bucarest. Venez et regardez le cercueil vide. Et pensez que si vous ne tuez pas le microbe de la trahison un jour, vous pourriez vous trouver vous-mêmes dans ce cercueil. Chacun pourra y prendre place et se faire évaporer comme Léopold Skripka. Il suffit de se rendre coupable de trahison. Le cercueil est d'une dimension exceptionnelle. Nous pouvons y mettre et y volatiliser les camarades de toutes tailles, les géants et ceux qui ont le plus gros ventre. Et n'oubliez pas qu'il peut servir d'innombrables fois. Il suffit de vingt-quatre heures pour y faire disparaître un cadavre. Cela à l'infini. »

Les chefs du Comité central du Parti communiste roumain s'approchent du catafalque, conformément aux ordres du Caïd de Königsberg. Ils montent les marches au tapis rouge. Ils regardent le corps de Léopold Skripka se volatiliser. C'est horrible à voir. Car de grands morceaux du visage ont disparu pendant le discours de Krizza. La main gauche s'est complètement évaporée. Avec la manche de son veston. Il n'y a plus à la place qu'un petit os blanc. Le cadavre s'évapore comme les boules de naphtaline qu'on met dans les armoires et qui disparaissent sans laisser de trace. En s'amincissant de plus en plus.

Le lendemain matin on enterra en très grande pompe un cercueil de bois vide. On expliqua aux masses que les Allemands d'Occident avaient livré le cercueil de verre avec un défaut. C'était un sabotage. L'Occident sabote toujours les grandes œuvres de l'Union Soviétique. Et c'est pour cela qu'on l'avait remplacé par un cercueil de bois.

Le deuil national pour Léopold Skripka dura trente jours. Une centaine d'usines reçurent son nom. Des villes, des villages des rivières et des boulevards, furent baptisés Léopold Skripka. On érigea sa statue sur toutes les grandes places publiques, sur de grands socles de béton armé. Style stalinien.

Et ce cercueil de verre qui avait coûté si cher resta dans la salle d'honneur de l'hôpital communiste de grand luxe. Ceux qui dans l'avenir refuseront ou hésiteront seulement à signer ce que les Russes leur demandent, seront conduits devant le cercueil dans lequel s'est évaporé Léopold Skripka. On a filmé et on montrera aux récalcitrants le processus de vaporisation d'un corps de traître, en couleurs, en gros plans et en cinémascope... Ceux qui verront cela perdront pour toujours l'audace de dire autres choses que DA, OUI. Avec la plus grande soumission.

Deux jours après ces événements, toute la presse occidentale a annoncé que la Russie Soviétique était complètement libéralisée. Elle a cessé d'être un Etat policier, comme au temps de Staline. Maintenant la Russie soviétique et toutes les Républiques Satellites sont devenues libres et démocratiques comme les Etats-Unis, la France et l'Angleterre. Tous les camps de concentration ont été démolis et tous les prisonniers libérés. Le Caïd de Königsberg eut un éclat de rire en lisant ces articles. Il dit :

— Ces Occidentaux pourris et dégénérés ne comprennent jamais rien. Ils pensent que nous avons supprimé les camps de concentration, sans les remplacer par quelque chose de meilleur... Les Occidentaux ont déchiffré les hiéroglyphes mais ils ne comprendront jamais l'alphabète russe ni les affaires de Kremlinologie... Les imbéciles...

XXIX

LES SERVICES DE CONTRE-ESPIONNAGE RENDENT VISITE A MADAME MAX HUBLOT

Madame Max Hublot est restée à la clinique une semaine après son accouchement. La voici à nouveau dans son douillet appartement avec sa fille qu'elle a appelée Hélène.

Le professeur Max Hublot, après une longue absence, a repris son service. Il est dix heures et demie du matin. Un beau matin parisien, avec des tons irisés, discrets, sans lumière violente qui marque les lignes et silhouettes comme au crayon. C'est un éclairage qu'on ne trouve qu'à Paris.

On sonne à la porte. Madame Max Hublot ouvre, elle porte une très jolie robe de chambre.

— Je suis le commandant Dumonde. Des services de Contre-Espionnage... Je pense que votre mari vous a parlé de moi.

— Jamais. Pourquoi m'aurait-il parlé de vous ? Qu'avez-vous de si intéressant pour croire que les hommes parlent de vous à leurs femmes et vice versa... Je ne vous trouve rien qui me fasse vous reconnaître... Vous êtes quelqu'un qu'on voit sans le voir. C'est tout ! Tout ce que je vous demande, c'est de rester sur le palier ou d'entrer. Chez vous Français, c'est une manie de parler aux gens entre deux portes. Vous avez même inventer des trucs que Max m'a montrés dans les

Grands Magasins pour empêcher une porte de se fermer ou de s'ouvrir... Chez nous, on est logique. On invite celui qui est dehors à entrer, si on veut le voir. Sinon on lui dit de partir, et on lui ferme la porte au nez. Je n'en finis plus de découvrir des usages inattendus en France, comme si j'étais dans un pays inexploré... Entrez donc, ou restez dehors, moi je crains les courants d'air...

Les phrases tombent de la bouche de Madame Hublot, à une vitesse vertigineuse, comme une cascade. Pendant que le commandant Dumonde range son parapluie, son chapeau et son pardessus, elle va auprès du berceau de sa petite Hélène. Elle la couvre avec tendresse, sans faire attention au commandant Dumonde : elle a été élevée dans une République Pénitenciaire, une République Cage, où on regarde éventuellement les choses mais pas les êtres humains. Ils n'en valent pas la peine ! Elle s'assied dans un fauteuil près du berceau et se couvre les genoux avec un châle en laine des Pyrénées, couleur rouge. Elle regarde ensuite son visiteur, comme par hasard, et lui crie :

— Qu'est-ce qui vous prend de rester au milieu de la chambre, immobile comme une momie ? Prenez place. Où vous voulez. Dites vite ce que vous devez vendre, car je dois faire téter ma fille. Le médecin m'a dit de le faire à des heures fixes. Je préférerais que vous soyez parti, quand je découvrirai mes seins ! Je pense que vous n'en avez pas pour longtemps ?

— Ça dépend de vous, Madame.

— Qu'est-ce qui dépend de moi ?

— La longueur de votre conversation...

— Je vous avertis, pour éviter toute surprise, que votre visite sera courte. Si elle dure plus de cinq, pardon quatre minutes, je vous mettrai à la porte. Sans façons. Vous voilà prévenu.

— Il est étonnant que votre mari ne vous ait pas parlé de moi, dit le commandant Dumonde.

— Vous croyez-vous si important pour que mon mari me parle de vous. Nous avons des sujets de conversation plus intéressants ! Maintenant, arrivez au but. Que me voulez-vous à moi ou à mon mari ?

— J'ai déjà parlé à votre mari. Il s'est même rendu à une convocation de nos services. Il a fait une longue déclaration écrite.

— A quel sujet ?

— A votre sujet.

— Je vous intéresse à ce point que vous demandiez à mon mari ma description par écrit ? C'est une perversité punie par la loi, chez nous. Vous demandez cela à beaucoup de maris ? Ça doit être amusant, votre service !

— C'est une question sérieuse, Madame. Ce n'est pas pour plaisanter que je me trouve ici. Je voulais avoir une conversation avec vous. Sans la présence de votre mari.

— Vous n'êtes pas le seul homme qui désire parler à une femme en l'absence de son mari... Ce n'est pas nouveau. Commencez votre baratin.

— Madame, puisque vous le prenez sur ce ton, j'entre directement dans le vif du sujet : vous êtes accusée et nous avons des preuves comme nous l'avons déjà affirmé à votre mari à qui nous avons montré des documents, que vous êtes entrée en France et que vous vivez ici sous un faux nom. Vous êtes entré dans notre pays avec un passeport établi au nom de Monique Martin.

— Et c'est pour me dire que mon nom ne vous plaît pas que vous êtes venu ? Tous les hommes ont trouvé ce prénom charmant... Vous avez peut-être des goûts spéciaux. L'Occident est plein d'hommes bizarres.

— Votre véritable nom, Madame Max Hublot, est Héléna Skripka. Vous êtes la fille légitime de Léopold Skripka, ancien Premier Ministre de Roumanie, et de Madame Héléna Skripka, professeur de mathématiques... Vous êtes née à Kichinev le...

— Assez de palabres... Ce que vous dites est faux. D'ailleurs tout ce que les hommes disent aux femmes, sont des mensonges... Des paroles dans le vent. Qui ne signifient rien.

Le commandant Dumonde est très gêné par la vulgarité du ton, des gestes et des paroles de Madame Hublot. Il se demande comment un homme aussi bien que le professeur a pu épouser une femme aussi vulgaire. Au fond, elle n'est que le produit de la société où elle a vécu. Chez les Bolcheviques, les bonnes manières sont un crime, un signe de décadence.

— Si vous ne nous fournissez pas un document prouvant que vous êtes réellement Monique Martin et pas Héléna Skripka, nous serons obligés, comme nous l'avons dit à votre mari et à son avocat de déposer demain votre dossier à la justice. Vous vous trouvez sous l'accusation d'entrée en France sous un faux nom, d'usage de faux dans les actes publics, et autres délits qui en découlent ou qui peuvent en découler.

— Vous voulez la preuve que je m'appelais Monique Martin avant mon mariage ? C'est simple. J'ai mon passeport roumain qui n'est pas contesté par l'ambassade roumaine à Paris. Il y a dessus le visa du consul de France à Bucarest. J'ai la carte de séjour de la Préfecture de Police de Paris, ma carte d'étudiante à la Sorbonne, mon diplôme, mon acte de mariage... C'est la France qui m'a donné ces actes... Ils prouvent bien que je m'appelais Monique Martin. Si vous ne croyez pas ce que l'Etat français écrit dans ses actes officiels, alors dites qu'il ment ! Et prenez-vous-en à lui. Voilà un point de réglé. Ne revenez plus chez moi me reprocher des faux et des mensonges de votre République ! Nous disons, depuis la révolution, que tout l'Occident ment et qu'il est pourri. Vous en avez la preuve. Allez arracher à votre république sa casquette tricolore et ses cheveux si vous pensez qu'elle délivre des actes faux ! Voilà... La deuxième accusation : vous dites que je suis la fille de Léopold Skripka, le Premier Ministre de Roumanie communiste et notre regretté grand homme, décédé il y a trois ans. J'étais déjà partie quand la mort l'a foudroyé. Et mon grand regret est de n'avoir pu assister à ses obsèques nationales. Elles ont duré trois jours et on a gardé le deuil pendant un mois. Vingt millions de Roumains l'ont pleuré, plus affectés que par la mort de leur père. C'est lui qui a créé l'Etat Socialiste, Progressiste et Moderne de Roumanie. Très bientôt, grâce au camarade Skripka, notre pays dépassera toutes les nations occidentales. On verra un jour, la langue roumaine, choisie comme langue diplomatique et remplacer à l'O.N.U. à l'U.N.E.S.C.O. l'anglais et le français... Cela, grâce à des hommes comme lui.. Si j'avais été sa fille, je l'aurais crié aux quatres coins des rues. Je serais monté sur les toits pour clamer : je suis la fille du génial Léopold Skripka ! Vous comprenez ? Il n'y a pas de plus grande gloire, pour une femme, que d'avoir un père comme lui. Le fondateur de notre République. Le père du peuple roumain. Malheureusement je ne suis pas sa fille ! Il en avait une qui s'appelait Héléna. Et que j'ai connue. Mais elle est morte de douleur en apprenant la mort de son père. Elle s'est jetée en voiture dans un ravin. C'est un suicide. J'aurais fait comme elle. Par désespoir.

Madame Hublot jette le châle sur le tapis. Elle se précipite comme une tigresse vers le *tallboy*, ce petit

meuble à tiroirs. Elle l'ouvre et elle tend au commandant Dumonde un numéro ancien du journal officiel
du Parti communiste roumain encadré de noir. Sur
toute la première page, s'étale la photo de Léopold
Skripka et en bas, en caractères gras, un panégyrique
de sa fille, Héléna Skripka.

— Suivez les mots d'après mes doigts, ordonne
Madame Max Hublot. Vous allez comprendre, même si
vous ne savez pas lire le roumain. Vous y êtes ? Lisez :
*Héléna Skripka, la fille du Premier Ministre est décé-
dée hier. Elle a péri dans un accident de voiture.* Elle
sortait de l'hôpital où se trouvait son père. Bouleversée, elle a manqué un virage et elle est tombée dans un
ravin. Elle et sa voiture ont été carbonisées... Avez-vous
compris ?

— Oui, dit le commandant Dumonde... J'ai compris
presque tous les mots. C'est très proche du français.

— Maintenant vous avez la réponse à la deuxième
question. Je ne suis pas la fille du grand camarade
Léopold Skripka. Elle est déjà morte. Si j'étais morte,
vous pourriez me prendre pour elle ! Et cela me ferait
un grand honneur. Mais, je suis vivante. Avez-vous
encore quelque chose à me demander ? Les quatre
minutes sont écoulées...

Le commandant Dumonde est debout. Prêt à repartir. Il tient le journal à la main.

— Il est à moi ! crie Madame Hublot. Le journal
m'appartient. J'ai toute la collection du journal officiel
de mon Parti. Si vous voulez vous procurer ce numéro,
demandez de l'argent à votre République et commandez-le à Bucarest ! Adieu ! J'espère ne plus vous
revoir !

— Vous ne pouvez pas me prêter votre journal pour
faire une photocopie ?... Je vous le rapporte dans une
heure...

— Je ne vous crois pas... Après les paroles aberrantes que vous avez prononcées depuis que vous êtes chez moi. Je ne vous fais pas confiance. Je ne vous prête pas ce journal. Allez à Bucarest l'acheter. Ou commandez-le... Adieu ! Moi, j'espère ne plus vous voir.

— Je note le numéro et la date du journal et je pars... dit le commandant Dumonde.

— Cela, je vous le permets. Mais, filez vite. Je dois faire téter ma fille Hélène. Et je ne veux pas vous montrer mes seins.

Quarante-huit heures plus tard, les Services du Contre-Espionnage possédaient trois numéros du journal officiel du Parti communiste roumain où était publié le panégyrique d'Héléna Skripka. L'affaire du faux nom de Madame Max Hublot était close.

XXX

LES ROBOTS N'ONT PAS DE CARTE D'IDENTITE...

Cinq jours se sont écoulés. Le poète du Christ et de la Roumanie apprend que Madame Max Hublot a quitté la clinique. Elle est mère d'une fille qui se porte bien et s'appelle Hélène. La petite Chantal a quitté la maternité le même jour, elle a aussi une fille.

Le père Virgil décroche le téléphone avec empressement et appelle Maître Terrenoire, l'avocat des Hublot.

— Maître, envoyez-moi de toute urgence quelqu'un pour chercher mon attestation. Je vous ai promis de vous la donner le jour où Madame Hublot quitterait la clinique. Elle vient de rentrer. L'attestation est donc à votre disposition Le S.D.E.C.E. pourra l'avoir dans une heure au plus tard si vous avez un courrier rapide. Merci, Maître, de m'avoir accordé ce délai qui m'a été de très grande nécessité. Je l'ai utilisé à prier. Maintenant je suis capable de soutenir cette déclaration au prix de ma vie. Je suis prêt à me faire interroger, arrêter expulser... Cela ne me dérange plus. Je suis fort grâce à la prière. Dieu m'a aidé. Mes ennemis auront une joie immense. Jusqu'à présent, j'ai été calomnié et accusé de tous les crimes possibles. Ils pourront m'accuser aussi de faux. Ils auront des preuves. Mais je ne suis pas triste. J'ai la certitude que c'est Dieu qui le veut...

L'ESPIONNE

— Vous vous trompez, Père Virgil. Dieu ne veut pas que vous buviez cette coupe. Vous en avez avalé tant, remplies de votre propre sang... Dieu a trouvé cela suffisant. L'affaire de Madame Hublot est terminée, classée. Le dossier est fermé. Depuis peu, les Services de Contre-Espionnage ont la preuve écrite que Mademoiselle Héléna Skripka est morte immédiatement après le décès de son père, dans un accident de voiture près de Bucarest. C'est un fait publié par toute la presse... Il est donc impossible que Madame Max Hublot, née Monique Martin, soit la même personne qu'Héléna Skripka, la fille du Premier Ministre. Il n'y a absolument aucun rapport entre les deux. Toute l'affaire est montée sur des calomnies, des lettres anonymes, des photos truquées... Les Services de Contre-Espionnage possèdent en triple exemplaire le panégyrique de la fille de Skripka publié dans le journal officiel du Parti communiste roumain... Voilà, Père Virgil, une preuve irréfutable. Dieu peut faire des miracles même de nos jours. Entre nous, je ne crois pas du tout aux miracles, mais je prononce ce mot pour vous faire plaisir. Vous croyez que l'unique clé universelle est la prière et la sainteté. Vous avez été très courageux, vous avez pris de très gros risques en signant l'attestation que je vous ai demandée... Maintenant que l'affaire est classée, déchirez-la. Vous savez que cette simple feuille de papier pour la défense de Madame Hublot aurait pu vous coûter quelques années de prison ferme avant l'expulsion.

— Je sais, dit le prêtre. Et je regrette que vous n'ayez plus besoin d'elle. Elle m'aurait prouvé à moi-même que je suis capable d'aimer mon ennemi mortel plus que moi-même... Mais Dieu ne m'a pas accordé cet honneur...

Il raccroche. Le prêtre croit en Dieu, dans les Saints,

dans les anges et dans les miracles plus que dans la
réalité visible. Mais il est tout de même surpris de ce
que l'avocat vient de lui annoncer. Dieu a accompli un
grand prodige pour exaucer sa faible prière ! La police
déclare posséder des preuves matérielles et irréfutables que Madame Hublot n'est pas la fille de Léopold
Skripka, alors qu'elle l'est ! Monique Martin est un
faux nom. Elle est coupable.

A ce moment, un autre visiteur sonne à la porte.
C'est une très belle fille, très élégante. Elle se présente.

— Mon père, pardonnez-moi de venir sans m'annoncer... Je suis France Normand. Pharmacienne. C'est
mon ami, le professeur Max Hublot, qui m'a souvent
parlé de vous ces derniers temps. Ce qui m'a décidée à
venir chez vous, presque en courant et sans vous prévenir de ma visite, c'est la rencontre que j'ai faite, il y a
moins d'un quart d'heure, avec Maître Terrenoire,
l'avocat des Hublot...

— Entrez, Mademoiselle, et prenez place, dit le
prêtre.

— Maître Terrenoire vient de m'annoncer que le
dossier de la femme de Max, je veux dire de Madame
Hublot, est classé. On a la preuve qu'elle n'est pas la
même personne qu'Héléna Skripka, la fille du Premier
Ministre de Roumanie...

France Normand porte la longue jupe à la mode en
cette saison. Elle a de jolies bottes à boutons, comme
celles des grand-mères. Elle est aussi élégante que
belle. Elle allume une cigarette, les larmes aux yeux.

— On m'a dit que c'est vous, le prêtre et poète Virgil
Gheorghiu, qui aviez innocenté cette faussaire, cette
espionne... La femme de Max Hublot est bel et bien la
fille du sanglant bourreau de la Roumanie, l'homme
que les occupants russes y ont placé comme Premier

Ministre pour qu'il détruise ce beau pays du Danube et des Carpathes... Vous avez connu ce sanglant tyran, vous l'avez décrit dans vos livres. Il fut votre professeur, votre ami. Vous connaissiez sa femme et sa fille. Et bien que vous sachiez que la femme de Max est la fille de l'homme à cause duquel vous vivez en exil et par lequel votre peuple a été enchaîné, vous avez écrit de votre propre main la fausse déclaration. Vous avez attesté qu'elle n'est pas Héléna Skripka. On dit que, grâce à vous, on a fermé le dossier, et caché la vérité... Pourquoi avez vous menti, Père ? Comment pouvez-vous écrire des attestations si grossièrement mensongères... Ce n'est pas digne d'un homme, surtout d'un poète ou d'un prêtre. Pourquoi avez-vous fait cela ? Dans quel but ? Vous irez en prison, car je dénoncerai la vérité... Je lutterai pour que Max, mon ami d'enfance qui vit avec cette espionne envoyée en France pour des actes de sabotage, de propagande bolchevique et d'espionnage, soit délivré d'elle. La vérité éclatera.

Le prêtre écoute très attentivement. Il admire la beauté mais surtout la passion de vérité de France Normand... Elle défend son amour avec une très grande féminité.

— Reconnaissez-vous avoir écrit cette attestation mensongère ? demande-t-elle en écrasant sa cigarette, fumée à moité.

Elle en allume une autre.

— Il est vrai que je l'ai écrite à la demande de Maître Terrenoire et de votre ami Max Hublot.

— Pourquoi l'avez-vous fait ?

— Pour tirer la famille Hublot de cette sale affaire.

— Mais c'était tout de même une fausse déclaration n'est-ce pas ?

— Oui, elle est fausse, je le reconnais.

— Et l'Evangile vous permet, à vous prêtre, de mentir ?

— Non.

— Mais vous avez écrit des mensonges. En foulant la vérité aux pieds.

— Oui.

— Je vous dénoncerai, dit France. Etes-vous prêt à reconnaître devant la justice que vous avez signé une fausse déclaration.

— Oui, Mademoiselle. Je suis prêt à le reconnaître.

— On vous enfermera... On vous expulsera de France. On vous traînera dans la boue, encore une fois, dans tous les journaux... Car vous êtes un faussaire...

— C'est possible... dit le prêtre. Mais c'est peu probable. Il y a moins de cinq minutes Maître Terrenoire m'a averti que la police n'a plus besoin de mon attestation. Le dossier de Madame Hublot est fermé. La police possède des preuves irréfutables qu'elle n'est pas la fille de Léopold Skripka et qu'elle s'appelait réellement Monique Martin, comme c'est écrit sur son ancien passeport. Et sur ses anciens papiers d'identité.

— Mais ce n'est pas vrai...

— Non, ce n'est pas vrai, répond le prêtre.

— La femme de Max ne s'appelait pas Monique Martin, comme c'était écrit sur son passeport. C'était un faux nom ?

— C'est exact. Monique Martin était un faux nom.

— Nous sommes donc d'accord ?

— D'accord sur quoi ?

— Elle s'appelait Héléna Skripka ?

— Non plus.

— Comment, non ?

— Parce que c'est non.

— Soyez logique, Père Virgil. La femme de Max

Hublot, s'appelait avant son mariage, ou Monique Martin ou Héléna Skripka ?

— Non. Elle ne s'appelait ni Monique Martin ni Héléna Skripka.

— Elle a un troisième nom ? demande France Normand.

Elle ne s'attendait pas à ce coup de théâtre.

— Non.

— Récapitulons, Père, s'il vous plaît. S'appelait-elle Monique Martin ou Héléna Skripka ?

— Ni l'un, ni l'autre.

— Vous avez affirmé qu'elle n'avait pas de troisième nom.

— En vérité, elle n'avait pas un troisième nom.

— Alors ?

— Quoi, alors ?

— Alors, quel est le véritable nom de la femme de Max Hublot ? Vous venez d'affirmer, Père Virgil, qu'elle n'est pas Monique, qu'elle n'est pas Héléna, et qu'elle n'a pas un troisième nom. Quel est alors sa véritable identité ? Car toute personne a une identité.

— Elle n'a pas d'identité, répond le prêtre. Elle n'a ni nom, ni prénom. Rien, Mademoiselle. C'est ici que la police française, en l'occurrence de le service de Contre-Espionnage, a fait une très grave erreur en ouvrant l'enquête. Vous savez qu'un homme condamné au bagne ou à la prison perpétuelle, avant d'être verrouillé dans son cachot, est dépouillé de ses vêtements d'homme libre. On lui rase le crâne. On lui confisque toutes ses pièces d'identité et tous ses objets personnels. On l'habille en bagnard. Ensuite, à la place de son nom et de son prénom, on lui donne un numéro. C'est idiot de demander à un bagnard ses pièces d'identité comme à un citoyen de France, d'Angleterre ou d'Italie. Il n'en a

440

L'ESPIONNE

pas. Il est un numéro. C'est la même chose pour les habitants des Républiques Pénitenciaires. C'est même pire. Car ils ne sont pas seulement des hommes sans identité. Ils ne sont même pas des numéros. Comme les bagnards. Ils sont des objets. Des instruments de production. C'est pire que d'être réduit à un chiffre. C'est être réduit a une entité sociale. Etre privé même de ce simulacre d'identité utilisé dans les prisons où le nom, le prénom, les date et lieu de naissance sont remplacés par un numéro. Dans les Républiques Pénitenciaires, les hommes et les femmes ne sont même pas cela. Ils sont de simples outils de production, des robots. Or, les robots, les outils, les pièces de rechange n'ont pas de cartes d'identité, ni de passeports. Ils sont simplement inscrits, comme toutes les choses, dans les inventaires et les catalogues... Comment le service de Contre-Espionnage a-t-il pu commettre la faute de chercher les pièces d'identité d'un robot ?

— Alors, mon Père, comment s'appelle, en réalité, la femme de Max Hublot ? Mon ami Max doit savoir, au moins, le nom de sa femme ?

— Que le professeur Max Hublot appelle son épouse du nom qu'il lui plaira ! Elle est un robot. Tous les noms sont pareils pour un robot. Même l'absence de nom.

Paris, 1970.

FIN

TABLE

ACHEVÉ D'IMPRIMER LE
26 MARS 1971 SUR LES
PRESSES DE L'IMPRIMERIE
BUSSIÈRE, SAINT-AMAND (CHER)

— No d'édit. 9780. — No d'imp. 170. —
Dépôt légal : 1er trimestre 1971.

Imprimé en France